ISBN 978-0-331-97077-7
PIBN 10736255

This book is a reproduction of an important historical work. Forgotten Books uses
state-of-the-art technology to digitally reconstruct the work, preserving the original format
whilst repairing imperfections present in the aged copy. In rare cases, an imperfection in
the original, such as a blemish or missing page, may be replicated in our edition. We do,
however, repair the vast majority of imperfections successfully; any imperfections that
remain are intentionally left to preserve the state of such historical works.

Unter dem Halbmonde.

Unter dem Halbmonde.

Bild des ottomanischen Reiches und seiner Völker.

Nach eigener Anschauung und Erfahrung

geschildert von

Amand Freiherr v. Schweiger-Lerchenfeld.

(Verfasser von „Die Gebiete des Euphrat und Tigris x.")

Jena,

Hermann Costenoble.

1876.

Druck von Bonde & Dietrich in Altenburg.

Vorwort.

Von Tag zu Tag mehren sich die düstern Anzeichen, welche auf eine bevorstehende Umgestaltung der Dinge im Süd-Osten Europas hindeuten. Im Schooße durch Jahrhunderte bedrückter Völker erwacht der Drang nach Freiheit und Befreiung, und wenn auch die Diplomatie am grünen Tische sich wenig geneigt zeigt, den romantischen Gefühlen der christlichen Bevölkerung des Balkans Sympathien entgegenzubringen, so sind die Rück-wirkungen dieser politischen Strömung zu mächtig, als daß man sich ihrem Einflusse auf die Dauer entziehen könnte. Die Sache hat aber auch ihre praktische Seite. Die Indolenz der türkischen Race legt seit undenklichen Zeiten viele der reichsten Länder der Erde in starre Apathie, in eine Art Todesschlaf, und der bedrückte Bewohner ist kaum mehr als eine gespenstische Staffage, deren Stirne das Fluchmal der Sclaverei trägt. Es entspringt hier-aus die Thatsache, daß auf europäischem Boden noch ausgedehnte Länderstrecken sich befinden, die unserer Cultur ebenso ferne abstehen, als etwa die sudanesischen Sultanate, oder die Duodez-Staaten in Centralasien, und daß uns verwandte Glaubens- und Stammesbrüder von turanischen Barbaren auf den Aus-sterbe-Etat gesetzt sind, um sich der widerhaarigen Elemente nach Thunlichkeit zu entledigen.

Alle diese Zustände sind der Diplomatie nur zum Theile bekannt. Länder, die nicht einmal der Wissenschaft erschlossen

sind, können eben keine zuverläßlichen Factoren den Cabinets=
Politikern abgeben, und aus der Schüchternheit, einerseits in diese
umdämmerten Zustände einzugreifen, sowie andererseits auf
Grund der herrschenden Rivalität unter den abendländischen
Mächten, ist jener Zustand der Stabilität hervorgerufen worden,
den man gemeinhin die „orientalische Frage" nennt.

Leider ist der Untergang des ottomanischen Reiches keine
bloße politische Nothwendigkeit, sondern im hohen Grade auch
eine wissenschaftliche. Wenn Culturvölker vom Erdboden ver=
schwinden, so bedarf es hiezu eines physischen Uebergewichtes der
erobernden Macht, für das wir heute, wo Völker mächtig durch
sich selbst, durch ihr geistiges und materielles Capital sind, keinen
Maßstab haben. Ist die Eroberung eine friedliche, dann bedarf
es vieler Jahrhunderte, um die Individualität eines Volkes
sammt seiner Cultur zu verwischen, aber diese selbst wird immer
in Reminiscenzen nachklingen und ihren Einfluß geltend machen.
Anders ist es bei einem Staate wie die Türkei. Wenn sie heute
zusammenbricht, so entsteht weder in der geistigen, noch in der
materiellen Wechselseitigkeit der Staaten eine Lücke. In den
weiten Ländern bleibt keine Spur, die auf die frühere Existenz
einer Race hinzuweisen im Stande wäre, es wäre denn — die
Verwahrlosung, Oede und Barbarei.

Es muß hier auch dem Irrthume entgegengetreten werden,
als sei mit der Entfernung der Türken aus Europa gleichzeitig
die Festigung eines osmanischen Staates in Vorder=Asien ver=
bunden. Wäre die Lösung der „orientalischen Frage" eine bloße
politische Nothwendigkeit, dann hätte ein derartiger Gedanke
seine logische Basis, es ist aber eine erwiesene Thatsache, daß
nicht nur die Rajah der Balkanhalbinsel auf Befreiung harrt,
sondern auch das ganze Völkerconglomerat des Ostens, das
zwar desselben Glaubensbekenntnisses ist, wie sein nomineller
Beherrscher, sonst aber die Gemeinschaft mit den turanischen
Machthabern nichts weniger als liebt. Wir meinen hier vor
allen die Kurden und Araber. Ihr ganzes Dasein gipfelt in
einem unauslöschlichen Hasse gegen die Osmaniden, und da sie
ohnedies bereits halb unabhängig in den Gebirgswildnissen und
undurchbringlichen Steppen haufen, so bedarf es nur eines
kräftigen Ruckes, um drei Viertheile des gegenwärtigen Terri=

toriums vom Stammlande der Osmanen in Anatolien abzu=
trennen.

Die Consolidirung der Racen ist die Signatur unseres
Jahrhunderts. Man kann es demnach den nicht = turanischen
Völkern Border=Asiens nicht zumuthen, ferner unter einer
Herrschaft auszuharren, die ihnen keinen Segen, wohl aber
namenlose Bedrückung und jede Art von Bergewaltigung ent=
gegenbringt.

Die Symptome dieses natürlichen Zersetzungsprocesses nun
zu schildern, wie sie sich aus den vorhandenen Thatsachen ergeben,
ist der Zweck dieses Buches. Es ist ein Zeitbild düsterster Fär=
bung, über das nur hin und wider der Lichtstrahl morgen=
ländischen Zaubers gleitet. —

Wien, im Januar 1876.

Der Verfasser.

Berichtigungen.

Seite 21, Zeile 16 von oben, lies: unserer, statt unsere.
  „   89,   „   19   „   „   „   Ismaelier, statt Ismanlier.
  „   101,   „   3   „ unten „   Odassi, statt Adassi.
  „   107,   „   19   „   oben   „   Berechtigt, statt berecht.
  „   122,   „   21   „   „   „   Kabatköj, statt Kabatjö.
  „   156,   „   14   „ unten „   Nicaea, statt Nicaera.
  „   160,   „   6   „   „   „   Bautenminister, statt Bautminister.

Inhalt.

Erster Abschnitt.

Zweiter Abschnitt.

Dritter Abschnitt.

Vierter Abschnitt.

Erster Abschnitt.

Die Reiserouten der Zukunft. — Belgrad. — Die Donauenge. — Bei
den Catarakten. — Im Kazan-Paß. — Orsowa und Mehadia. —
Das eiserne Thor. — Widdin. — Rustschuk. — Die untere Donau
bis Galac. — Das Donau-Delta mit Suline.

Es gibt keinen Strom in Europa, der seiner ganzen Ausdehnung nach ein derartiges kalaidoscopartiges Bild von Ländern und Völkern längs seines Laufes entrollte, wie die Donau.
Aus dem centralen Europa kommend, besäumt er die mannig-
faltig gegliederten orographischen Abschnitte des nördlichen Alpen-
gebietes, in dessen Thälern die deutsche Zunge klingt, von hier
tritt er jählings in einen andere Welt, sozusagen unvermittelt
vom Occident in den Orient, in die ungarischen Niederungen, mit
ihrer grandiosen Einförmigkeit und originellen ethnographischen
Elementen, um schließlich durch eine gewaltige Gebirgspforte seine
Fluthen in das dacische Land zu wälzen.   Durch die gegebenen
natürlichen Bedingungen war diese gewaltige Wasserader immerdar der vorgezeichnete Weg in der ursprünglichen Massenbewe-
gung der Völker, die einst aus der ungekannten Welt des Ostens
durch die wilden Strompforten in Südosten Europas ins Abendland einströmten.   Als später der große Völkerzug zu stagniren
begann und durch geschaffene staatliche Complexe der Platzver-
änderung en masse kein Spielraum mehr gegeben war, blieb die
Stromrichtung nach wie vor der Geleitweg für eroberungs-
lustige Horden, Heeresmassen und Kriegsfahrer aller Art.   So
hat die Donau seit vielen Jahrhunderten unmittelbar den Con-

tact des Abendlandes mit dem Oriente bedingt. Wie weit die schädigenden Rückwirkungen vorliegender Thatsache etwaige Vortheile und Errungenschaften dieser Wechselseitigkeit aufheben, mögen strenge Geschichtsforscher einer Prüfung unterziehen, uns obliegt es nur zu constatiren, daß die gegebene Berührungslinie eine derart eminente Wichtigkeit für die Geschichte der Cultur und Völker im östlichen und centralen Europa besitzt, daß sie sich im Lanfe der Zeit stets progressiv entwickeln mußte... Die traurige Nothwendigkeit eines vielhundertjährigen Vertheidigungskampfes der Herrscher und Völker Oesterreichs gegen die andrängenden Schaaren turanischer Barbaren gibt uns heute keinen Anlaß mehr zur Bekümmerniß. Unerschütterliche Ausdauer hat die Macht der islamitischen Krummsäbel gebrochen und statt bewaffneter Massen, ziehen auf demselben Wege die modernen Verkehrsmittel, um die abendländische Cultur, die Producte menschlichen Fleißes und geistiger Arbeit nach dem dämmerdüstren Osten zu tragen und die Wellenkreise des Fortschrittes immer weiter zu entwickeln.

Wie das absickernde Gewässer in unverdrossener Arbeit den harten Granit unterwäscht, so hat der occidentale Geist das eherne Gefüge einer Glaubensmacht zersetzt, der einstens die halbe Welt gehörte. Der Islam mag seinen harten Kern in in den inferioren Centren feiner Stammheimat haben, an der Peripherie ist er bedeutungslos, weil die universelle Macht der Cultur mit so ungeschmeidigen Factoren, wie es die islamitischen Traditionen sind, nicht zu rechnen vermag und sie somit nach Möglichkeit unschädlich machen muß. Es mag hier vorwegs die Bemerkung gemacht werden, daß selbst reformatorisches Streben von Seite der ottomanischen Staatslenker, den rapiden Niedergang des Reiches niemals zu hemmen vermögen wird, denn die Zersetzung ist eine in der Natur dieses Staatengebildes, in der ganzen Individualität seines Völker-Conglomerates so eminent begründete, daß die wenigen Schönpflästerchen von reformatorischer Arbeit von absolut illusorischer Rückwirkung auf den innern Bestand einer degenerirten Macht verbleiben müssen... Möge man die Dinge wie immer ansehen, mögen unverbesserliche Optimisten einer Neugestaltung des Chalifen-Erbes die rosigsten Hoffnungen entgegenbringen, für Jeden, der aus der Geschichte

nicht nur die Axiome des Culturprocesses zieht, sondern auch all'
die schwerwiegenden politischen Lehren, welche mit mathematischer
Gewißheit den Untergang von Staaten vordemonstriren, ist der
Niedergang des Sternes Osmans ein leicht erklärlicher geschicht-
licher Proceß, der ihn nicht befremden kann.

Ehe wir in die verworrene Situation des ottomanischen
Orients eindringen, möge uns wohl als Präludium vergönnt
sein, einen Blick auf die Nordgrenze des türkischen Reiches zu
werfen. Es ist die Donau, welche dieselbe indentificirt, derjenige
Strom, der heute, im Dienste des Massenaustausches von Ideen
und Gütern ein Verkehrsweg, somit ein Culturfactor ist, den
man schlechtweg wohl nicht übergehen kann. Bald nach den
ersten Reformanläufen Sultan Mahmuds II., wodurch das osmanische Chalifat den occidentalen Culturstaaten zum mindesten
näher gerückt werden sollte, begann jener commerzielle Contact,
der für das Reich weit verhängnißvoller werden mußte, als die
frühere starre Abgeschlossenheit. Die erwachende Thätigkeit fremder Interessenten an allen Ecken und Enden des hinfälligen
Osmanenreiches, bestärkte gar bald den Glauben, als habe der
abendländische Fortschritt vollkommen in ihm Fuß gefaßt und
als seien die typischen Erscheinungen des Ostens, die Repräsentanten der islamitischen Rechtgläubigkeit nur mehr todte Staffagen ... Der gedankenlose Asiate aber blickt scheu in das
betäubende Gewirre occidentaler Geschäftigkeit und nicht ohne
bitteren Gefühle mag er dem fremdartigen Treiben den Rücken
kehren, um in einsamer Behausung den letzten Funken Thatkraft
in sybaritischer Gemächlichkeit zu ersticken. So schreitet die
Türkei seit Decennien zugleich vor und zurück, das erste in Bezug auf die herrschende Culturtendenz der abendländischen Pion-
nire, das letztere im Sinne einer rapiden Auflösung jahrhundert-
langer bestandener religiöser und nationaler Einrichtungen.

Den ersten gewaltigen Stoß hat der osmanische Conservatismus indeß durch die ins Leben gerufenen Eisenbahnen
erhalten. Die fanatische Opposition von Seite der Priesterschaft,
die durch diese europäische Errungenschaft den Bestand der islamitischen Traditionen bedroht sah, lag ganz gewiß in der Ueberzeugung, daß mit dieser Schöpfung die ungläubige occidentale
Welt bahnbrechend in die Reiche vom Scepter Osmans ein-

bringen werde, eine culturgeschichtliche Action, die gleichbedeutend mit der Vernichtung der osmanischen Macht in Europa sein mußte. Und dieser Ansicht war auch der Stambuler Chalifenhof und die schwache Regierung in der politischen Intriguenwerkstätte von Pascha Kapussi, aber sie mußten dem Abendlande diese Concession nothgedrungen machen, um auf dem europäischen Geldmarkte kreditfester zu werden und fremdes Capital in Eisenbahn-Titres zu investitiren. Wir werden späterhin auf die eigenthümlich verworrene ottomanische Eisenbahnfrage noch in umfassender Weise zu sprechen kommen. Die Schienenwege, welche bereits ganz Thrakien-Rumili nach vier verschiedenen Richtungen radialartig durchlaufen, nähern sich bereits der serbischen und bosnischen Grenze und auf die Dauer wird die unvernünftige Halsstarrigkeit den politischen Tonangebern am Bospor wohl nichts nützen und das große Werk seine Realisirung finden. Neben dem Donaustrome wird dann eine zweite Operationslinie des friedlich erobernden Menschengeistes in das Innere der Türkei und an deren südöstlichsten Küsten führen und das Axiom des universellen Einflusses der Eisenstraßen, seine Probe an den halbbarbarischen Völkern der Balkanhalbinsel zu bestehen haben. Dieser Moment aber steht sozusagen vor der Thüre. Zwei, drei, höchstens vier Jahre und eine Länderzone, die heute noch zu den inferiorsten des näheren Orients zählt und nur von Männern der Wissenschaft oder Touristen im höheren Style betreten wird, ist für die europäischen Culturbestrebungen gewonnen, um kaum geahnte materielle und geistige Schätze zu erschließen ... Es leben da Völker, tüchtig und gesund ihrer nationalen Individualität nach und der Funke der Aufklärung wird seine Wirkung nicht verfehlen, wenn er in Millionen von Bedrückten fällt, die von den lichtscheuen Turanern nicht viel höher als die liebe Thierwelt geschätzt werden ...

Auf der einsamen Stromfahrt von Budapest abwärts erreichen wir mit Belgrad den ersten Markstein des Ostens. Die heutige Serbencapitale macht, trotz der enormen Anstrengungen der Regierung, sie zu einem annehmbaren Fürstensitze emporzuheben, noch immer einen ganz eigenthümlich düstern Eindruck, der vielleicht weit weniger ihrer Lage oder den fremdartigen Detailbildern zuzuschreiben kömmt, als vielmehr den düsteren Reminiscenzen, die sich uns hier auf Schritt und Tritt aufdrängen. Schon von der Donau herauf gewahrt man die eigenthümlich in Etagen hinanziehenden alten türkischen Befesti-

aus den
nehmen,
en des
reiteten,
Escarpen
por und
übwärts
breiten,
. Man
hlerhal-
n Aus-
halten
benden,
dunklen
der der
in der

uch die
encapi-
lange
Lippen
uf oder
n ben
der so
hergen
Man
bäube,
zum
zanzen
uf be-
jalten,
zkeiten
mfor-
theilt.
egiren

bringen werde, eine culturgeschichtliche Action, die gleichbedeutend
mit der Vernichtung der osmanischen ... Europa sein
mußte. Un...

hof und b
werkstätte
diese Conce
Geldmarkte
Eisenbahn-
eigenthüml
umfassende
welche be-
Richtunger
serbischen
unvernünf
Bospor n
rung sind
Operation
Innere t
und das
seine Pr
insel zu
vor der
derzone,
zählt un
höheren
bestrebur
Schätze
gesund
Aufklär
Million
nern n
A
erreiche
Die h
gunger
empor
druck,
artige

düsteren Reminiscenzen, die sich uns hier auf Schritt und Tritt
aufdrängen. Schon von der Donau herauf· gewahrt man bie
eigenthümlich in Etagen hinanziehenden alten türkischen Befesti-
gungswerke, die sich heute, da keine Feuerschlünde mehr aus den
verwahrlosten Scharten herabgähnen, gewiß harmloser ausnehmen,
als seinerzeit, wo am jenseitigen Ufer sich die Tranchéen des
Laudon'schen Angriffscorps gleich Maulwurfsgängen ausbreiteten,
um den Türkenhorst zu Fall zu bringen. Die hohen Escarpen
starren jetzt am Donaugestade gleichsam als Ruinen empor und
die buschigen, äußerst einladenden Parkpartien, die sich südwärts
über die Glacis bis zu den ersten Häusern der Stadt breiten,
nehmen dem Bilde noch mehr das frühere kriegerische Air. Man
wandelt da zwischen traulichen Bosquets, oder über wohlerhal-
tene Kieswege, über welche tändelnde Kinder in harmlosen Aus-
lassungen sich· tummeln. Frauen und plaudernde Gruppen halten
die zahlreichen Ruhebänke occupirt und an Sommerabenden,
wenn kühlende Brisen vom Donaustrome herauf durch die dunklen
Kronen streichen, erklingen vor dem „Roi du Serbie" oder der
„Krone" die Melodien eines Musikchors, zu dem sich in der
Regel die Belgrader Gesellschaft einfindet.

Von der Höhe des Kali-Mejdans laufen indeß auch die
Hauptadern durch die ganze ungemein ausgedehnte Serbencapitale. Einst war diese Stätte, und es ist noch nicht so lange
her, das Blutfeld türkischer Grausamkeit und von den Lippen
gepfählter Christen floß so mancher entsetzliche Jammerruf oder
noch entsetzlicherer Fluch. Herrenlose Hunde nagten an den
Beinen Sterbender und die herbeigeeilten Familienglieder so
manchen unschuldigen Opfers wurden von den türkischen Schergen
einfach fortgepeitscht ... Jetzt ist Friede hier eingezogen. Man
gelangt vom Kali-Mejdan alsbald zum neuen Schulgebäude,
zum Theater und von da über eine Art Boulevard zum
Fürstenhause und Minister-Konak. Im Großen und Ganzen
scheint man bei der Jnangriffnahme der Neubauten darauf bedacht zu sein, womöglichst die gerade Gassenlinie einzuhalten,
was bei Bergstädten wie Belgrad eben seine Schwierigkeiten
haben mag. Allenthalben erblickt man auch neuartige, komfor-
table Gebäude und zwar sporadisch in den Straßen vertheilt.
Da sie nur annähernd das zukünftige Straßenbild zu protegiren

vermögen, muthen diese architektonischen Oasen in der baulichen
Wüste der vortürkischen Architektur mitunter ganz seltsam an.
Wie es einst in Belgrad ausgesehen haben mag, als noch die
Kef-liebenden Moslims, die notorischen Fanatiker der Ruhe und
— des Schmutzes, auf dem „weißen Fels" des Donau-Save-
Dreieckes herrschten, darüber kann man sich einigermaßen einen
Begriff machen, wenn man weder Mühe noch Stiefel schont
und dem unteren Stadttheile, der sich an der Donau hinzieht,
einen Besuch abstattet . . .

Von der Höhe des „Parkes" geht's auf gewundener, leh-
miger Fahrstraße nach den Trümmercomplexen der Tiefe. Einzelne Hütten, in zwar malerischem aber nichts weniger als
anheimelnden Arrangement, zeichnen sich vortheilhaft vor den
übrigen Schutthaufen aus und wo sie sich zu einer Gasse vereinigen, stechen aus ihrer Reihe namentlich die Tröbelbuden hervor, die mit ihrem bunten Detail so ganz an den Konstanti-
nopler Bit-Bazar (Läusebazar) erinnern . . . Die immensen Anstrengungen der Regierung aus dem übernommenen Gerümpel
nach Möglichkeit eine moderne Stadt zu gestalten, hat für den
Augenblick gewiß des Guten genug geleistet und man kann bei
den immerwährend in Anspruch genommenen Geldmitteln nicht
allerorts Hand anlegen. Aus den ausgebreiteten Schutt- und
Steinhaufen dieses Stadttheiles ragen hin und wieder auch türkische Gebethäuser (Djamis), vollkommen zerfallene Baulichkeiten,
mit unverwahrten Thür- und Fensteröffnungen und architecto-
nischen Schäden, welche den einstmaligen Tempel kaum mehr
ahnen lassen. Einzelne Minarets starren noch, gleich glitzernden
Nadeln, in die Mittagsbläue empor, aber die flimmernde Blech-
haube ist entweder längst verschwunden, oder sie rostet mitsammt
dem metallenen Glaubenssymbole in der feuchten Luft. Die
Gebetrufergallerien stehen allenthalben, aber von ihrer Höhe vernimmt man nicht mehr die grellen Laute des Muezzins. Innen
ist der Raum der einzelnen Djamis vollends verwahrlost. Die
Kleebögen überhängen geborsten und die Koransprüche sind mit
dem Stucke in den Schutt des Parterres gekollert, wo sich
hungrige Sperlingschaaren nach Thunlichkeit gütlich machen.

In der That, Alles deutet darauf hin, daß an diesem Gestade das Regenerirungswerk gegen Osten begonnen. Die Macht

des Halbmondes, die von Osman bis auf Bajazid Jlderim und Murad II. seit Römerzeit die unvergleichlichsten kriegerischen Erfolge errungen, reducirt sich heute lediglich nur mehr auf einen historischen Traum, auf eine Art mittelalterliche Romantik, die in verschollenen Kundgebungen nachklingt und hie und da noch Gemüther, denen der „Stern des Ostens" wie ein Wunderbild aus einer andern Welt entgegenleuchtet, traumselig beschäftigt. Es mag vielleicht am Platze sein, hiebei eine Bemerkung zu machen. Jene Illussion vom Oriente hat sich streng genommen niemals auf die Völker des Turco-Tartarischen Geschlechtes bezogen. Der Zauber morgenländischer Romantik ging von jenem Volke aus, das zwischen dem rothen Meere und dem persischen Golfe seine Heimstätte hatte und von da über die ganze Nordküste von Afrika bis über die Herculessäulen hinans und zu den Stromlandschaften Andalusiens und Castilliens die Morgendämmerung einer neuen Geistesrichtung verbreitete. Das Volk der Araber identificirt den Begriff islamitischer Cultur, und wenn wir auch von den herrlichen Reminiscenzen Umgang nehmen, die das hochpulsende Gemüths- und das freie Geistesleben an den Höfen der Omajaden zu Cordowa und Granada in sich schließen, so brauchen wir nur auf die noch heute in Nedjd seßhaften Wahabiten hinzudeuten, um zu beweisen, daß der brauchbare Kern der mohammedanischen Völker nur bei den — Arabern zu snchen sei. Der Türke ist in dieser Beziehung ein überwundener Standpunkt. Er hat uns keine Illusion, wohl aber allen Abscheu gelassen. Wir fürchten ihn nicht seines todestrotzigen Fatalismus und seiner Million Krummsäbel mehr, die einst eine Welt eroberten, sondern seines Schmutzes, seiner Faulheit und Jntoleranz halber und wer da noch an Bosporromanen und Haremsmysterien Gefallen finden mag, der hat in der That viel Zeit disponibel ...

Doch brechen wir ab ... Neben der alten Festung, die einen bedeutenden Complex umfaßt und den höchsten Punkt des Donau-Save-Dreiecks krönt, nimmt der übrige, in Terrassen am Saveufer sich hinziehende Stadttheil eine Ausdehnung, die mit der niederen Bevölkerungsziffer in gar keinem Verhältnisse steht. Parallelstraßen in den Niveau-Curven der Abhänge entwickeln sich in ganz respectabler Länge und wenn nun auch die Architectur zumeist beispiellos elend ist, so lassen die neuester Zeit gemachten Anläufe das Beste erwarten. In dem ausgebreiteten Gassennetze herrscht ungemein viel reges Leben, Alles rührt sich und eilt seinen Alltagsbeschäftigungen nach, oder bethätigt sonstwie den nimmerruhenden Proceß der Existenz. Belgrad ist eben nur für den Fremden todt, der sich schwer in dem typisch-nationalen Leben orientirt und nicht sogleich die Fühlungs- und Anhaltspunkte zu seinen Beobachtungen und etwaigen Zerstreuungen findet. Aber auch im Gegenfalle vermag man nicht gleichgültig zu verbleiben. Im Augenblicke, wo etwa hinter den westlichen Bergeshäuptern die Sonne sinkt und die purpurnen Dämmergluthen aufleuchtend noch einmal über das Stahlband der Save gleiten, tönen die Vesperglocken herüber und eine friedliche Stimmung bemächtigt sich unseres Gemüthes. Es ist keine Illusion dabei und doch pulst in dem herrlichen Bilde, das Belgrad umklammert, mehr ursprünglicher Reiz, als in den verschwommenen Erinnerungenen, die hie und da in jene Zeiten hinabtauchen, da noch der Halbmond auf den Kuppeln der Djamis blinkte... Es ist die Morgendämmerung des Auferstehungstages, die über die Berge herüberflimmert ...

Belgrad hat neuester Zeit erst eine gewisse Popularität durch ein politisches Drama erhalten, dessen Held bekanntlich Fürst Michael Obrenović III. war. Die That muß streng genommen noch als eine Consequenz jener langjährigen politischen Verwirrungen betrachtet werden, die infolge der türkischen Bedrückung platzgegriffen haben und auch ins nationale Leben tief einschnitten. Wenn man in der Geschichte Serbiens nur um wenige Decennien zurückblättert und sich jene Zeit vergegenwärtigt, wo ein Milosch bald Abgott des Volkes, bald Werkzeug der türkischen Statthalter war und dem Parteihasse im Lande immer mehr Nahrung zuführte, so kann es nicht befremden, daß ab und zu noch Flammen der alten Brüder-Feindschaft emporlodern und den Parteihader neuerdings entfesseln. Die ganze moderne politische Bewegung in Serbien ist im Grunde genommen ebenfalls nichts Anderes, als ein Hangen und Bangen zwischen den Extremen, ein fieberhaftes Anstreben politischer Emanationen, die entweder von einem Ultra-Jacobinismus, oder von dem ziemlich herrschenden starren nationalen Conservatismus

dictirt werden, deſſen Repräſentanten nicht ohne Beſorgniß auf
die überſtürzte Fortſchrittsarbeit bliden. Das erwachte Selbſt-
gefühl, nach jahrhundertlangem deſpotiſchen Drude wird indeß
ohne Zweifel ſehr bald auf ſeinen richtigen Temperaturgrad her-
abſinken, und mit einem gemäßigten, vernünftigen Regimente
wird jene Beſänftigung der hochfahrenden Ultra-Nationalen eintreten, die nothwendig erſcheint, um den letzten Funken von Parteihader. zu erſticken. Jeder innere Zwiſt iſt für Serbien ein
Unglück. Es ſpielt durch ihn den türkiſchen Machthabern am
Bosporus das Argument in die Hände, daß die „Rajah" unter
ſich ſelbſt nicht fertig werde und ſomit der ottomaniſchen Vor-
mundſchaft gar ſehr bedürfe. —

Zum Parke von Topdſchider, wo ſich das Drama des Für-
ſtenmordes abſpielte, führt ein anmuthiger Fahrweg unter Pappeln und Linden und zwar von der hochgelegenen Stadt aus
durch die Saveniederung in die ſeitwärts gelegene Gebirgsmuſchel.
Der Fußweg dahin ſetzt kurzweg über einen mäßig hohen, quer
vorliegenden Gebirgsriegel, von deſſen Höhe man ein doppeltes,
gleich anziehendes Panorama genießt. Rückwärts gewendet, erblickt man nahezu die ganze Stadt Belgrad mit all' ihren
Häuſerterraſſen, dem ſporadiſchen Grün, das hie und da zwiſchen
den blinkenden Häuſerfronten emporwuchert und dem haſtigen
Leben, das ſich zunächſt des Save-Ufers kundgibt. Darüber
hinaus leuchten purpurdunkle Wolken und über das Stahlband
des Fluſſes gleiten traumſtill die verſchiedenartigen Fahrzeuge
der Schiffer ... Wendet man ſich ſodann wieder nach der
Richtung des eingeſchlagenen Weges, ſo gelangt man nach wenigen Schritten auf die jenſeitige Lehne des genannten Rückens
und das Gebiet von Topdſchider liegt vor unſeren Blicken ...
Es iſt eine romantiſche von dichter Baumvegetation überwucherte
Gebirgsmuſchel. Laubbächer wogen über Lehnen und Vertiefungen
und hie und da tauchen einzelne Häuſergiebel aus den Kronen-
maſſen und ein goldenes Thurmkreuz blickt herüber. Zu
unſeren Füßen ſelbſt, am Rande eines im modernen Style ange-
legten Ziergartens, liegt das „Herrenhaus", ein einſtöckiges,
beſcheidenes Gebäude, das wohl jeden Beſucher enttäuſchen wird.
Fünf Minuten Weges und wir ſind unten ... Schattige Laub-
gänge zu beiden Seiten, umzäuntes Buſchwerk, dann Glas-

ballons, die neben hellen Statuetten aus dem Dickicht leuchten, das
ist so das erste Bild. Der breite Fahrweg bringt uns zum
„Herrenhause", das, auf quadratischen Basament aufgeführt, mit
einem kleinen Etagen=Erker nach der Gartenseite ausspringt.
Unter diesem ist der Eingang und über fünf oder sechs Stufen
gelangen wir in den Parterreraum, der durch eine einfache
hölzerne Treppe mit dem ersten Stockwerke communicirt. Man
kann sich kein bescheideneres, anspruchloseres Fürstenasyl vor=
stellen, als Milosch's Tusculum im Parke von Topdschider. Den
Erkerraum nimmt zum großen Theile ein einfacher Wanddivan
in Anspruch. Dann betritt man der Reihe nach das Schlaf=,
Arbeits= und Rauchzimmer und wir haben die Appartements
der ersten und einzigen Etage erschöpft. Das ganze Interieur
hat durchaus nichts Fürstliches an sich; man fühlt sich wie in
einem einfachen Landhause unseres Styles und wird nirgends
an den üblichen souveränen Prunk, wie er derlei Asylen eigen
zu sein pflegt, gemahnt.

Um auf jene Stelle des Parkes zu gelangen, wo Michael
Obrenović III. von Meuchlerhänden fiel, schreitet man den Fahr=
weg hinan, übersetzt nach einiger Zeit eine baumlose Fläche, um
schließlich unter ein schattiges Laubdach zu gelangen, wo der
verhängnißvolle Act sich zugetragen. Phantasiemenschen, die mit
den nackten Thatsachen niemals einverstanden sind, da sie ihnen
zu wenig Aufregendes, Romantisches bieten, wollen noch die
Zeichen in den umstehenden Baumstämmen erblicken, welche einst
die Verschworenen nach abgelegtem Eide, Michael zu tödten, mit
ihren Messern einschnitten ... Es war diese ganze Episode wie
gesagt ein Ausfluß jenes geheim schaltenden Parteihasses, den
wahrlich die Türken zu ihrem Nutzen, nach Kräften schürten.
Die Serben haben eben eine schwere, kummervolle Vergangen=
heit und wer sich die Freude an den gegenwärtigen Fortschritts=
bestrebungen nicht verkümmern will, der thut besser, nicht in jene
Tage zurückzublättern, da noch die Nachkommen Osmans in
ewig wilder Fehde das Land gleich einer egyptischen Plage heim=
suchten. Belgrad war immer ein Bollwerk des Ostens, einst als
Stützpunkt, von dem aus die Osmanen ihre historischen Erobe=
rungszüge nach dem Abendlande in Scene setzten, später unter
Prinz Eugen und Laudon ein Zankapfel, dessen Besitz gewisser=

maßen die Herrschaft an der untern Donau garantirte. Wenn einmal der Schienenweg von diesem Gestade durch die centrale Türkei bis zum Bosporus eine Thatsache sein wird, dann dürfte Belgrad nicht mehr an seinen historischen Reminiscenzen hängen, sondern neu gekräftigt in den Kreis jener west-östlichen Grenzstädte treten, denen die ehrende Aufgabe zufällt, über die Balkanhalbinsel die moderne Cultur zu tragen, um den alten ottomanischen Plunder zusammen zu reißen . . .

Der Umstand, daß das „Herrenhaus" im Parke von Topdschider zumeist unbewohnt ist, gestaltet den Totaleindruck zu einem äußerst melancholischen, und man wird schwerlich mit heitern Gedanken dieses Asyl verlassen . . . Und phantomhaft zerflattern auch die Conturen von der Höhe des Fußweges. Bald liegt eine dunkle Masse zu unseren Füßen, schattige Lehnen tauchen in die Tiefe, in der hie und da ein Lichtfunke irrt, dann erglimmen die Sterne in lothrechter Ferne und die Mondessichel zieht ihre fahlen Lichtbänder über die regungslosen Baumwipfel. Einige Weg-Biegungen und wir haben wieder Belgrad vor uns, das nunmehr in einem fahlen Lichtmeere schwimmt und durch leuchtende Punkte seine Conturen vom dunklen Hintergrunde abzeichnet. Man muß Belgrad von dieser Seite sehen, um es schön zu finden, der Anblick von der Donau, mehr noch aber vom Landungsplatze aus, ist nichts weniger als einladend, schon des vertrödelten Festungsgemäuers halber, das Einem daselbst überall entgegentritt. — —

Auf der Donaufahrt von Belgrad ab wird man sich mehr und mehr bewußt, daß man jenem Felsenthore näher rücke, durch welches sich in vorhistorischer Zeit der gewaltige Strom, beziehungsweise das cis-dacische Binnenmeer Bahn gebrochen hatte. Das serbische Ufer bezeichnen indeß eine halbe Tagreise stromabwärts immer nur niedere Hügelformen, ja im Gebiete der Morawa-Mündung, erweitert sich das Thalbecken zu einer meilenweiten Ebene, in welcher man die originelle Festung Semendria mit ihren rectangonalen Mauerzügen erblickt. Erst südlich von Bazias und zwar in unmittelbarer Nähe des österreichischen Uferstädtchens Alt-Moldowa steigen die niederen Formen rasch zu felsigen Stromwänden empor und den Beginn einer der großartigsten Strompartien Europas bezeichnet ein 20 Fuß hoher

Kalkfelsen, der aus der stillen Stromfläche taucht. Es ist der sogenannte „Baba=Kaj", an den sich die Legende von einem grausamen serbischen Gauherrn knüpft, der in dem nahen Golubac gehaust und seine Gattin an den einsamen Felsen schmieden ließ. Dort „keift" sie, wie schon die Bezeichnung der Klippe darthut, nach der Volkssage noch heute und bei den heftigen Oststürmen, die namentlich zur Herbstzeit das Donau=Defilé her= aufpfeifen, dünkt es in der That, als ob von jenem Felsen Klage= laute herüberdrängen. Im Mondlichte schimmert er gleich einer phosphorescirenden Leuchte, während nebenan aus felsiger Um= rahmung die verfallenen Zinnen der genannten Schloßruine von Golubac, d. i. „Taubenschlag", gar einsam hervortauchen.

Der Golubac klebt heute mit seinen sechs ziemlich gut erhal= tenen Thürmen an der serbischen Uferseite, ähnlich den pittores= kesten Ritterschlössern deutscher Stromlandschaften. Die Erbau= ung dieses Felsennestes reicht tief ins Mittelalter hinauf und es war durch seine vorzügliche Lage immer zu einer Art Strom= sperre prädestinirt. Ihm gegenüber auf ungarischem Ufer erblickt man heute einen gänzlich verfallenen Thurm, der seinerzeit der Veste Lászlóvár angehörte und von der aus der jeweilige Zwing= herr des Golubac, falls er Türke war, in Schach gehalten wurde. Die Geschichte dieser Burgruine ist reich. Bajazids Schaaren waren die ersten, die als feindliche Eroberer den Halbmond auf den Zinnen des Golubac pflanzten, aber bald hierauf kam die Burg wieder in den Besitz serbischer Könige und hatte nament= lich der fürsorgliche Lazarewic bei Zeiten der direkten Unter= stützung des Königs Sigismund sich vergewissert, um seinem Enkel Georg Brankowic den Besitz des Felsenschlosses gegenüber der Eroberungslust der Türken zu sichern ... Nichtsdestoweniger fiel es bald hierauf in Murads Hände. In dem kleinen Donaubecken um den Felsen „Baba=Kaj" kam es zur mörderi= schen Schlacht, in welcher Sigismund und die Ungarn geschlagen wurden. In den späteren Jahrhunderten blieb die Burg stets der Zankapfel zwischen Serben und Türken, zahllose Gefechte wurden um ihren Besitz geliefert und die legendaren Nachklänge, die bei der romantischen Natur der Südslaven wahrscheinlich in manchem Volksliede eine poetische Heimstätte gefunden haben dürften, würden bei deren näherer Kenntniß auch den Reiz der

Sage um diese verwitterten Zinnen weben, um so den Natur-
genuß zu erhöhen.

Durch die Schlucht zunächst des Golubac führt ein wilder
Steig in die Gebirgseinsamkeit von Mejdan-Pek, dem größten
serbischen Bergwerksorte. Er ist begrenzt von steilen, aufstar-
renden Felsen, die nun stromabwärts immer imposantere Ge-
staltungen annehmen und den Beginn der sogenannten „Cata-
raktenstrecke" markiren. Die Uferpartien der österreichischen Seite
sind zwar minder pittoresk, nichtsdestoweniger ist aber die am
Gestade vorüberziehende Széchenyi-Straße bereits hier des öftern
in Felsen eingesprengt und steile Wände wechseln ab und zu mit
dichtem Gestrüpp, das zwischen dem Felsengerümpel der steilen
Wasserrisse emporwuchert ... Wer je die Herbstzeit benützt hat,
um eine Donaufahrt über das „Eiserne Thor" hinaus zu machen,
der wird sich erinnern, daß seine Reise zu Schiff des öftern
unterbrochen wurde, um sie per Achse fortzusetzen. Die Reise
erscheint in diesem Falle ermüdend und sie mag es wohl auch
zum Theil sein, nichtsdestoweniger aber erscheint sie am ehesten
geeignet, daß großartige Stromgemälde durch Hinzuziehung viel-
artiger, zufälliger Details wesentlich zu erweitern. Es braucht
wohl nicht eigens betont zu werden, daß die zeitweilige Trans-
portart der Reisenden mittelst Landfuhrwerken als eine Consequenz des niederen Wasserstandes betrachtet werden muß. Dann
sind eben mehrere Stellen des Stromes selbst mit den aller-
kleinsten, vierrädrigen Flachbooten ohne Gefahr nicht mehr zu
passiren, und der Reisende muß sich bequemen, den comfortablen
Schiffssalon mit einem Sitze in einem harten, federlosen Land-
fuhrwerke zu vertauschen, das ihn bis zu jener Dampfschiff-
fahrtsstation befördert, von wo aus eine Weiterfahrt zu Schiff
wieder möglich wird. In der Regel verkehren die kleineren
Schiffe bis zur Station Drencowa. Bis dahin wechselt die
Landschaft in anmuthigen Formen, südlich der minder gefährlichen Stromschnelle „Stenka" erweitert sich das Bett noch einmal beckenartig, um sich bei dem einsamen Orte Drencowa
wieder zu verengen. Hier harrt gewöhnlich den Reisenden das
bedenkliche landesübliche Vehikel. Das Bild ist malerisch, typisch
national und die zahllosen primitiven Fuhrwerke mit den strup-
pigen Ponny-Gespanns, die wettergebräunten wallachischen Rosse-

lenker mit ihren schweren Pelzhauben sind die Staffagen, die zu dem landschaftlichen Bilde vollkommen passen. Kalte starre Formen begegnen uns da, ab und zu ein Gürtel von Weinkultur, der die steilen Lehnen hinanklettert, überall aber zeigt der üppige Boden, daß hier ein Culturland zu schöpfen wäre, das die untere Donaugegend neben ihrer romantischen Wildheit binnen weniger Jahre zu einem Paradiese umgestalten müßte... So bleibt die Gegend zwar großartig, aber einsam! Man legt von Drencowa eine mehrstündige Fahrt zurück, ohne Dörfer anzutreffen, der Strom zieht in stiller Majestät vorüber, aber an den Ufern erblickt man nur einzelne Fischerbarken, deren Insassen die schweren eisernen Angeln zum Hausenfange auswerfen.

Auf der Donaustrecke zwischen Drencowa und dem nächsten Dorfe Swinica, einer Niederlassung slavischer Ur-Sassen, befindet sich nächst des „Eisernen Thores" das größte Verkehrshinderniß, nämlich ein dreifacher Gürtel von Stromschnellen, die der Reihe nach die Namen Izlas, Tachtalia und Greben führen. Die letztere wird durch die submarine Fortsetzung des gleichnamigen Felskammes gebildet, der vom serbischen Ufer aus steil und wild-zerrissen in den Strom abstürzt. Das Bild ist schön und großartig! Man hört selbst bei heftigem Sturme und bei dem Gepolter des primitiven Landfuhrwerkes ziemlich deutlich, bei einer Fußtour aber sogar sehr stark das Brausen der Wassermassen, die sich zwischen den zahllosen Klippen Bahn brechen und über die Fluthen hinweg glitzert's von dem schneeweißen Gischt der gewaltigen Sturzwellen, die sich an den Felsbarrièren brechen... Man denke sich nun zu diesem Strombilde abendländische, reiche Kultur auf den sanften Uferpartien, freundliche Dörfer an beiden Gestaden und auf den bebuschten Uservorsprüngen einen Kranz zierlicher Villen und Landhäuser, und man wird zur Ueberzeugung gelangen müssen, das ganz Europa kein Thal von ähnlichem Zauber aufzuweisen im Stande wäre...

Der weitaus pittoreskeste Abschnitt im untern Donaugebiet beginnt nach Passirung der Stromschnelle von Juc. Man erreicht diese letztere zu Wagen von dem Dorfe Swinica aus ziemlich rasch, und zwar über die Ruinen der „drei Thürme"

(Tri Kuleh), die noch ein Ueberrest aus der Zeit Suleimans des Prächtigen sind, der einem Blutsverwandten des bekannten Zapolja die Banuswürde von Karansebes und Orsowa verlieh und sonderbarerweise nichts dagegen hatte, daß man auf österreichischem Ufer die genannten drei Trutzthürme erbaute. Sie ragen heute gleich abgebrauchten Coulissen am Stromufer empor, tragen aber immerhin Einiges zur Erhöhung des Reizes bei, der in diesem Thale allenthalben fühlbar wird. In Juc findet das zweifelhafte Vergnügen einer landesüblichen Wagentour in der Regel sein Ende und von da ab geht's wieder mit den Flachbooten dem großartigen „Kazanpasse" zu, wo der Strom die kolossale Tiefe von 40 Klafter erreicht. Schon die Anfahrt von Weitem hat ihren eigenthümlichen Reiz, denn die schroff abfallenden Felsufer erhöhen die Täuschung, als ende daselbst plötzlich der Strom vor einem Gewirre hart heranrückender Bergriesen. Eine Klippe, an der Schifferbarken halten, bezeichnet den unmittelbaren Eingang; rechts thürmen sich hoch über den Eichen- und Buchenwaldungen der Basisregion die vollkommen senkrechten Felswände der serbischen Uferberge, ohne Steg und Weg, mit überhängenden Zacken und Schroffen und nur von Adlerfamilien bevölkert. Linker Hand erscheint die ursprüngliche Wildheit der übereinander gethürmten Felsmassen dadurch ein wenig paralysirt, daß man Széchenyis Kunststraße erblickt, die unter malerisch überhängenden Felsengalerien dahinzieht ... Alle zehn Klafter präsentirt sich ein neues Bild! Bald läuft die Straße unter einer überhängenden Wand, aus deren klaffenden Fugen sich Eichen emporwinden, oder es mehrt sich das Uferbuschwerk zu parkähnlicher Ausdehnung. Das serbische Ufer zeigt bald seine dichten Haine, bald tauchen die Felsrippen säulenartig empor, geschmückt mit Riesen-Epheugewinden, die tief herab gegen den smaragdgrünen Wasserspiegel des Stromes pendeln.

Im „Kazanpasse" befindet sich auch die weit berühmte „Veterani-Höhle". Längs der Straße, die knapp unter den Felswänden des Cukarberges vorüberzieht, kann man noch allenthalben der Verschanzungen, Bastionen und Wälle gewahr werden, die einst zur Vertheidigung jenes geschichtlich denkwürdig gewordenen Schlupfwinkels dienten, und zwar erkennt man aus dem Mauergefüge der einzelnen Wälle deutlich die zwei, beinahe ein

Jahrhundert von einander abstehenden Perioden der zweimaligen
Vertheidigungsarbeiten. Es ist hieran noch die Bemerkung zu
knüpfen, daß an jener Stelle des Kazanpasses, wo das öster-
reichische Ufer gegen den Ort Dubowa sich ausweitet, sowohl
während der Türkenkriege, als auch bedeutend früher, Verschanzungen, ja ganze Bollwerke standen, welch' letztere man mit dem
Namen der Festung „Peth" belegte, obgleich über die wahre
Lage dieser Donau-Thalsperre noch immer sehr starke Zweifel
vorwalten. In allen Geschichtswerken wird von einer Veste
Peth gesprochen, aber topographisch festgestellt wurde sie niemals.
Das geradezu spurlose Verschwinden dieses historischen Punktes
will man nun neuester Zeit auf jene weitausgedehnten Befesti-
gungen rückführen, die sowohl während der ersten, als auch
zweiten Vertheidigung der Veterani-Höhle behufs Deckung des
Cukarberges an dessen Lehnen aufgeführt wurden, und die zur
Folge gehabt haben mögen, daß durch Materialverwerthung einerseits und Verbauung andererseits die Ueberreste der alten Forti-
fication zu Grunde gingen. Angenommen wird, daß Peth zu
gleicher Zeit mit dem Bollwerke Mychald (Mehadia) von König
Béla IV. bald nach Abzug der Tartaren errichtet worden sei.
Außerdem unterliegt es keinem Zweifel, daß diese plötzliche Er-
weiterung des sonst unpracticablen Kazanpasses, schon zur Zeit
der römisch-dacischen Kriege Anlaß zur Herstellung fortificatorischer Werke gegeben haben mochte, da von daselbst der auf der
Uferseite nahezu senkrechte und wild zerrissene Cukarberg leicht
zu umgehen ist... Heute sind, wie schon erwähnt, bauliche
Fragmente kaum mehr wahrzunehmen. Von der Stromseite aus
gewahrt man die absatzartig vorspringende Platte des Cukarberges, dicht bewachsen mit stattlichen Laubbäumen, deren Kronen-
dächer bis weit hinauf zu den Felsenrippen reichen.

Die Thalerweiterung von Dubowa ist an und für sich sehr
anmuthig und sie nimmt sich unwillkürlich wie eine frische,
lebenspendende Oase in der sonst einsamen Gebirgswildniß des
Donau-Defilés aus. Stromab von ihr schließt sich wieder die
Enge und die Kunststraße läuft wie vordem unter überhängenden
Felsgalerien dem nahen Ausgange des Passes zu. Von einer
weit auslaufenden perspectivischen Ansicht ist nirgends die
Möglichkeit; in Folge der Stromwindungen gleicht das Bett

mit feinen Ufereinfassungen an jeder Stelle einem Gebirgskessel (Kazan) oder einem stillen Alpensee, über dessen Fläche sich nur ein kleines Stück Himmel wölbt, rings begrenzt von den Zinnen der Kalkwände, oder den Hochwäldern, die zeitweise über die Lehnen hinanklimmen. Bei trübem Wetter ist diese Fahrt besonders malerisch. Dann erscheinen diese einzelnen Kessel auch himmelwärts abgeschlossen, Wolkenfetzen hängen bis tief an die Stromwände herab und das Schiff steuert vorsichtig, von Nebelknäueln umhüllt, in dem schmalen Passe vorwärts. Die feuchte Luft ist nur von Adlern bevölkert. Ihre Zahl ist beträchtlich und erhöht den Eindruck ursprünglicher Wildheit, den man ohnebies unausgesetzt empfindet. Die aufstrebenden pyramidenartigen Pfeiler, halb von den Felsmassen getrennt, halb noch mit ihnen verwachsen, ferner die tief eingehöhlten Felsbuchten, vorspringenden Rippen und überhängenden Wände lassen überdies der Phantasie den weitesten Spielraum, um sich das grandiose Naturschauspiel zu vergegenwärtigen, das sich einst in dieser Felsenenge abgespielt haben mag, als in vorhistorischer Zeit die Wassermassen mit den festen Landmassen kämpften und die Feueresse der Erde bestmöglichst mitthätig war dem sonst feindlichen Elemente in seinen Bestrebungen Vorschub zu leisten. Auch heute noch documentirt der Strom zur Hochwasserzeit seine Gewalt und mit imposanten Wogen stürzt er durch den felsigen Klamm.

Im Kazanpaß fällt neben der Kunststraße auf österreichischem Ufer auch ein eigenthümlicher, durch seine kühne Anlage sofort Interesse beanspruchender Saumweg auf, der auf serbischer Seite den Felsen abgerungen ist. Es sind nur Wegfragmente, die eben dort, wo sie in Felsen gehauen sind, die Jahrhunderte überdauert haben, an den flacheren Uferpartien aber spurlos verschwunden sind, und gehören dem sogenannten „Trajanischen Treppelwege" an. Zu Beginn des 2. Jahrhunderts n. Ch. hatte der ruhmreiche römische Imperator seine Kriegszüge gegen die Dacier eröffnet und zwar von dem heutigen Belgrad an bis zum Donau-Delta, doch war die Lösung der strategischen Aufgabe diesmal keineswegs eine spielend leichte. Auf der ganzen nördlichen Balkanhalbinsel ist in zahlreichen Kriegsbauten das Andenken an Trajan erhalten geblieben, wie beispielsweise im „Trajanswall", der die heutige Dobrudscha gegen Norden hin absperrt,

dann in der „Trajanspforte", der bekannten Paßsperre im westlichen Balkan, in der „Trajansbrücke" bei Thurn-Severin und
schließlich im „Trajansweg", dessen Fragmente man in der
Donau-Enge erblickt. Dieser beschwerliche Pfad, der mit den
unzureichendsten Mitteln auf eine Stromlänge von 15 Meilen
Schritt für Schritt in den Felsen gehauen werden mußte, gibt
den deutlichsten Beweis von der seltenen Energie des Römer-
thums und von seiner Ausdauer in großen kriegerischen Unternehmungen. Erst bei Thurn-Severin, wo die Donau in die
dacische Tiefebene eintritt, glaubte Trajan den Punkt gefunden
zu haben, der ihm in jeder Hinsicht tauglich für sein Unternehmen gegen die jenseitigen Donauvölker erschien und hier ließ
er den großen Strom überbrücken, ein Werk, zu dem sich bisher
nicht einmal die moderne Technik, oder besser: modernes civili-
satorisches Interesse finden konnte.

Der Trajansweg präsentirt sich heute als ein in Felsen
gehauener Steig, doch war seine Basis einst viel breiter, denn
man erblickt auf der ganzen Strecke, etwa eine Klafter ober der
Hochwasserlinie zwei Reihen von Felslöchern, wovon die größeren
zur Aufnahme der Tragbalken, die kleineren zur Befestigung
der nothwendigen Stützbalken dienten, so daß die Straßenkrone
zur Hälfte über dem Strome schwebte. Der Trajansweg verband
nebenbei die einzelnen römischen Militärposten, die überall dort
situirt waren, wo sich das Ufergebiet erweiterte und durch
Communicationen landeinwärts mit dem Hinterlande in Verbindung stand. So befand sich ein Castrum an der Stelle des
heutigen Belgrad, eines bei Gradistje, dann bei Golubac, Dobra,
Milanowac, Orsowa u. s. w., wie Baufragmente und andere
Funde bestens darthun. In Thurn-Severin befand sich das
Standlager der XIII. Legion, doch achteten die römischen
Strategen auch die Stelle, wo sich heute Alt-Orsowa erhebt,
als ungemein wichtig.

Bei Alt-Orsowa mündet das Cerna-Thal, durch das
über Mehadia und Karansebes die untere Donau-Enge leicht
zu umgehen ist, wie die Geschichte durch Jahrhunderte überhaupt
die Bedeutung dieses Punktes bewiesen hat. Abgesehen von den
Türkenschaaren, welche durch dieses Völkerthor in die ungarischen
Niederungen einbrachen und die turanischen Reiter hier zum

Erstenmale Oesterreichischen Böden betraten, tauchten an der Stelle Orsowas schon viel früher Völkerhorden auf. Etwas vor der Mitte des 9. Jahrhunderts, als die Ungarn an diesen Ufern der Donau erschienen, hatte sich bereits das kriegerische Volk der Bulgaren in der Nachbarschaft anseßig gemacht. Es ist merkwürdig, daß es die Bulgaren sein mußten, welche die Ungarn in das damalige kriegerische Concert an der untern Donau zogen, sie, die trotz ihrer Stammesverwandtschaft, immer die erbittertsten Feinde dieser Nomadenhorden geblieben sind. Damals hatten die Bulgaren bereits erbitterte Kämpfe den Romäern geliefert. Der Khakan Krum war nach ihrer Bedrückung in die Gebiete des Wasilews von Constantinopel eingebrochen und bemächtigte sich Adrianopels, um viele Tausende von Familien mit sich fortzuschleppen und zwangsweise an der Donau anzu-siedeln. Erst nach 25 Jahren sollte es diesen Exilirten gelingen den griechischen Kaiser Theophil für ihr Schicksal zu erwärmen und letzterer begann auch eine Action an der untern Donau um seine einstigen Unterthanen zu befreien und ein herbeigeeiltes Bulgarenheer, das diesen Streich vereiteln sollte, ward geschlagen. In dieser Bedrängniß riefen die Bulgaren die benachbarten Ungarn herbei, aber auch sie richteten im Wesentlichen nichts gegen den verzweifelten Todesmuth der Makedonier aus und nach mehrtägigen Kämpfen waren die neuaufgetauchten Steppen-söhne bereits wieder zum Rückzuge gezwungen. Diese erste Episode, in der die Ungarn eine Rolle spielen, ist noch immer sehr in Dunkel gehüllt, wie überhaupt ihr Erscheinen in Europa. Die Annahme, als seien sie Abkömmlinge der Hunen ist nicht mehr ganz stichhaltig. So viel steht fest, die Ungarn geriethen zum Erstenmale in Bewegung durch den Anprall der Petschenegen und verloren so ihren langjährigen Sitz am untern Dnieper und Don.

Es ist nicht Zweck dieser Schrift, hierüber weitere Unter-suchungen anzustellen, mit der sich bereits die ausgezeichnetsten Gelehrten ohne durchschlagenden Erfolg beschäftigt haben. In unserem Gemälde des ottomanischen Reiches hat Orsowa seine Bedeutung insofern, als es uns zum Erstenmale mit einer Localität bekannt macht, die gewissermaßen die Pforte vom Abendland in das Morgenland bildet. Im ersten Völkersturme

2*

sind hier die Horden des Ostens aneindergeprallt. Auf dem Fundamente des römischen Castrums errichteten die Bulgaren Fortificationen, die ihnen Arpad entriß, um auch diesen Winkel dem ungarischen Reiche einzuverleiben, das fortan staatliche Formen anzunehmen begann und somit als culturgeschichtlicher Factor von den occidentalen Mächten in Rechnung gebracht werden mußte. Doch der Stürme gabs um Orsowa auch später noch. Bulgaren, Kumanen, Tartaren und zuletzt Türken braußten wie Bergfluthen über einen Fels hinweg, durch Jahrhunderte stritt das Kreuz und der Halbmond um diesen europäischen Schlüsselpunkt im Osten, bis zu Ende des vorigen Jahrhunderts infolge des Friedens von Sistow (1791) die Festungswerke geschleift wurden und der stille Ort im Wesentlichen fortan keines blutigen Ansturmes mehr theilhaftig wurde... Aber das Türkenthum hat auch hier sein Andenken hinterlassen. In der türkischen Festung Adakaleh, die auf einer Strominsel unterhalb Orsowas situirt ist, stößt man auf den äußersten nördlichen Vorposten des Osmanenreiches, aber wie dieses nur mehr der trübe Schein einstigen Glanzes ist, so gleichen auch die elenden Baulichkeiten und hungerbleichen Soldknechte des Padischah nur einer Parodie früherer kriegerischer Bedeutung. Unter der Besatzung Adakalehs befindet sich ein alter Soldat, Fazli Saddik mit Namen, der seinerzeit die ungarischen Flüchtlinge Kossuth, Perczel, Mezaros, Vetter und andere Führer auf türkisches Gebiet begleitete. Dort, wo Szemere mit Leopold Fülep die Stefanskrone vergraben hatte, erhebt sich seit 1856 eine gothische Marmorkapelle, ein einsamer, abgelegener Ort, von hohen Pappeln umstellt, einige Schritte seitwärts der Poststraße, die in die Wallachei führt.

Man hat neuester Zeit der südöstlichsten Grenzstadt Oester-reichs indeß eine andere Bedeutung untergeschoben. Heute, wo Handel und Verkehr und überhaupt die Translocation von Menschen und Gütern so ziemlich einen Gradmesser der Cultur bedeuten, mußte die vortheilhafte Position Orsowas bald in die Augen springen und das südungarische Schienennetz wird dem-nächst an diesem Gestade seinen Anschluß an die wallachischen Bahnen finden. Die Linie läuft weiter durch das breite einsame, Cernathal an Mehadia, dem vielrenommirten Curorte vorüber und tritt über Karansebes in die Banater-Niederung. Imposant wie die Gestade der Donau, sind auch die Gebirgspartien, in denen, versteckt wie ein kostbares Kleinod, der genannte fashionable Rendezvousplatz der rumänischen Bojaren liegt. Thurmhohe Felswände umklammern eine düstere Schlucht, aus der die weißen Häuserfronten hervorleuchten. Auf den Bergzinnen horsten die Adler und die ferner Klüfte bevölkern Bären und Wölfe, eine Thierwelt, die neben der wilden Natur und den urwüchsigen Repräsentanten eines polyglotten Völkergemenges wesentlich zur Erhöhung eines gewissen romantischen Reizes beiträgt.

Eine schwache Stunde unterhalb Orsowa starren zur Zeit des Niederwassers in einer geradezu ununterbrochenen Reihe scharfe Felsklippen aus den schäumenden Donau-Fluthen. Wir sind hier bei dem vielgenannten „Eisernen Thore". Obgleich das landschaftliche Bild umher mit seinen wenig anziehenden Gebirgseinfassungen in der Regel enttäuscht und unsere Vorstellung von diesem weltbekannten Katarakte gar sehr nachhinkt, so ist die ganze Localität so uninteressant nicht, wie gemeinhin das Urtheil der Besucher lautet. Erstaunlich auf alle Fälle bleibt es, daß man sich bisher nicht zu dem Entschlusse aufraffen konnte, der Natur einen gefahrlosen Verkehrsweg abzutrotzen, der von so eminenter Wichtigkeit für die Wohlfahrt von Tausenden sein müßte. Es treten jedes Jahr Zeiten ein, wo die dräuenden Felshindernisse im Donaustrome mehrere Schuh hoch aus den Fluthen emportauchen. Dann ruhen in den Häfen stromauf- und abwärts die Essen der Dampfschiffe und der ganze Handel und Wandel stockt. Wochen, Monate vergehen, in den Uferstädten häufen sich die Waaren, in den Magazinen liegt das todte Gut berghoch aufgeschichtet, die Getreidekammern Ungärns und Rumäniens füllen sich bis zum Bersten und Tausende von Bedürftigen harren, daß die deponirten Sendungen wieder flott gemacht würden ... Im Sommer 1873 ward endlich diesem Jammer formell ein Ende gemacht und eine gemischte Commission, bestehend aus Delegirten der bei dieser Angelegenheit direct interessirten Mächte, trat in Orsowa zusammen. Der betreffende Präliminarvertrag ward von dem damaligen Gesandten Oesterreich-Ungarns in Constantinopel, Grafen Ludolf, mit dem türkischen Ministerium des Aeußern abgeschlossen, worauf die Regierung feine zwei Vertreter, Generalstabs=Oberst Abdul Rhiza Bey und den Chef des Ministeriums für öffentliche Bauten, Mongel Bey nach dem Conferenz=Platze absendete. Der Kostenveranschlag der Regulirung des „Eisernen Thores" beziffert sich auf Grund der gepflogenen Untersuchungen dieser Commission auf rund 14 Mill. Franken.

Der Anlauf war gemacht, aber seitdem stagnirt wieder die ganze Angelegenheit und der Orientreisende findet nach wie vor Gelegenheit unterhalb Thurn=Severin die Pfeilerfragmente der Trajanischen Brücke zu bewundern, die Zeugniß von der Unter= nehmungslust eines großen verschollenen Geschlechts ablegen, zu deren sublimer Höhe, wie es scheint, sich nicht einmal der moderne Speculationsdrang zu schwingen vermag . . . Unterhalb der Donaufelsen und der römischen Baureste aber wirds mälig einsam. Unbemerkt sind wir in eine andere Welt eingetreten, auf die nächste Stufe zum Orient. Am linken Donauufer treten die Gebirge immer rapider zurück und bald greift jenes ein= förmige Tiefland Platz, das uns bis zur Strommündung begleitet. Nicht so rechter Hand. Bei Radujewac grüßen zum Letzenmale die serbischen Gestade, dann bringt uns der breite, majestätisch dahinziehende Strom zur Türkenstadt Widdin, mit ihren bau= fälligen Wällen, den düsteren Häusercomplexen, die aus dem orientalischen Schmutze emportauchen. Hier beginnt das bulgarische Ufer, eine steile Kante mit sporadischen Mulden, aus denen kleine Niederlassungen hervorlugen, sonst aber schmucklos in der verzweifeltsten Bedeutung des Wortes das grüngelbe Stromband besäumt. Bald leuchten die weißen Minarets von Nikopoli herüber. Zwischen bunten Häusergruppen breiten sich Gärten, ein Uferkegel springt aus und trägt verfallene Erdwerke, auf denen, in „glorreichen" Erinnerungen verloren, Allahs Kostgänger, die türkische Soldateska, ihren Kef halten, und die Lehnen klettern helle Terassen hinan. Das ist schon die Türkei. Die Farben in den Landschaften werden intensiver, selbst der Lehm des Donaugestades schimmert röthlicher, mehr ins Ocker spielend, und der Schmutz wird orientalisch gediegener. Von Verkehr, regerem Leben aber ist blutwenig fühlbar. Was sich an den Ufern regt, das sind die nimmerruhenden Bulgaren, die in ihren Gärten nur ihren Artitschoken und Zwiebeln leben, dem harten

Boden den Samenstengel abringen und die eingeheimste Frucht mit stummer Bekümmerniß dem tyrannischen Steuerpächter abliefern. Sie arbeiten für die „Andern", für die Herren der türkischen Schöpfung, welche gleichbedeutend mit den griechischen Blutsaugern sind, die gegen ein Pauschalquantum das officielle Privilegium genießen, die Rajah auszusaugen, ihre Felder und Hütten zu confisciren und nöthigenfalls auf die nackte Existenz der Mißbrauchten Beschlag zu legen. Welch' platonischer Reinheit kann sich diesen Vampyren gegenüber ein galizischer Wucherer rühmen! ....

In dieser traurigen Oede in Bezug auf Land und Volk kann auch das aufstrebende Ru st sch u k, Hauptort des Tuna-Bilayets keine besondere Abwechslung hervorzaubern. Als Gouvernementsstadt mit seinen vielartigen Beziehungen in commerzieller und nicht minder politischer Hinsicht werden wir ihr späterhin einige Aufmerksamkeit schenken und begnügen uns im Augenblicke mit dem Totaleindrucke der Donaustadt... Er ist so übel nicht, wer aber mit den Geheimnissen türkischer Niederlassungen vertraut ist, wird sich vorweg seinen guten Theil dazu denken. Der gänzliche Mangel an Reinlichkeitssinn für öffentliche Orte bedingt auch hier, daß aller Kehricht, Ueberreste vom Schlachtvieh, dann unnützes Gerümpel und dergleichen seinen Weg nach den verschiedenen, zu diesem Zwecke wohl äußerst günstig liegenden Festungsgräben nimmt, die auf diese Weise im Laufe der Jahre völlig ausgefüllt erscheinen. In Rustschuk macht nur das Bulgarenviertel eine erfreuliche Ausnahme von dem traditionellen türkischen Schmutz. Die hellen Fronten, die herüber grüßen, gehören ihm an und dort befinden sich auch die Wohnungen der fremdländischen Consulate, der Privaten und überhaupt des civilisirteren Theiles der autochthonen Bevölkerung.. Man hält bei uns Rustschuk für einen befestigten Platz, aber nach den gangbaren Begriffen ist er es nicht. Auch S i l st r i a, noch in den fünfziger Jahren gewissermaßen ein Bollwerk als Donausperre, hat seine Bedeutung vollends verloren, da es halb in Ruinen liegt und die Wiederinstandsetzung der „Arab Tabia" schwerlich kleinere Summen verschlingen würde, als ein fortificatorischer Neubau.

Stromabwärts wird das Land immer ausgestorbener. Auf

der wallachischen Uferseite nehmen schüttere Auen ihre Ausdehnung, auf dem steilen Uferkamm Donau-Bulgariens aber
blinken hin und wieder türkische Wachhäuser oder es zeichnen
vereinsamte Windmühlen ihre scharfen Silhouetten von der
Himmelstapete ab.   Dann tauchen gelbbraune Kegeldächer auf,
die Niederlassungen der Tartaren, die sich in der Dobrudscha
colonisirt haben, sonst aber zum allgemeinen Segen des ottomanischen Reiches blutwenig beitragen.   Der Donaustrom, welcher
hier bereits eine ungeheuere Breitenausdehnung annimmt, trägt
bereits Seefahrzeuge, prächtige Zwei- und Dreimaster, türkische
Dampfer, kreuzen den Curs jener der österreichischen Gesellschaft
und der ganze, regere Verkehr läßt schließen, daß man sich
größeren Handelsplätzen des Ostens nähern müsse.   Diese Stapelplätze gelangen auch bald in Sicht; es ist Braila und Galac...
    Galac — auch Galatz geschrieben — ist eines der poly-
glottesten Nester des näheren Orients, und es ist heute ein Nest
von mehr als 100,000 Einwohnern. Wallachen, Griechen,
Armenier, Türken und nicht minder Russen, namentlich aus dem
benachbarten Bessarabien sind die Typen dieses schwatzhaften,
buntschillernden Menschenknäuels.   Die Stadt ist erst in den
letzten Jahren so immense emporgekommen.   Vor kaum zwei
Decennien war sie auch nicht viel mehr, als eine annehmbare
Fischerstadt, die man im Abendlande nur deshalb kannte, weil
sie in den Fahrlisten der Schifffahrts-Gesellschaften figurirte,
von seiner sonstigen Bedeutung ist wenig ins Publikum gedrungen.
Nach wie vor aber bleibt Galac die Stadt des orientalischen
Schmutzes.   Möge die Stadtverschönerungs-Commission sich noch
so sehr mit ihren neuen Quartieren aufblasen, die sie auf der
Höhe der Donauplatte errichten ließ, eine abschreckende Thatsache
bleibt auf alle Fälle das ungeheure Kothmeer, das sich in der
untern Stadt ausbreitet und merkwürdiger Weise gegen alle
physikalischen Gesetze seine dunklen Fluthen auch bergauf, bis in
die Gassen der oberen Stadt wälzt.   So mag die Bulge der
Prasser ausgesehen haben, die Dante im Schlamm stecken sah.
Fußtiefe Wälle ziehen sich zwischen die sogenannten „Trottoirs"
und wer kein beherzter Springer ist, der weiß in der That
nicht, wie er die Straße zu passiren vermöchte... Daß sich
ein Theil der Galacer Bewohnerschaft so viel auf seine Neu-

bauten zugute thut, ist einfach unvernünftig. Es ist damit aller=
dings Einiges gethan, doch bietet der Hafen mit seinen natürlichen
Erdböschungen ein sehr ungünstiges Bild über die Rührigkeit der
Stadtcommission. Die meisten Schiffe, selbst die größten, landen
kurzweg am lehmigen Ufer, mit dem durch eine verschiebbare
Holzrampe die Verbindung hergestellt wird. Da es aber
unmöglich war, einen Eisenbahnflügel vom Stationsplatze durch
die Verladungszone am Ufer der Donau zu führen, ohne über
eine solide Quaimauerung zu verfügen, so mußte man sich noth=
gedrungenerweise entschließen, dem Schlendrian ein Ende zu
machen und einen permanenten Anlegeplatz herzustellen.

Das sociale Leben ist in Galac nicht sehr modern aus=
geprägt. Der schmutzige rücksichtslose Speculationsgeist der
Griechen und der, von diesen mitgerissenen Moldau=Wallachen,
scheint jede edlere Regung im Sinne abendländischen geselligen
Lebens unmöglich zu machen, und außer einem baufälligen Holz=
theater, das weit eher einer Scheune gleich sieht, als einem
Kunstinstitute, besitzt Galac, die Stadt von 100,000 Einwohnern
keinen geistigen Vergnügungsort. Die Stadtgemeinde thut
übrigens recht, in diesem Sinne keine zu großen Anläufe zu
machen, denn in einer Stadt, die ihre intelligenten Elemente aus
dem Contingente der Caviar= und Getreidehändler recrutirt,
wäre die Pflege der Kunst ein nutzloses Experiment, das höchstens
noch nachtheilig auf die Communalkasse reagiren könnte.

Neben Galac ist das, eine Stunde donau=aufwärts gelegene
Braila, eine weitaus saubere Stadt, als ihre Rivalin. Der
Ort ist höher situirt, aber reinlicher, luftiger, mit practicablen
Straßen und meistens mehrstöckigen Gebäuden. Thalabwärts
liegt noch Tultscha, eine pittoresk an das Donauufer postirte
Türkenstadt mit blinkenden Konaks, weißleuchtenden Minarets
und dichten Baumgruppen zwischen den Häusercomplexen. Hier
erheben sich die Ufer des ausgedehnten Plateaus der Dobrudscha
noch einmal zu annehmbarer Höhe, dann sinken sie nahezu ins
Niveau des Stromes und über die öde, eintönige Fläche hat
das Auge den Ausblick bis an den Balkan von Emineh...
Mit dem Eintreten in den Suline=Arm verliert die Donau
überhaupt ihr sonstiges großartiges Gepräge. Der Schifffahrts=
canal ist ungemein schmal und windet sich träge zwischen den

sumpfigen Niederungen des Deltalandes vorwärts. An seinen Ufern steht kein Strauch, kein Baum, nur endlose Schilfflächen nehmen ihre Ausdehnung, deren Wogen im Winde einem unausgesetzten Wellenspiele gleicht. Schiffe, die günstigen Wind abwarten, liegen hie und da vor Anker, Lootsen sind mit der Markirung der Fahrlinie, die bei niederem Wasserstande wohl sehr schwer einzuhalten ist, beschäftigt, und Büffelheerden, die aus den Schilfmassen der Dobrutscha nach dem Donaugestade ziehen, geben dem öden Bilde einige Staffage, sonst ist's todt und einsam, wie an keinem Punkte des Stromes. Daß man unter diesen Umständen dem eventuellen Einfahren einer Kriegsflotte in die Donau mit wenig Mitteln sehr entschieden entgegen zu treten vermag, erscheint selbstverständlich. Wie aber die in Permanenz an der untern Donau thätige „europäische" Commission hierüber denkt und wie weit ihre Regulirungsprojecte gediehen sind, können wir im Augenblicke nicht zu Protokoll bringen . . .

Im Uebrigen ist heute ein intensiver Aufschwung des Handels und anderer internationaler Beziehungen in den Küstenregionen des schwarzen Meeres ziemlich fühlbar und gilt dies namentlich von dem emporstrebenden Städtchen S u l i n e . . . Auf flachem Gestade erheben sich die ansehnlichen Häuserfronten mit ihren weitläufigen Magazinen, Kaufläden und stattlichen Wohnräumen. Suline ist kein elendes Dorf mehr, wie vor Jahren, es ist vielmehr eine ansehnliche, aufblühende Stadt, die sich da an der Mündungsstelle des großen Stromes erhebt. Schiff an Schiff, Dreimaster, Dampfer aller Nationen, Remorquers und Schifferbarken wimmeln im bunten Gedränge an dem belebten Gestade, und, als sollte inmitten der Wasserwüste noch einmal der Charakter des untern Donaulandes zur Geltung kommen, bringen die Laute eines babylonischen Sprachengewirres herüber. Wer bei Nacht Suline passirt, wird den eigenthümlichen Eindruck dieses Bildes nie vergessen. Hunderte von Flammen irrlichtern zwischen den starren, dunklen Häuserfronten. Linker Hand zieht ein niederes Lehmufer, das sich in eine spitze Zunge auskeilt, rechts, wo Suline liegt, rundet sich das Terrain flach ab, dann erblickt das Auge die Flammenlohe des Leuchtthurms, die sich purpurn auf die Umgebung ergießt . . . Die Ausfahrt aus der Donau in das schwarze Meer, dessen bösartiger Charakter gar manche Landratte mit Bangen erfüllt, bleibt gewiß die imposanteste aller europäischen Ströme. Schwarz gähnt die Tiefe und über die heranrollende Fluth wirft der heraufdämmernde Mond seine ersten Silberflocken. Dann verschwinden die Conturen Sulines und nur das Glutauge des Pharus flammt in die finstere Nacht hinaus, die mit ihren unheimlichen Schatten auf das Meer niederthaut ...

Zweiter Abschnitt.

Bulgarien. — Geschichtliches über die Bulgaren. — Die herrschenden Zustände. — Von Rustschuk nach Varna. — Varna und Schumla. — Eine strategische Linie. — Die Aera der Eisenbahnbauten. — Bosnien. — Das Schar=Gebiet. — Landrouten durch die centrale Türkei.

Von allen slavischen Völkern auf der Balkanhalbinsel blieben bislang die Bulgaren die — unpopulärsten. Das kriegerische Volk der Serben, daß in einem langwierigen Kampfe um seine Freiheit und Unabhängigkeit, die Schlachtfelder seiner Heimath mit Blut gedüngt und nach dem Untergange des von ihm reprä=sentirten Staates, in einer Reihe prächtiger poetischer Kundge=bungen ein scharf ausgeprägtes Nationalgefühl nachklingen ließ, dieses Volk der Romantik stand dem Abendlande stets am nächsten. Viel später bekam man von den anderen illyrischen Slaven, zuerst von den Montenegrinern, dann von den einzelnen Stämmen der bosnischen Slaven und den Herzegowinern (als ethnographischer Begriff, indeß identisch mit den ersteren), und zuletzt von den Bulgaren zu hören. Von diesen letztern ist selten etwas von Belang zu uns ins Abendland gedrungen. Es waren hierbei zuerst die Ethnologen, welche die Bulgaren=Frage auf die Tagesordnung brachten, indem sie auf die verschiedenartigen Widersprüche, wie sie über dies Volk vom rein historischen Standpunkte colportirt wurden, hinwiesen, und so ein neues Gebiet der Forschung erschlossen. Die Bulgaren wurden über Nach ein sogenanntes „interessantes" Volk. Die wissenschaft=lichen Untersuchungen schwollen an, man vertiefte sich in müh=

same Quellenforschungen, um schließlich die interessante Entdeckung
zu machen, daß die heutigen Bewohner der südöstlichen Donau=
gestade mit ihren Ahnen finnisch=ugrischen Stammes nichts weiter
gemein haben, als den Namen, mit dem heute eben ein slavisches
Volk bezeichnet sein will. So ist uns der Name dieses, relativ
auf der Balkanhalbinsel weitaus am zahlreichsten auftretenden
Volksstammes, mit der Zeit geläufiger geworden, und mit den
weitern Aufklärungen über seine friedliche Natur, seinem Drange
nach Arbeit und seiner Fähigkeit Cultur anzunehmen, begannen
die Bulgaren dem Abendlande sympathisch zu werden. Ueber=
dies hat das türkische Regiment, durch seine Grausamkeiten
gegen die Bulgaren zu dieser Umstimmung wesentlich bei=
getragen.

Doch hierüber später.

Der unermüdliche Forscher Robert Rösler versuchte zu be=
weisen, wie im Jahre 489 n. Chr., als die Ostgothen unter
Anführung ihres jugendlichen Königs nach Westen abzogen, das
Los der Balkanhalbinsel gefallen war, nämlich, daß sie nicht
germanisch, sondern slavisch werden sollte. Auf diesen Abzug
harrte aber kein Volk gieriger, als die Bulgaren, die nach der
erfolgten Thatsache in Thrakien einbrachen und das Land mit
Feuer und Schwert verwüsteten. Sie drangen bis vor die Thore
Constantinopels, und um ähnlichen Invasionen künftighin einen
Damm entgegensetzen zu können, schnitt Kaiser Anastasios die
äußerste Ostspitze der thrakischen Halbinsel zwischen Selymbria
und Derkon (jetzt: Siliwri und Terkos) durch eine gewaltige
Landmauer von der offenen Provinz ab. Noch sieht man spo=
radisch Spuren dieses imposanten Bauwerkes, gegen das feiner=
zeit die Horden der Bulgaren vergeblich anstürmten ... Als
Belisar sie kurz hierauf unweit des heutigen Tschataldja bei
Constantinopel aufs Haupt schlug, blieb die Hauptstadt lange
Zeit hindurch von ihren Besuchen verschont. Man wußte nur
so viel, daß sie das offene Land brandschatzten und mit einzelnen
herbeigerufenen Slavenstämmen (Anten und Sklawenen) die Land=
sitze occupirten, welche durch den Gothenabzug frei wurden. Nach
diesen Thatsachen beginnt demnach bereits in der Mitte des
sechsten Jahrhunderts unserer Zeitrechnung das Einströmen von
slavischen Volksstämmen aus den sarmatischen Tiefländern in

das Balkangebiet, wo sie mit der Zeit die Invidualität der Bul=
garen vollkommen verwischen sollten. Auffällig erscheint es, daß
diese letzteren sich mit gewisser Vorliebe den türkischen Avaren
anschlossen, und sogar mit ihnen gemeinsam in Panonien einfielen.
Als die Avaren mächtig wurden, blieb dies Verhältniß um so
inniger, nach dem Verfalle ihres Reiches aber, fielen sie wieder
ab, pactirten mit Kaiser Heraklios, während neue Bulgarenstämme
in Moesien einbrachen. Es darf nicht übersehen werden, daß
Schriftsteller hierbei die scheinbar unwichtige Bemerkung fallen
lassen, wie die einbrechenden Horden auf die sieben Antenstämme
an der Donau stießen, die sich „vorzüglich als Feldarbeiter"
hervorthaten. Die Charakteristik des heutigen Bulgaren, der
nunmehr Slave ist, deckt somit jene seines Urahnen ziemlich
scharf und zeigt eclatant, wie eigentlich der ugrische Völkerstamm
in den ersten Balkanslaven aufgegangen ist, ein ethnologischer
Proceß, der allerdings eine scharfe Linie zwischen den Ur=Bul=
garen und ihren heutigen Namensbrüdern zieht. Damals hielten
die Sawiren die Dobrudscha besetzt, die Donaugestade die Utu=
guren, den Süden und Westen des Landes die Anten, der große
Bruderstamm der Bulgaren aber, der am Azow'schen Meere zu=
rückgeblieben war, zog die Wolga hinauf, vermuthlich ihre ein=
stige Heimath, und die Forschung gibt dieser Mutterhorde den
Namen Wolga=Bulgaren. Zur Zeit der Chalifenherrschaft ziem=
lich mächtig, und wie Schems=eddin sagt, zwischen Türken und
Slaven erwachsen, sind sie späterhin spurlos von der Karte ver=
schwunden, wie die Mutterhorde der Ungarn am Ural, von der
noch Erwähnung gemacht wird, als das magyarische Reich in
den Theißniederungen bereits staatliche Formen angenommen
hatte. Als staatliche Individualität aber ist Donau=Bulgarien
noch weit eher zu Grunde gegangen als Wolga=Bulgarien. Im
10. Jahrhundert ward ihre Sprache durch slavische und türkische
Elemente verdrängt, und ein Jahrhundert später verloren sie
ihre Unabhängigkeit.

Wie man sieht, ist der finnisch=ugrische Urstamm, der ohne=
dies durch die erbitterten Kämpfe mit den Nachbarvölkern immer
mehr zusammenschmelzen mußte, zuerst von den Avaren aufge=
sogen worden, dann von den Slaven und schließlich von andern,
turanischen Völkern. Weit früher als die Türken in Europa

auftauchten, waren die Bulgaren Bekenner des Islams. Ueber
die dogmatischen Formen ihres Heidenthums ist uns leider nichts
bekannt geworden. Auch sonst in ihrem kriegerischen und bür=
gerlichen Leben weit mehr an den Mohammedanismus sich an=
lehnend, ist mit den Stämmen von Donau=Bulgarien erst ein
wesentlicher Umschwung eingetreten, als das Christenthum über=
hand zu nehmen begann und das eigenthümliche Mischvolk der
Anten=Bulgaren sich consolidirte. Wie schwer es hiebei fallen
muß, diesem interessantesten Volksstamme der Balkanhalbinsel,
dem sich neuesterzeit die Forscher intensiver denn je zuwenden,
den richtigen Platz in der Ethnologie zuzuweisen, erscheint wohl
selbstverständlich. Daß die Ur=Bulgaren der finnisch=ugrischen
Familie angehörten, gilt heute für so ziemlich bestimmt. Da
aber die heutigen Bulgaren, ihrer Sprache, ihren Sitten und
nationalen Kundgebungen nach typische Slaven sind, anderen
Charakteristiken zufolge aber immerhin von den Serben ethno=
logisch abstehen, so frägt es sich, wo die Fühlungspunkte liegen,
die einerseits auf den stattgefundenen Umwandlungsproceß einer
ganzen Race, andererseits auf die Anklänge an ein autochthones
Element unter den ursprünglichen Balkan=Völkern hinweisen, um
sich schließlich klar zu werden, mit welchem Volke man es hier
eigentlich zu thun habe. Trotz aller Gründlichkeit bei Unter=
suchungen etymologischer und phylologischer Natur, trotz des
eifrigsten Studiums alter Schriftsteller, zumal arabischer, die sich
leider mehr mit den Wolga=Bulgaren beschäftigen als mit den
„schwarzen Bulgaren" der Donau, steht eine befriedigende Lösung
dieses Räthsels noch immer zu erwarten, und wir können, den
Zeitbedürfnissen Rechnung tragend, nur mit dem v o r h a n d e n e n
Factor rechnen, daß die heutigen Bulgaren thatsächlich Slaven
sind ... Sie haben mit ihren einstigen Vorfahren, den slavi=
schen Anten, die mit den eigentlichen Bulgaren nichts weniger
als identisch waren, die Eigenschaft gemein, daß sie leidenschaft=
liche Ackerbauer sind, und mit Zähigkeit an ihrer Scholle kleben,
was man von den bulgarischen Sawiren und Utuguren, nament=
lich aber von den letzteren, welche als Söldlinge sogar mit
König Alboin nach Italien zogen, mit den Romäern in Afrika
gegen die Vandalen kämpften, und mit den türkischen Avaren
brüderlich in Panonien einfielen, nicht sagen kann. Der heutige

Bulgare ist somit ein anderer Mensch, als der Ur-Bulgare.
Jener ist slavischer Abkunft, dieser finnisch-ugrischer; wo die Be-
rührungspunkte zu finden sind, das ist Sache der Wissenschaft,
der die Frage noch offen bleibt . . .

Die Gebiete, welche die heutigen Bulgaren einnehmen, begreifen einen großen Theil des Tuna-Vilajets in sich, ferners
die westlichen Balkanlandschaften, in denen sie am compactesten
die Bergdistrikte um Izlabi bewohnen, den größten Theil Make-
boniens und einen großen Abschnitt Thrakiens. Sie gehören der
griechisch-orientalischen Religion an, haben aber durch ihre langjährigen Anstrengungen und durch diplomatische Intervention
russischer Seits seit einigen Jahren eine eigene bulgarische. Kirche
gebildet. Einige Hunderttausende bekennen sich zum Islam und
führen den Namen Pomaken; nur wenige sind Katholiken. Ihre
Gesammtzahl wird neuester Zeit bis auf fünf Millionen geschätzt,
eine etwas hoch gegriffene Ziffer, auf alle Fälle aber sind sie
das relativ zahlreichste Volk der europäischen Türkei. Ihr eigent-
liches Stammland nimmt seine Ausdehnung zwischen der untern
Donau, dem Hauptzuge des Balkans und dem schwarzen Meere
und begreift ethnographisch auch noch den Kreis von Sofia in
sich. Das Land ist ein Plateau, das in Terrassen zum Donaustrom abfällt und von tief eingeschnittenen Flüssen, wie: Lom,
Ogust, Skit, Isker, Wid, Osma, Jantra und dem schwarzen
Lom gegliedert wird. Die Distrikte im hohen Balkan enthalten
ausgebreitete Waldungen, die Abdachungen Maulbeerbäume und
Obstgärten. Neben seinem fetten Weideboden zunächst des Stro-
mes, besitzt Bulgarien in den höher gelegenen Gebieten ein aus-
gebreitetes Culturland, welches jährlich über 45 Millionen Kilo
Getreide liefert und somit für die Balkanhalbinsel als eine wahre
Kornkammer gelten muß. Außerdem florirt die Schaf- und
Bienenzucht und beschäftigt sich ein großer Theil der Bevölke-
rung mit der Erzeugung von Aba-Tuch, Filigranarbeiten
(Widdin), Sattelzeug und Thonwaaren (Rustschuk), Teppichen
(Berkowatz), Lederwaaren (Tirnowa) und rohen Eisenwaaren
(Gabrowa) . . .

Trotz dieser nicht ungünstigen localen Zustände sind die
Bulgaren bennoch das am meisten bedrückte Volk der europäischen
Türkei. Unter das Joch des ottomanischen Knechtungssystemes

gebeugt, ist der Bulgare nebenher vollständig dem Steuerpächter
ausgeliefert, der sehr oft statt den Zehnten, das Drei-, Vier-,
Fünffache eintreibt, den armen Bauern, welche die hohen Abgaben
nicht leisten können, die Hütten niederreißen läßt und auf ihre
Felder Beschlag legt. In diesem Elende muß aber der Bulgare
den Behörden auch noch Frohndienste leisten, sich an Straßen-
und Festungsarbeiten betheiligen und jedem Befehle bei Gefahr
seiner Aufhebung, Folge geben. Man hat bei uns geglaubt,
daß, seit der Reformbewegung in der Türkei, auch das Loos der
„Rajah" gebessert worden sei, da aber die in diesen Reformen
den christlichen Bewohnern des ottomanischen Reiches gemachten
Concessionen nur eine formelle Bedeutung haben, und bei dem
Abgange aller Gerechtigkeitsliebe seitens der Behörden ohnedies
nie praktischen Werth erlangen konnten, so ist im Großen und
Ganzen die alte Misère die herrschende geblieben. Im Uebrigen
war ja auch das von Reschid Pascha im Jahre 1839 mittels
des „Hattischeriss von Gülhane" mit großem Aplomb inaugurirte
Reformwerk eine einfache Comödie, als die sie von der europäischen Diplomatie, die russische ausgenommen, leider nicht angesehen wurde ... Auch der Hatti-Humajun (1856), der die
Gleichstellung der Glaubensbekenntnisse im türkischem Staate
decretirt und den Christen im Rahmen der Gemeinde-Autonomien
stimmberechtigt macht, hat für die Rajah nur eine illusorische
Bedeutung. In den „Medschlis", den Communalvertretungen,
sind die Christen immer in der Minderzahl. Sie werden nur
formell den Berathungen hinzugezogen, aber es geschieht am Ende
immer dasjenige, was die Herren Türken in ihrer Majorität
beschließen. Auch seine Zeugenschaft gegen Mohammedaner wird
nicht angenommen, obwohl sie durch den betreffenden Hatt officiell decretirt wird.

So erscheint die Rajah, und aus ihr vor Allem der Bulgare, dessen wenig kriegerischen Eigenschaften eine Bedrückung im
größtmöglichsten Style noch am ehesten zulassen, der Laune und
Willkür der Behörden bedingungslos ausgeliefert. Durch Vergewaltigung haben die Bulgaren ihre einstigen Privilegien eingebüßt, ja, man hat ihr Phlegma, ihre Arbeitslust und angeborene Sanftmuth dazu ausgenützt, um von ihnen Dinge zu
erpressen, die ein anderes Volk nimmermehr geleistet hätte.

Während der kriegsgeübte Serbe, der Kroate und Montenegriner
auf Schritt und Tritt dem verhaßten Gegner auf den Leib rückt,
läßt der friedliebende Bulgare geduldig jede Schmach über sich
ergehen und wird er in seiner Verzweiflung von Haus und Hof
getrieben, so findet er einen anderen Platz, wo seine Schaufel
wieder die Ackerfurche zieht. Das Erträgniß dieser neuen Arbeit
aber fließt wieder einem andern Steuerpächter und des Jammers
ist kein Ende.... Obgleich seine Existenz einer immerwähren=
den schweren Plage gleicht, bleibt er dennoch mäßig und etwaiges
baares Verdienst, das er aus der Fremde heimbringt, wandert
in den Sparsäckel seiner Familie, um eventuellen Falles von
den — Steuerexecutoren confiscirt zu werden. Lange Jahre
hatte diese freche Gewaltherrschaft unbelästigt durch äußere Inter=
vention oder innere Gegentendenzen über ein so eminent zur
Cultur hinneigendes Volk triumphirt, sie verstand es nicht nur,
die Rajah zu mißbrauchen, sondern sie auch zu verachten und
unterschob der bulgarischen Gutmüthigkeit und Friedfertigkeit —
Furcht vor den Gewalthabern!...

Aber das Maß mußte mit der Zeit voll werden und der
lang angehaltene Druck war umsomehr geeignet der Reaction
Intensität zu verleihen. Zu Ende des vorigen Jahrhunderts
brachen die ersten Bulgarenaufstände aus, und sie haben sich seit
jener Zeit in einer blutigen Reihe von Episoden immer wieder=
holt, der beste Gradmesser für die barbarische Wirthschaft der
ottomanischen Behörden. Wenn ein Volk wie die Bulgaren
seine Gärten und Aecker verläßt, Weib und Kind in der ein=
samen Hütte zurückläßt, und mit der Mordwaffe in der Hand,
die sonst nur das Grabscheit führte, zum Kampfe auszieht, dann
muß die Vergewaltigung Dimensionen angenommen haben, gegen
die mittelalterlicher Despotismus reines Kinderspiel ist... Der
rabiate Serbe gibt, in Bezug auf die herrschende Knechtung
nicht den wahren Maßstab. Durch eine Kleinigkeit gereizt, wagt
er sogleich seinen Kopf und zückt das Messer gegen den Belei=
diger. Er ist tollkühn und rauflustig, faßt die Vaterlandsliebe
von jenen großen Gesichtspunkten auf, die den Enthusiasmus
bis zum Fanatismus entwickeln und gibt seiner kümmerlichen
Existenz durch die „süße" Gewohnheit des Kampfes das nöthige
Relief. Nicht so der Bulgare. Die Freiheit ist ihm ein unklarer

Begriff, sein Geist hat nicht den gehörigen Schwung und sein Herz neigt sich mehr seiner Familie zu als wie der Interessen-Gemeinschaft... Es war Osman Paswan Oglu, der in Bulgarien zuerst die Fahne des Aufruhrs erhob. Nachdem das Volk durch Jahrhunderte alle Schmach geduldig ertragen hatte, erwachte seine Thatkraft sozusagen über Nacht und die zusammengerafften Schaaren bemeisterten weite Länderstriche, zogen als Sieger in Widdin ein und schalteten jahrelang überhaupt als Herren in vielen Gebieten des Landes. Leider mußte es sich schon damals — Ende des vorigen Jahrhunderts — darthun, daß den Bulgaren jede Fähigkeit sich selbst zu regieren abging, daß sie keine rechten Begriffe von staatlicher Administration und Consolidirung der nationalen Elemente hatten, Uebelstände, die insoweit zu entschuldigen wären, als diese schönen Dinge ja ohnedies von den Türken niemals zu erlernen waren... In den letzten Jahrzehnten hat sich im Lande eine sehr gut organisirte und mit ziemlichem Erfolg arbeitende Verschwörung, die sogenannte „Hetärie" berüchtigt gemacht. Es war die Revolution in Permanenz. Als besonders geeigneter Schauplatz erwiesen sich die unpraktikablen Bergdistricte zwischen Izladi und Sofia, sowie im hohen Balkan, wo sich die Freiheitsapostel den schon früher bestandenen Haidukenabtheilungen anschlossen und so zu einer mächtigen Behmgilde anwuchsen, die ihrem Rachegelüste frei die Zügel schießen ließ. Man erschlug die Steuerpächter, hob türkische Wachtposten aus, überfiel die Carawanen der Paschas und Bedrücker und blokirte Dörfer und Städte, worin ihre Feinde herrschten. Ein verzweifeltes Schicksal wollte es, daß selbst diese weit verzweigte Verschwörung ihren Zweck nicht erreichte und in ihrem Thatendrange ebenso erlahmte, wie die früheren Freiheitskämpfer.

Der Türke hat sich nie grausamer gezeigt, als wie im Siege. Die Blätter der Geschichte geben überall hievon Kunde und sie zeigen diesen turanischen Barbarenstamm so ganz in seiner erschrecklichen Verkommenheit. Es braucht, diesen Erfahrungen gemäß, somit nicht eigens betont zu werden, wie nach der Bezwingung der Bulgarenaufstände, Yatagan und Pfahl unter den Bezwungenen aufräumte, und welche Schüchternheit seitdem unter dem Bulgarenvolke platzgegriffen hat. Heute aber

steht die Tyrannei wieder in voller Blüthe, man saugt das Land
bis zum letzten Lebenstropfen aus, entführt christliche Mädchen
und sperrt die reclamirenden Eltern in den Hungerthurm, schleift
die schuldbelasteten Hütten und treibt die Bauern zur Frohn=
arbeit... Auch das wird enden, bis die Bulgaren mit den
andern Südslaven gemeinsame Sache machen, und nach ihren
politischen Instincten handeln, bevor man an den grünen Tischen
der europäischen Diplomatie die Schnurr in Bewegung setzt,
welche nach ihrem guten Glauben und ihrer Weisheit die „orien=
talische Frage" lösen sollen...

Die Hauptstadt Bulgariens ist Rustschuk, der die tür=
kische Regierung auch einige Bedeutung als Festung unterschiebt,
die ihr aber die paar elenden Wallzüge und besarmirten Bastionen
keineswegs zukommen lassen. Die Stadt würde überhaupt in
die Kategorie der übrigen türkischen Baracenanhäufungen rangiren,
wenn es hier nicht ein bulgarisches Viertel gäbe, das sich vor=
theilhaft von den baufälligen, buntbemalten Holzhäusern ⌊der
moslemischen Landesherren abhebt. Helle, freundliche Häuser
mit Gärten umgeben begegnen da dem Blicke, der sich im Oriente
zumeist an Unrath und Ruinen gewöhnen muß. Man sagt, daß
dem vielgenannten Mithad Pascha, dem ehemaligen Gouverneur
des Tuna=Vilayets das Verdienst gebühre, der Stadt zu einigem
Aufschwunge verholfen zu haben. Dies hat sein eigenes Be=
wandniß. Mithad ist allerdings ein Mann, der mit seinem
administrativen Talente und seiner Energie manches Gute dem
Reiche hätte leisten können, aber im Grunde genommen schmiegt
er sich vollkommen der Type eines türkischen Großwürdenträgers
an, d. h. er ist selbstüberhebend, arrogant, brutal in seinen
Mitteln, wenn es sich um Durchführung von Beglückungs=Ideen
handelt und wenig wählerisch in Bezug auf seine Umgebung.
Mithad Pascha soll in Rustschuk vor jenen Quartieren, die er
demolirt wissen wollte, Kanonen aufgepflanzt haben, um seine
Stadterweiterungspläne durchzusetzen. Es mag sein, daß diese
barbarische Art nothwendig war, um seinen Absichten Nachdruck
zu geben, aber wenn sich die Bewohner Rustschuks den früheren
Anordnungen des Gouverneurs widersetzt haben, so hat das
seinen guten Grund, der erläutert sein will. Es gibt in der
Türkei kein Expropriationsverfahren; wenn es der Behörde ein=

fällt, ein Barackenviertel in einer Stadt wegzuräumen, Gassen anzulegen oder Baulichkeiten aufzuführen, so verlieren die hiebei unmittelbar ins Mitleid gezogenen Bewohner ihr Hab und Gut, ihre Hütten und Baugründe und die Weigerung, den Anordnungen der Behörde Folge zu leisten, erscheint demnach mehr als erklärlich. Auf diese Weise hat auch Mithad Paschá, als er im Jahre 1867 Gouverneur des Tuna-Bilayets war, Rustschuk „gehoben" ... Er hat aber noch mehr gethan; er hat die Bulgaren nach ihrem letzten blutigen Aufstande bezwungen und den friedlichen Gang der Dinge im Lande wieder hervorgerufen. Wie viel Gehängte, Erschossene und grausam Gemordete es hiebei gab, wie viele noch heute in den fürchterlichen türkischen Kerkern schmachten, ohne Hoffnung je wieder die Ihrigen zu sehen, — darüber schweigt die Geschichte, weil die ottomanische Regierung überhaupt nicht sehr geneigt ist, der Neugierde Fremder Vorschub zu leisten ...

Wir wollen indeß das Donau-Gestade verlassen und landeinwärts pilgern. Der Orientreisende, der in Rustschuk ans Land steigt, um zum erstenmale die Gelegenheit zu benützen eine türkische Bahntour zu unternehmen, würde auf der alten Straße den Waffenplatz Schumla kreuzen, um über den Balkan zu steigen und Adrianopel zu erreichen. Dieser Weg, zu dessen Rücklegung früher viele beschwerliche Reisetage nöthig waren, wird nicht mehr eingeschlagen, da Einem die Locomotive viel rascher der Küste des schwarzen Meeres zuführt. Die Bahn, seit 1866 im Betrieb, ist eine der elendsten der Welt, technisch ungenügend ausgeführt, oft zu tief im Niveau, mit Radien, die thatsächlich „polygonal" sind und Rampen ohne alle Uebergangsgefälle. Der Linie entsprechend ist das Rollmaterial und überhaupt der ganze Betrieb. In den Waggons sind Draperien und Polsterüberzüge zersetzt oder beispiellos verunreinigt, die Gepäckkörbe durchlöchert und die Fensterscheiben zertrümmert. Die Fahrt gleicht buchstäblich einer Reise zu Schiff auf hoher See. Der Wagen hebt und senkt sich, schaukelt und stößt, daß es nicht Wunder nehmen darf, wenn Einen Unwohlsein beschleicht. Bis Varna, dem Endpunkte der Bahn, können sich ein Dutzend Verkehrsstörungen ereignen, zumal in der Niederung von Prawady, wo ausgedehnte Sümpfe im Niveau der Bahn liegen,

die Räder oft in den austretenden Wässern laufen, oder unüber-
sehbare Büffelheerden den Bahndamm verlegen. Dann hält der
Zug einfach an und die Signalpfeife thut ihr Möglichstes, um
die unwillkommenen Gäste zu verscheuchen und die Strecke wieder
frei zu machen.

Sö kömmt man nach B a r n a, eine in letzterer Zeit vielgenannte Stadt, die auch den Ruf einer ziemlich starken Festung
genießt, woran sich indeß entschieden zweifeln' läßt. Im Allgemeinen bietet die Stadt ein nicht minder trostloses Bild, als
ihre verschiedenen Schwestern im Norden und Süden des Reiches.
Bei der Wichtigkeit dieses Punktes für die Türkei, zumal in
Bezug auf Schumla, hat es der Ex-Großvezier Hussein Awni
für nöthig befunden, Pläne über neue, weitläufige Fortificationen,
die um Barna als vorgelegte Werke errichtet werden sollen,
anfertigen zu laffen, und wenn das Project noch in diesem Jahrhunderte zur Thatsache werden sollte, so hätte das Stambuler
Seraskierat eventuell einen Platz, wo es seine theueren Krupp'-
schen Kanonen anbringen könnte. Indeß ist positiv anzunehmen,
daß dies Vorhaben eine der verschiedenen Spielereien ist, die
alljährlich im Bezirate cultivirt werden, um dem Abenlande
glauben zu machen, man sei allerorts thätig, dem derouten Reiche
auf die Strümpfe zu helfen. Einmal ist es eine Eisenbahnlinie,
das zweitemal eine in Stambul oder Galata errichtete Fabrik,
dann wieder zur Abwechslung eine Festung oder gar eine kriegerische Expedition gegen Beduinen oder Wahabiten, welcher
Zerstreuung Abdul Aziz Khan so sehr zu bedürfen scheint, wie
Naßr-Eddin Schah, der Beherrscher des „Sonnenreiches".
Diese schönen Dinge nun werden leider zumeist ausgenützt, um
den Beifall des Padischah zu ernten, der hierauf nicht nur die
Position des betreffenden Großveziers befestigt, sondern auch die
nothwendigen Geldmittel bewilligt, welche in der Regel in die
Taschen der Machthaber und Minister wandern... Auch
Hussein Awni hat seinerzeit sein Stückchen producirt. Als er
seinem Herrn und Gebieter in Dolmabagtsche melden konnte,
daß die Kanonenlieferung effectuirt sei, setzte er, des
Spaßes halber, s e c h s Muschirs (Generalfeldmarschälle) kurzweg, ohne Angabe des Grundes, ab, um seine Leib-
kawassen an deren Stelle zu setzen. Wer indeß das Bollwerk

am schwarzen Meere zur Ausführung bringen wird, weiß der liebe Himmel.

Neben Varna ist Schumla der Stolz der türkischen Armee. Die Stadt selbst, in einer Terrainsenkung gelegen, ist offen; aber ein doppelter Gürtel von Forts und Erdwerken, erstere zum Theile casemattirt, umgeben sie, und überdies ist sie im Norden nnd Süden durch je eine Redoute permanenten Styles geschützt. Schumla ist eine typische Militär=Colonie; zahlreiche höhere militärische Behörden haben da ihren beständigen Sitz und selbst die Friedensgarnison ist eine ziemlich starke, die nebenher den Ruf genießt, sehr disciplinirt zu sein, was man anderorts vom türkischen Militär eben nicht behaupten kann. Als befestigtes Lager wird diese günstige Position am Nordhange des Balkan immer eine gewisse Bedeutung behalten, umsomehr als es binnen Kurzem der Ausgangspunkt einer directen Eisenbahnlinie ins Innere Rumeliens werden wird. Da die hierauf Bezug nehmenden Projecte ihrer Neuheit wegen viel näher liegen, als eine Beschreibung des Waffenplatzes, mögen sie hier ihre Auseinandersetzung finden . . .

Die Regierung, die sehr viel in „Strategie" macht, hat bis auf den heutigen Tag zäh und unverrückbar auf „ihrem" Projecte bestanden, nämlich die Linie von Schumla ab in das Innere des kleinen Balkan zu führen und zwar über Verbitza und Sadowa, die große Wasserscheide desselben zu durchbrechen, um im Thale des Asmak, Yambol und von hier Adrianopel über Jeni=Deli im Tundja=Thale zu erreichen. Das damalige Cabinet Mehemet Ruschdis bezeichnete diese Linie als eminent „strategisch" und blieb sogar den Vorstellungen der Fachleute gegenüber taub, die demselben die colossalen Schwierigkeiten einer 7000 Meter langen Tunnelirung des Balkanzuges, dann jene einer Bahnanlage im Tundja=Thale bis Adrianopel vordemonstrirten, und erst nach hartem Kampfe lieh der Großvezier nun auch sein Ohr dem zweiten Projecte . . . Dieses sollte durch die beiden Kamtschyk=Thäler das Gebirgsmassiv des kleinen Balkan umgehen, bei Karnabat vorüber nach Yambol ziehen, von wo aus es über Jeni=Saghra die Station Hermanly der bestehenden Linie Adrianopel=Philippopel zu erreichen hätte. Dieses Project erfordert zwar zwei Tunnelirungen, jedoch von nur 250 und

370 Meter und erreicht ihr größtes Gefälle mit 1 : 100, während jenes allein eine 7 Kilometer lange Strecke mit der Rampe 1 : 40 aufweist und zwar unmittelbar vor der bewußten Durchbohrung des Gebirges. Die Regierung wurde durch die verschiedenen schlagenden Thatsachen durchaus nicht eines Bessern belehrt und zwar beanstandete sie namentlich das zu weite Ab= rücken der Linie gegen Varna, d. h. an die Meeresküste, wodurch man dieselbe eventuell bei kriegerischen Unternehmungen, seewärts bloßgestellt meinte. Daß die Gelehrten des Vezirats bei Anlage einer Bahn den militärischen Zweck gar so sehr hervorkehrten, hatten sie gewiß nicht nöthig, und derlei Communicationen werden sich dem verarmten Lande sicherlich ersprießlicher erweisen, wenn sie sich dessen commerziellen Interessen anschmiegen, um= somehr, als die Lösung der „orientalischen Frage" weit eher durch die Finanzcalamitäten des Reiches hereinzubrechen droht, als in Folge einer Action in Waffen. Zudem sind die Be= denken betreffs der Linie durch das Kamtschyk=Thal einfach lächerlich, erstens: weil der östliche Punkt derselben noch immer 14 Stunden von der Küste entfernt ist, gegen 19 Stunden der Variante, — eine kaum fühlbare Differenz; zweitens: die unge= heueren Sümpfe und unpassirbaren Urwälder südlich Varnas eine Gefahr ohnedies zu paralysiren im Stande wären, und drittens: weil es auf das Bischen „strategisch" der ersten Trace durchaus nicht ankömmt, wenn sonst nichts für die Widerstands= kraft des Reiches geschieht. Die Russen sind bekanntlich unter General Diebitsch im Jahre 1829 unter weit ungünstigeren Verhältnissen bis ins Herz Thrakiens, Adrianopel, vorgedrungen, was für die Türken den guten Rath folgert, sie sollten sich an das billigere und somit für ihre Verhältnisse praktischere Project halten. Auch ist die allgemein herrschende Mißwirthschaft unmöglich geeignet, uns absonderliche Begriffe vom Ernste der türkischen Militärs in Communicationsfragen aufzudrängen. Die Stambuler Strategen fanden eben in der Schumlaer Bahn eine Gelegenheit mehr, sich unvernünftig aufzublähen . . .

Bevor wir uns an die Gestade des Bospors begeben, mag an dieser Stelle Einiges über die sogenannte türkische „Eisen= bahnfrage" vorausgesendet werden. Bei den großen Fort= schritten des Verkehrswesens in den Culturstaaten Europas,

muß es geradezu befremden, daß ein Staat, der in Folge seiner
günstigen geographischen Position und auf Grund seiner
eminenten politischen Bedeutung, vielleicht um die Zeit eines
halben Jahrhunderts zurückgeblieben ist. Die ottomanische
Staatsmaschine, die sich dem abendländischen Fortschrittswerke
nie recht anschmiegen konnte, hat in Folge der Indolenz ihrer
directen und indirecten Lenker, bisher eines der reichsten und
schönsten Länder Europas, der gesammten Kulturbewegung
entzogen, und somit nicht nur fremde Interessen geschädigt,
sondern auch seinen Finanzen jene natürlichen Zuflüsse verlegt,
die der allgemeinen Decadenz vorerst begegnen hätten können.
Bis zum Augenblicke scheint diese Misère nur halb gebrochen,
da die Pforte sich zwar dazu fand, in ihren europäischen Territorien eine Anzahl von Schienenwegen construiren zu lassen,
andererseits aber keinerlei Maßregeln trifft, die Factoren zu
einem nutzbringenden Eisenbahnbetriebe zu festigen oder zu schaffen,
und sich überhaupt unlogischerweise in allen einschlägigen Fragen
sehr halsstarrig erweist. Es war Fuad Pascha, der infolge
langwieriger diplomatischen Unterhandlungen in das Wagniß
einging, der Türkei Eisenbahnen zu geben. In einem Saale der
„Stadt Frankfurt" in Wien wurden die Verhandlungen geschlossen
und bald hierauf (1869) ward der damalige Baudirector der
Südbahn, Ingenieur Wilhelm Pressel nach Constantinopel berufen,
um die technischen Vorarbeiten in Angriff zu nehmen ... Zwei
große Hauptlinien, die eine im Westen, die zweite im Osten der
Balkanhalbinsel sollten dieselbe von Norden nach Süden durchschneiden und in ihrer Längenmitte irgendwo in Verbindung
treten. Das erste, auch das bosnische Project genannt, ging
von der österreichischen Grenze bei Novi ab, durchschnitt ganz
Bosnien, Alt-Serbien und Makedonien und endete bei Saloniki,
das letztere hätte im Anschluß an das bestehende österreichisch-
ungarische Eisenbahnnetz, das Fürstenthum Serbien, die centrale
Türkei zwischen Sofia und Philippopel durchschneiden sollen, um
so über Adrianopel die Reichshauptstadt am goldenen Horn zu
erreichen. Für die Verbindung dieser beiden Linien unter einander
war durch ein Project gesorgt, daß entweder von Sofia oder von
Nisch zu einer größeren Station im Arnautluk (Amselfeld) etwa
Prischtina oder Mitrowitza der bosnischen Linie laufen hätte sollen.

Diesen Projecten gemäß wurden im Laufe der letzten sechs Jahre in der europäischen Türkei nachfolgende Linien durch die „Compagnie des chemins de fer de la Turquie d'Europe" gebaut und in Betrieb genommen: Constantinopel-Bellowa (562 Kilom.), Kuleliburgas-Dedeagatsch (112 Kilom.), Saloniki-Mitrowitza (364 Kilom.), Banjaluka-Nowi (103 Kilom.) und vor Kurzem erst Hermanly-Jambol, Theilstrecke der Schumla-bahn. Die beiden großen Linien laufen von südlichen Haupt-häfen in das Innere des Landes, und da auf ihre Fortsetzung denn doch in irgend einer Weise gedacht werden muß, so ist die türkische „Eisenbahnfrage" jüngster Zeit in ein Stadium getreten, das zu den weitgehendsten Auseinandersetzungen, Commentaren und Beschwerden in der gesammten europäischen Presse Anlaß gegeben hat. Am schlimmsten stand und steht diese Angelegen-heit für Oesterreich-Ungarn. Obwohl Nachbarstaat der Türkei und so gewissermaßen auf den unmittelbaren Verkehr mit ihr nothgedrungen angewiesen, ist es weder seiner Diplomatie, noch seinen Finanzgrößen gelungen, die leitenden Persönlichkeiten dahin zu beeinflussen, die Schienenwege nicht von Süden, dem Meere her, sondern von Norden, der österreichisch-ungarischen Grenze in Angriff zu nehmen. Dadurch haben die seefahrenden Nationen England und Frankreich dem österreichischen Staate den Rang abgelaufen und die an dessen Grenze gelegenen Pro-vinzen zu Absatzgebieten ihrer Industrie gemacht. Sie haben dem Baue der türkischen Bahnen Eisenproducte in einer Menge von drei Millionen Centner zugeführt und da sie auch sonst auf den gewonnenen Linien ein gewisses Monopol besaßen und ihre Industrie-Erzeugnissen einbürgerten, ist Oesterreichs Export auf Jahre hinaus lahmgelegt. Die türkischen Bahnen haben kein Pfund Eisenbahnschienen aus Oesterreich bestellt; an Locomo-tiven wurden von den bestellten 86 Stück nur 10 aus öster-reichischen Fabriken bezogen und von den Waggons ein Drittheil der Gesammtzahl. Es war demnach erklärlich, daß der rumelische Schienenweg, der in der centralen Türkei plötzlich sein Ende findet, für das genannte Reich keinen Nutzen hatte und so machte man post festum auf diplomatischem Wege alle erdenk-lichen Anstrengungen, den projektirten Anschluß bei Nisch an die zu bauende serbische Bahn mit der Kopfstation Belgrad so rasch

als möglich durchzusetzen, um nach Vollendung der großen
Ueberlandlinie nach Constantinopel zum Mindesten als Con-
current auftreten zu können und die Schäden früherer Fahr-
lässigkeit und Unklugheit somit einigermaßen zu paralysiren.
Als Ingenieur Pressel noch als Generaldirector der „asiatischen
Bahnen“ am Bospor amtirte, war es namentlich die serbische
Anschlußfrage, die er auf alle Fälle zur Entscheidung bringen
wollte, und sie schließlich auch zur Entscheidung brachte, indem
er den Starrköpfen des Cabinets Mehemet Ruschdi und Hussein
Awni mit den schwerwiegendsten Argumenten die Thatsache vor-
bemonstrirte, daß der Ausbau des rumelischen Schienenweges
bis an die österreichisch-ungarische Grenze vollkommen identisch
mit der Festigung der pecuniären Interessen des türkischen
Reiches sei . . .

Nichtsdestoweniger wollte auch hierauf die Anschlußfrage in
kein günstiges Fahrwasser gelangen und das abendländische
Publicum wurde geraume Zeit mit Versionen über den Verlauf
der Angelegenheit wahrhaft überschwemmt. Es war das alte
Spiel, das die ottomanischen Staatslenker in allen internationalen, die Balkanhalbinsel betreffenden Angelegenheiten, mit der
anerkannten historischen Virtuosität abzuwickeln belieben, ein Act
mehr zu der lieblichen „Comödie der Irrungen“ in der sich die
Bospordiplomaten seit jeher als äußerst routinirte Acteure prä-
sentirten . . . Gleich dem erwähnten Ex-Großvezier, nun in der
Erde Hedjaz schlummernden Mehemet Ruschdi Schirwanezade,
hat uns auch der Ex-Großvezier Hussein Awni, sein Nachfolger
in Rath und That, mit einer „strategischen Linie“ überrascht.
Baron Hirsch, der im Einverständnisse mit dem Vertreter
Oesterreich-Ungarns in Pera, Grafen Zichy, alle Hebel in Bewegung setzte, um endlich die Theilstrecke Bellowa-Nisch (serbische
Grenze) dem Ausbau zuzuführen, konnte selbstverständlich nicht
umhin, darauf zu bringen, sich definitiv zu entscheiden; die ottomanische Regierung aber, die das Messer am Halse fühlte,
schwenkte mit der lächerlichen Einwendung ab, sie müßte vorerst
aus „andern“ Gründen, eine Verbindung zwischen Sofia und
Uesküb anstreben, um andererseits auch einen directen Verkehr
zwischen beiden Reichshälften (Bosnien und Rumili) ehemöglichst
ins Leben zu rufen. Durch diese Thatsachen zerflossen, wie

schon so oft früher, die rosigsten Hoffnungen über die als bevor=
stehend angekündigte directe Schienenverbindung zwischen Oester=
reich, eventuell Central=Europa und Constantinopel, und wird
uns neuerdings der Beweis, daß türkische Zusicherungen so viel
als Nichts bedeuten.

Gleich betrübend erscheint es, daß man sich nicht weiter an
die bosnische Linie kehrte. Wir wollen indeß einen Blick auf die
äußerste nordwestliche Provinz des ottomanischen Reiches werfen,
umsomehr, als das große Publikum von ihr kaum mehr weiß,
als von den inferiorsten Gebieten Asiens. Bosnien hat einen
Flächenraum von 1150 Quadratmeilen und ist ein vollkommen
für sich abgeschlossener Theil der europäischen Türkei. Im Süd=
westen dieser Provinz treten Montenegro und Serbien so nahe
aneinander, daß nur ein schmaler Landstrich dazwischen liegen
bleibt, durch den sie mit Rascien und dem Artnautluk commu=
nicirt. Bosnien ist ein Bergland in der besten Bedeutung des
Wortes; waldreich, mit ausgebreitetem, saftigem Weideboden, mit
Erzgängen, Viehzucht und Jagdwild. Fünfundvierzig Procent
des Gesammtareals sind Waldboden, fünfundzwanzig Weideland,
siebenzehn Culturstrecken und dreizehn Procent steriles Gebiet,
doch fällt auf letzteres nur ein verschwindend kleiner Theil von
dem eigentlichen Bosnien, indem die dazu gehörige Herzegowina
von ihrem 200 Quadratmeilen einnehmenden Areal, über 90
Quadratmeilen felsiges Gebirge aufweist.

Das peri=apeninische Gebirge, das am Felsen Kleck seinen
Anfang nimmt, dehnt sich als „bosnisch=serbisches Gebirgsland"
mit einem Systeme zusammenhängender paralleler Gebirgsketten
von Nordwest nach Südost aus, zahlreiche, durch Flußläufe
bezeichnete Längenthäler bildend. Die Una, der Vrbas, die
Narenta mit der Krijawa, die Drina mit dem Lim, der Tara
und Piwa, alle mit ihren zahlreichen Nebenbächen durchströmen
das Land und ihre Thalgründe bilden weite Strecken des besten
Weidelandes, des fruchtbarsten, leider kaum ausgenutzten Acker=
terrains. Fruchtbäume umsäumen die elendsten Dörfer, in den
südlicheren Districten gedeihen Wein und Südfrüchte im Ueber=
flusse, und in manchen Thälern der Herzegowina die Olive,
Feige, Granate und Maulbeere ... In den Thälern zieht man
Schafe, Ziegen und Pferde, und die reichen Erzgänge im nörd=

lichen Bosnien waren schon den Römern bekannt und von ihnen ausgebeutet. In den 125 sogenannten Wolfsöfen Stari-Mejdans werden alljährlich circa 100,000 Centner Roheisen erzeugt; Kupfer findet sich hauptsächlich bei Serajewo, Blei bei Olowo, Gold und Silber bei Srebretnica, Zwornik u. a. O. Desgleichen ist das Land reich an Heilquellen, deren vorzüglichste unbestritten die von Banjaluka, Jenibazar und Kojnica sind, aber es fehlen dem Lande, Dank der segensreichen türkischen Verwaltung, jede Gattung von Fabriken und feine Communicationen befinden sich in einem erbärmlichen Zustande, oder richtiger gesagt: sie existiren gar nicht. Die Hälfte der über eine Million zählenden slavischen Bewohner (Bosniaken) sind Mohammedaner und der christliche Theil der Bevölkerung hat hier nicht nur von den Behörden alle erdenklichen Plagen zu erdulden, sondern auch von seinen stammverwandten, aber andersgläubigen Mitbrüdern. Beide Theile sind indeß gleich wild, gleich roh, aufgewachsen in blindwüthender Fehde und zum gegenseitigen Vernichtungskriege wie geschaffen. Die wenigsten mohammedanischen Bosniaken sprechen türkisch; man kann sie Moscheen bauen sehen und von ihren Lippen die gediegensten südslavischen Flüche vernehmen, sie beten zu Allah, dem Allerbarmer, aber der Koran muß ihnen verdolmetscht werden, auf daß ihnen das Labsal der Prophetenweisheit zu Theil werde ... Diese Thatsache hat bereits des Oeftern zu ethnologischen Irrthümern Anlaß gegeben, indem man die mohammedanischen Bosniaken kurzweg für Türken erklärte, während sie thatsächlich Slaven sind, sowie die albanesischen Mohammedaner dem pelasgischen Völkerstamme angehören, und somit ebenfalls mit den „Türken" als Volk nichts gemein haben. Die Christen Bosniens gehören meist dem katholischen Ritus an.

Rühriges Treiben, soweit es eben anderweitige Zustände erlauben, kennzeichnet die christliche Niederlassung von jener des Mohammedaners. Die Hauptindustrieartikel sind: Aba (ordinäres Tuch), Sandalen, Töpferwaaren, Eisen- und Stahlwaaren, Gewehre, Degenklingen, Messer, vorzügliche Kürschner- und Seilerarbeiten, Tschibucks, Flachs- und Baumwollgewebe, Seidenfabrikate, namentlich im südlichen Bosnien, Kotzen, Decken und Teppiche. Ein eigentlicher Handel ist im Lande nicht fühlbar. Die schlechten

Communicationen sind hierbei wohl das maßgebendste Hinderniß und wenn orientalische Reisebriefsteller von der Handesbewegung von und nach Jenibazar öfter Erwähnung machen, so kann dies nur sehr relativ aufgefaßt werden... Was die militärische Bedeutung der zu schöpfenden bosnischen Bahn anbelangt, so ist sie identisch mit der Widerstandskraft der Provinz. Der Centralpunkt, von dem aus bequeme Längenthäler abgehen, ist Serajewo. Unweit des Bosna-Ursprunges gelegen, bildet diese Stadt mit ihrem großen, wenngleich sehr berouten Castelle einen vorzüglichen Stützpunkt gegen Norden. Die Straße über Trawnik ins Vrbasthal bildet eine sehr günstige Operationslinie gegen die Save, sowie die Linie Mokro-Zwornik im Drina-Thale gegen Serbien. Für den Vertheidigungskrieg im großen Maßstabe ist Bosnien von unberechenbarem Werthe. Rauhen Klimas in seinen nördlichen Theilen, sperren nebenbei mehrere natürlich feste Punkte alle Zugänge gegen Süden und die Gebirgszüge an der dalmatinischen Grenze dürften unter Umständen, zumal während der nassen Jahreszeit, gar nicht zu überschreiten sein. Aufgebotene, irreguläre Truppen könnten hier selbst bei mangelhafter Organisation die Erfolge des Feindes sehr illusorisch machen, umsomehr, als die ausgebreitete Waffenfabrikation den Gebirgsbewohnern ein natürliches Arsenal bietet... Das gilt, wie gesagt, im Allgemeinen, man darf aber hiebei nicht vergessen, daß die Hälfte der Bewohner christlichen Glaubensbekenntnisses ist, und seit Jahrzehnten des günstigen Augenblickes harrt, um gegen ihre Bedrücker loszuschlagen. Es steht demnach Gewalt gegen Gewalt im Lande selbst und operirende Armeen hätten nur mit ihren Factoren zu rechnen. Der islamitische Landadel vermöchte diessfalls nichts gegen die geschichtlichen Traditionen, an denen die christlichen Slaven zehren, Traditionen, die sich noch auf jene Zeit beziehen, wo das Land ein Königreich war. Diese Zeit fällt in die zweite Hälfte des 14. Jahrhunderts. Dann kamen unter Murad II. und Mohammed II. die Türken ins Land und ein großer Theil der Stammesbrüder fiel ab, um an die Seite der Eroberer zu treten. Es herrscht demnach zwischen den beiden Hauptmassen der bosnischen Bevölkerung kein Racen-, wohl aber ein unerhörter Glaubenshaß, der früher oder später zum blutigen Ausdrucke

kommen muß. Heute schaltet in Bosnien der gediegenste
asiatische Despotismus. Er fordert täglich seine Opfer und von
der Una bis zum Dormitor an der montenegrinischen Grenze
ist wohl kein christlicher Slave mehr, der sich der Hoffnung hin-
gäbe, sein Schicksal auf andere Weise als mit der Waffe in der
Hand zu ändern . . .

Von der südöstlichsten Grenze Bosniens aus, dort wo Montenegro und Serbien hart aneinanderrücken, betritt man einen
Theil der centralen Türkei, der von ebenso großer historischer
Bedeutung ist, als von ethnographischer. Im weitesten Sinne
das Schar-Gebiet genannt, von dem gleichnamigen gewaltigen
9000 Fuß hohen Gebirgsmassiv abgeleitet, dehnt sich hier an
den Ufern des Ibar und der Sitnitza das Amselfeld oder
Kossowopolje, wo die Türken vor nun nahezu einem halben
Jahrtausend dem serbischen Reiche ein Ende machten. Von
imposanten Gebirgspfeilern umstellt, gleicht die weite Ebene in
ihrer reizlosen Einförmigkeit einem Riesengrabe, in das man die
südslavische Unabhängigkeit eingesargt. Einst war das Land selbstverständlich ganz slavisch, aber nach der mörderischen Schlacht,
in der Sultan Murad II. durch die Hand Milosch Obilowitsch's
fiel, zogen die Serben nordwärts ab und in die disponiblen
Niederlassungen strömten die Arnauten der übervölkerten Alpen-
gebiete ihrer Heimath ein. Man mag heute im Schargebiete, zu
dem man auch die Quelllandschaften der bulgarischen Morawa
rechnet, über eine Million mohammedanische Albanesen zählen,
die durch ihre kriegerischen Eigenschaften und Wildheit, aber
nicht minder durch ihren religiösen Fanatismus weithin berüchtigt
sind. Trotz unserer geringen Kenntniß über diesen autochthonen
Volksstamm der illyrischen Halbinsel steht doch so viel fest, daß
die Arnauten in „politischer" Beziehung ein wenig zuverläßlicher
Factor für die ottomanische Machtentfaltung in ihrem europäischen
Reichsgebiete sein mögen, da sie national keinerlei Sympathien
für ihre Glaubensgenossen und rechtmäßigen Beherrscher am
Bospor empfinden. Man hat den Albanesen seit Scanderbergs
Zeit stets bedeutende Concessionen gemacht und noch heute sind
ganz weite Gebiete in den wilden Landschaften von Ibalea und
Atraba vollkommen unabhängige Territorien, der Schauplatz
kampfgeübter Mirditen-Stämme. Bei einer gewaltsamen oder

natürlichen Umgestaltung der Dinge auf der Balkanhalbinsel wird der Arnaut auf der Seite desjenigen stehen, der ihm — die Unabhängigkeit verspricht. Ethnologisch abgetrennt von allen übrigen Völkern der europäischen Türkei, eine Nation für sich mit ureigenen Sitten, eigener Sprache und politischen Anschau= ungen, scheint eine Aufhebung der Individualität dieses Gebietes und seiner Bewohner in irgend einer Weise, ein Ding purer Unmöglichkeit. Mögen sich die Dinge wie immer gestalten, die „Türken" sind spielend von der Karte weggestrichen, die autoch= thonen Volksstämme der mohammedanischen Slaven in Bosnien und der mohammedanischen Albanesen in Thessalien, Makedonien und Albanien bleiben Elemente, mit denen wohl in umfassendster Weise zu rechnen sein wird.

Zwischen den Distrikten der Arnauten und der östlichen Reichshälfte erhebt sich, gleich einer gewaltigen, natürlichen Grenz= burg, das Hochland der Bulgaren. Der Stock dieses imposanten orographischen Abschnittes sind das Rilo= und Vitoschgebirge mit ihren immensen Waldgebirgen, einsamen Klöstern, Felslandschaften und Schneezinnen. Da von diesem Hochlande radialartig die größten Längenthäler der Türkei abgehen, im Süden die Struma, im Norden der Isker, im Osten die Maritza und im Nordwesten die Nischawa (Morawa), so erscheint es klar, von welch' eminent politischer und strategischer Bedeutung dies natürliche Bollwerk für die europäische Türkei sein muß. Hier lebt der Bulgare am freiesten und unbedrücktesten. In den Hochthälern und auf den fruchtbaren Alpentriften liegen seine Dörfer, seine Schulen und Kirchen, über unwegsame Pfade findet er eventuell seine Schlupfwinkel, um der zeitweiligen Steuerrazzia zu entgehen. Seine Kleidung ist schlicht, den Kopf bedeckt zumeist eine gewal= tige Bärenmütze, unter der das lange Haar zu einem Zopfe geflochten herabfließt. Zäh und ausdauernd in der Arbeit ist er ebenso gutmüthig, wie sein Stammesbruder an der Donau, aber er besitzt mehr Selbstgefühl und die wenig geschmälerte Freiheit lernt ihn dieselbe schätzen... Es gibt kein Gebiet der euro= päischen Türkei von ähnlicher Großartigkeit wie jenes im Rilo= stocke... Längs düsteren Waldschluchten und himmelhohen Felsmauern führen die Pfade, zum Theil an freundlichen Bul= garendörfern, zum Theil an türkischen Wachhäusern vorüber nach

Sofia. Ein Kranz von Riesenhäuptern umstellt das üppige Thalbecken und man gewahrt bald im Südosten die Felszacken des hohen Balkan. Dort liegt auch der einsame Felsenpaß, die „Trajanspforte" genannt und indem man zum letzten Male das Kronenrauschen der Hochwälder vernimmt, steigt man nach kurzer Reise in das Maritzathal nieder, mit dem Thrakien erreicht ist, ein Land von ganz anderem Style, als die übrigen Provinzen, mit den antiken Emporien Hadrianopolis und Philippopolis und einer wildbewegten vielhundertjährigen Ge= schichte. Auf dies öde Land mit den heutigen Türkenstädten Edirnè (Adrianopel) und Filibé (Philippopel) werden wir noch zurückkommen . . .

Dritter Abschnitt.

Constantinopel. — Das Ende des byzantinischen Kaiserreiches. — Moham=
meds II. Einzug am goldenen Horn. — Ein Städtebild des Ostens.
— Metamorphosen. — Die sieben Hügel Stambuls. — Hagia Sofia.
— Pera. — Sociales aus dem Christen=Quartier. —

Man nennt Constantinopel heute noch eine mohammedanische
Weltstadt, und zwar insoweit mit Recht, als es noch wie vor=
dem der Sitz der osmanischen Herrscher und der Schlüssel zu
den beiden großen Reichshälften in Europa und Asien ist. Aber
der Stern Osmans ist im Sinken und wie sich die typischen
morgenländischen Erscheinungen am Bospor mälig verwischen,
keimt das Wesen des Occidents mehr und mehr aus den zer=
trümmerten Traditionen der Islamiten . . . Es ist Stambul die
letzte Metropole der Erben des ursprünglichen Chalifats. Als
das prächtige Kufa mit Ali verschollen ging, erblühte Bagdad
als Sitz der aufstrebenden islamitischen Weltmacht, und der erste
Conflict der morgenländischen Schismatiker begann, als nicht
nur die Bewunderer des Chalifenglanzes nach dem Tigrisgestade
pilgerten, sondern auch die ersten Gemeinden der Schiiten, die
den heiligen Boden küssen wollten, den Ali betreten, und auf
dem sein Sohn Hossein als Märtyrer geblutet. Zu gleicher
Zeit rivalisirte das syrische Damascus mit dem „leuchtenden"
Bagdad, und als die Fatimiden, El Kahira am Nil zu neuem
Glanze erstehen ließen, zerflatterte bereits der Glanz der Enkel
Abul Abbas am Schatt und Jahrhunderte später, als vorher
noch die arabischen Emporien Cordoba und Granada geblüht

hatten, fiel das Kreuz von der Kuppel der Hagia Sofia, und
Mohammed II., der Erbe der früheren Chalifenherrschaft,
gründete die letzte mohammedanische Weltstadt am Bospor, als
Brücke von Europa nach Asien. Was den Arabern nicht gelang,
das vollbrachten die Epigonen eines kleinen Hirtenstammes, der
unter den Augen der letzten Seldschukiden heranwuchs . . .

Das heutige Constantinopel hat wenig von seiner einstigen
originellen Physiognomie bewahrt; es ist weitaus mehr ein
internationaler Tummelplatz, als eine typische Reichshauptstadt
mit allen Eigenthümlichkeiten einer solchen. Der Osten und
Westen fließen hier mit ihren Individualitäten zusammen, doch
ist Constantinopel heute bereits halb durch den abendländischen
Geist erobert. Als Bollwerk spielt es gar keine Rolle mehr
und man würde eventuellen Falls selbst mit der ottomanischen
Militärmacht nur dann zu rechnen haben, wenn sich das einfluß-
reiche Regiment den hochwichtigen Factor religiösen Fanatismus'
nicht entgehen läßt, um in der letzten Stunde zu erstarken und
den Untergang des Reiches mit einer verzweifelten, heroischen
Gegenwehr zu besiegeln. Daß eine nähere Beleuchtung dieser
Schlagworte zu scharf in die Mysterien der europäischen
Diplomatie am Bospor einschneiden würde, erscheint erklärlich;
anstatt aber in dieser Richtung die ruhige Stimmung zu stören,
ziehen wir es vor, vorläufig auf jene Zeitepoche zurückzublicken,
in der Mohammed II. aus dem byzantinischen Emporium eines
der Osmanen-Sultane machte.

Daß die Eroberung Constantinopels durch die Türken im
Jahre 1453 u. Z. ein noch heute unberechenbares Unheil war,
braucht wohl nicht besonders betont zu werden. Der ganze
culturelle Entwickelungsproceß wurde in seinem Gange wesentlich
gehemmt und die Machtstellung im Südosten Europas durch
mehrere Jahrhunderte mit den turanischen Krummsäbeln identificirt.
Es ist in dieser Richtung nur bedauerlich, daß selbst die geist-
vollsten Historiker die merkwürdige Ansicht gemein haben, der
Fall dieses ehemaligen christlichen Bollwerkes sei ein nothwendiger
Schicksalschlag gewesen, welchen die Corruption, die immoralische
Staatswirthschaft, die Grausamkeit der byzantinischen Machthaber
und die Kirchenspaltung logischerweise bedingten, ohne sich weiter
mit den tiefergehenden Argumenten zu beschäftigen, die den Unter-

gang Constantinopels auf weit natürlichere, man möchte sagen
geographische Verhältnisse zurückführen. · Aus jenen Erbsünden,
an denen auch andere Staaten krankten, resultirt durchaus nicht
die Nothwendigkeit eines wohlverdienten Endes und statt dieser
etwas heuchlerischen Capucinade mag ein Blick auf die allgemeine
damalige Lage sprechen, der uns der Wahrheit bei weitem näher
rücken wird.

Ein Staat, wie das byzantinische Reich, der weder geographisch
noch ethnographisch zu einem einheitlichen Ganzen sich gestalten
konnte, dessen Verwaltung an einer acuten Decentralisation litt,
der weder den Willen noch die Mittel hatte, den centrifugalen
Tendenzen unterworfener Völker an der Peripherie seiner
Territorien entgegenzutreten und alle administrativen Maßregeln
infolge der heterogenen nationalen Elemente illusorisch machte;
ein solcher Staat hat mehr oder minder seinem eigenen Zerfalle
die Bahnen geebnet und seine ehemalige positive Macht in einen
negativen Schaden umgestaltet. Es spricht für diese Annahme
schon der Umstand auf das treffendste, daß bei der Kriegs-
erklärung Mohammed II. die Residenz allein das Reich identificirte,
jeder Factor aber, der außerhalb der Stadtmauern gesucht wurde,
auf absolute Bedeutungslosigkeit herabsank... Mit dem ·Falle
Constantinopels war das byzantinische Reich von der Landkarte
verschwunden. Wäre jenes aus Ursachen der Corruption, Willkür-
herrschaft und Kirchenspaltung zu Grunde gegangen, so hätte
man denn doch im Staate selbst noch einen fühlbaren Rückhalt
finden müssen; das Reich aber war, aus den schon erwähnten
Gründen, zerbröckelt und als es kein Oberhaupt mehr gab, gab
es auch kein Staatsgebiet mehr.

So standen die Dinge, als Mohammed II. in seiner
Residenz zu Adrianopel den Plan faßte, in der Metropole am
Bospor den Halbmond aufzupflanzen und zu diesem Ende nur
einen günstigen Casus belli abwartete. Der sollte sich bald
finden und wurde vom Padischah gewissermaßen dadurch provocirt,
daß er in der Längenmitte des Bosporus und zwar auf dem
europäischen Ufer ein starkes Castell erbauen ließ, um einen
sicheren Stützpunkt bei seinem geplanten Angriffe auf Constantinopel
zu besitzen. Diese einfache Burg — Rumeli Hissar — ward,
der Tradition zufolge, mit unglaublicher Energie zustande gebracht,

läßt aber, soweit ihre Ueberreste heutigen Tages zeigen, absolut
unbegreiflich erscheinen, daß man einen derartigen, mehrmonatlichen
Festungsbau, sozusagen unter den Mauern der byzantinischen
Residenz, unbehindert ließ und sich blos aufs Parlamentiren
verlegte. Diese Burg liegt mit mehreren, noch heutigen Tages
erhaltenen Thürmen und crenelirten Mauern, an einem ziemlich
steilen Abhange des europäischen Bospor-Ufers und zwar an der
schmalsten Stelle des Canals. Schon Murad II. hatte ein
ähnliches Castell am asiatischen Gestade — Anadoli Hissar —
erbauen lassen und Mohammed II. sah gar wohl ein, daß er
mit der Errichtung eines zweiten derartigen fortificatorischen
Werkes die Wasserstraße zwischen dem schwarzen Meere und
Constantinopel vollkommen beherrschen könne: ein Calcül, der
sich, wie die ersten Kriegsereignisse des Jahres 1453 bezeugen,
durchaus nicht realisirte, indem es mehreren venetianischen Schiffen
gelang, das bedenkliche Défilé ungehindert zu passiren. Rumeli
Hissar liegt heute malerisch zwischen dichten Cypressengruppen
und wucherndem Buschwerke, zwischen welchen hindurch man
auf unregelmäßigen Terrassen mohammedanische Grabdenkmäler
im pittoresken Chaos erblickt, mehrere Thürme ragen noch aus
den Ruinen empor und beherrschen die benachbarten Bospordörfer. Mit dem Baue der drei großen Thürme soll Mohammed
seine drei Generale Chalil, Tschakan und Saritscha-Pascha
beauftragt haben und auf den des ersteren postirte man anfangs
das vielgenannte Riesengeschütz des Ungars Orban, das späterhin
bei Beschießung der Porta des heil. Romanos zersprang und
seinen Erzeuger tödtete... Die Erbauung des Castells ging der
Belagerung der byzantinischen Residenz um volle zwei Jahre
voraus. In Constantinopel selbst blieb man die nächste Zeit
ziemlich unthätig, während die europäischen Mächte nicht die
geringsten Anstalten trafen, dem bedrängten christlichen Vorposten
die nöthige Unterstützung zukommen zu lassen, ein Verschulden,
das sich in den nächsten Jahrhunderten bitter genug rächte.
Den besten Quellen zufolge besaß Constantinopel im Belagerungs-
jahre 7000 Mann und 26 kleine Ruderschiffe, ein Häuflein,
das die unverbesserlichsten Optimisten verstimmen mußte; die
Hauptvertheidigungskraft der Stadt mußte man demnach in den
fortificatorischen Werken suchen, die dieselbe noch gegenwärtig,

wenngleich vielfach zerstört, zusammengebrochen und demolirt, von zwei Seiten umgeben, nämlich auf der Landseite und südlich am Gestade des Marmara=Meeres. Dort, wo heute das Serai mit seinen mannigfaltigen Bauten steht, erhob sich damals die Akropolis und von hier entwickelte sich eine einfache crenelirte, nahezu eine deutsche Meile lange Stadtmauer bis zum sogenannten Cyklobion, heute Jedi Kuleh, d. i. Sieben Thürme. Sie hatte keinen Vorgraben und war stellenweise sehr schwach; die Anzahl der Thürme kann heute nicht mehr festgestellt werden, auch stammten sie aus verschiedenen Zeitepochen, aus jener Theophils, Constantin des Großen, Georg Bankowics u. s. w. Eine zweite Mauer erstreckte sich von der Akropolis längs des „goldenen Horns" und faßte so die Nordseite der Stadt ein. Die Festungs= werke, welche diese beiden Mauerzüge an ihren westlichen End= punkten miteinander verbanden und so landwärts die Residenz abschlossen, waren die stärksten, mit Gräben und Contre=Escarpen, dann mit Thoren und Vertheidigungsthürmen versehen. Die innere Mauer allein hatte deren 112 und der Graben vor der äußeren Mauer war über 40 Schritte breit. Die erstere mag kurz vor der Belagerung durch Johannes Paläologos errichtet worden sein, während die Hauptmauer, ein wahres Riesenwerk, Inschriften aufweist, die bis auf Theodosius II. zurückreichen. Sowohl die Faussebraie, als der Graben der Hauptumfassung war aber vom „Schiefen Thore" (Egri Kapu) bis zum Palaste des Hebdomon, im nordwestlichen Winkel Constantinopels unter= brochen, während die Hauptmauer daselbst scharf nach dem goldenen Horne abschwenkte und somit an jener Stelle einen sehr günstigen Angriffspunkt für die Belagerer hervorrief. Der Graben, der noch heute in einer Länge von 100 Schritten sichtbar ist, wurde unmittelbar vor dem Eintreffen der türkischen Heeresmacht auf Befehl des Kaisers durch die Mannschaft des Capitäns Diego hergestellt.

Am 2. April ward das „goldene Horn" durch eine Kette abgesperrt. Sie bestand, wie aus den Ueberresten im Jrenen= museum des alten Serais zu ersehen ist, aus starken runden Holzklötzen, welche mit Eisenstücken und Ringen verbunden waren. Die Kette hatte, soweit eruirbar, so ziemlich die Richtung der untern Brücke und war ihr eines Ende in der Nähe des jetzigen

Gartenthores (Bagtsche Kapussi), das andere im Innern Galatas befestigt. Diese Kette hatte sich bei der Belagerung abermals bewährt, nachdem ihr die Stadt schon mehrmals zuvor ihre Rettung verdankte. Dieses Hinderniß veranlaßte auch später, im Verlaufe der Belagerung, den Sultan Mohammed II., einen Theil seiner Ruderflotte vom Hafenpunkte Dolmabagtsche über Land ins „goldene Horn" transportiren zu laffen, ein Manoeuvre de force, das vielfach angezweifelt wird, auf welches wir aber noch zurückkommen werden, um darzuthun, daß es, nach der Terrainconfiguration, die heute Jeder nach Muße studiren kann, durchaus nichts so Außergewöhnliches gewesen sein mag, kleine Schiffe über dem niederen Sattel zwischen dem „goldenen Horn" und dem Bospor zu transportiren, zumal bei einem Aufwande von Menschen= und Thierkräften, wie sie der ottomanische Macht= haber jederzeit bei der Hand zu haben wußte.

Bevor wir zu den Truppen=Aufmärschen der Türken über= gehen, sei noch einiges über Galata bemerkt, dessen eigenthümliche Stellung in diesen denkwürdigen Tagen eines kleinen Commentars bedarf. Es war dieser Stadttheil damals ebenfalls von Mauern und Thürmen umgeben und bestand aus dem Venetianer=Quartier und dem der Genuesen, doch waren die letzteren so ziemlich das herrschende Element, da sie sich eine gewisse Unabhängigkeit zu bewahren wußten und sogar auf eigene Faust Politik trieben. Die Genuesen Galatas nun sahen den drohenden Ereignissen nicht ohne Besorgniß entgegen, und um die Gefahr einigermaßen zu paralysiren, schickten sie Abgesandte an Mohammed II., um ihn ihrer Ergebenheit und freundschaftlichen Gesinnung zu ver= sichern und so indirect der befürchteten Katastrophe zu entgehen. Würden die Genuesen Galatas es mit Constantinopel gehalten haben, so ist vorweg anzunehmen, daß die Eroberung der Stadt nicht stattgefunden hätte. Der Patriotismus der Galatäer stand weit hinter ihren kleinlichen, praktischen Interessen und dieser Krämersinn ist merkwürdiger Weise auch den Epigonen geblieben; denn heute wie damals ist Galata das Quartier der Geldmänner, der Speculanten und Börsenschwindler, die die Regierung in die Tasche bekommen haben und nicht unerheblich zum Ruin des Staates beitragen.

Im Frühjahr 1453 erschien Sultan Mohammed II. mit

feinen Heerhaufen vor Constantinopel. Er befaß, um der Wahr=
heit fo viel als möglich nahe zu rücken, ungefähr 250,000 Mann,
die fich in drei Hauptcorps theilten: die Anatolifche Armee, vom
Geftade des Marmara=Meeres bis zur Porta Hagio Romanos,
die Rumeliotifche, auf dem Bergrücken, der fich heute zwifchen
der Kaferne Daub Pafcha und den fogenannten „füßen Wäffern"
hinzieht, und die Abtheilungen Karabfcha Beys und Zaganos
Pafchas, welche auf den Höhen des heutigen Pera Stellung
genommen hatten. Damals gab es dafelbft keine Wohnftätten;
der prachtvolle maffive Galata=Thurm, Allen, die am Bospor
geweilt, gar wohl bekannt, mag damals fo ziemlich den erhöhteften
Punkt eingenommen haben und er ward infolge deffen auch zum
Obfervatorium während der Belagerung auserwählt, übrigens
eine Maßnahme, die bei der neutralen Haltung diefes Stadt=
theiles als bedeutungslos erfcheinen muß. Das Hauptquartier
Mohammeds II. befand fich auf dem Hügel Mal Tepé, deffen
Kuppe heute ein Spitalsgebäude krönt; an diefer Stelle ward
auch das große Gefchütz Orbans poftirt, mit der Abficht, die
koloffalen Landmauern zunächft der Porta Hagio Romanos, des
Waffer= und Adrianopler=Thores zu erfchüttern und dortfelbft
Brefche zu legen. Sonft befaß der Padifchah noch an Artillerie
14 Batterien, meiftens primitiver Conftruction, welche auf den
Terrainwellen, die fich auf der Landfeite Conftantinopels aus=
dehnen, gleichmäßig vertheilt waren, um einen mehrfeitigen
Frontal=Angriff möglichft zu protegiren. Mohammed II. umgab
fich fpeciell mit feinem Janitfcharencorps, während der fromme
Scheik Ak Schemseddin mit 20,000 Derwifchen (!) hinter den
Höhen Peras eine gefchützte Pofition einnahm. Die ottomanifche
Flotte, auf 400 Segler beziffert, lag vor dem heutigen Bospor=
dorfe Befchiktafch vor Anker und ftand unter dem Befehle
Suleiman Beys . . .

Es würde zu weit führen, wollten wir in diefer Skizze,
die der Hauptfache nach nur gewiffer denkwürdiger Momente
fich annehmen will, die ganze Ordre de bataille entrollen, wie
fie durch den byzantinifchen Kaifer Conftantin Paläologos
Dragofes entworfen wurde, und wir müffen uns mit einer kurzen,
überfichtlichen Darftellung in der Vertheilung der Streitkräfte
begnügen. Daß man mit 7000 Mann bei fortificatorifchen

Werken, die damals eine Gesammtlänge von nahezu drei Meilen hatten, nicht viel leisten konnte, ist selbstverständlich. In die Akropolis, als den am wenigsten bedrohten Punkt, warf man die mißvergnügten Türken, welche es mit den Christen hielten, und gab ihnen einen Commandanten in der Person Orchans. Die nächste Stadtumwallung bis zum heutigen Sandthore (Kum Kapu) vertheidigte der spanische Consul Pedro Juliano; jene bis zu den „sieben Thürmen" der Benetianer Contarini; bei dem heutigen Silivri Kapussi stand Theophil Paläologos, der Genuese Moritio Cataneo und der Benetianer Nicola Mozenigo; auf dem weitern Theile der Umfassungsmauer der Benetianer Dolfin. Bei dem Theile des hl. Romanos, dem stärksten aber auch wichtigsten Punkte der gesammten fortificatorischen Werke, befand sich das Hauptquartier des Kaisers, also den Osmanen gerade gegenüber, nebenan Francesco di Toledo und jenseits des Thores Giustiniani. Die Gesammtstärke daselbst mochte 3500 Mann kaum überschritten haben. Das heutige Wasserthor hielten Bogenschützen, das Adrianopler Thor die Brüder Brochiari und den kleinen Vorort Blachernen der General Isidor. Längs der ganzen Wallmauer des „goldenen Horns" waren nur 500 Bogenschützen vertheilt, welche der vielgenannte Großherzog Notares befehligte, während ein Thurm zunächst der Kette einer Abtheilung Kandioten anvertraut wurde. Die Reserve, 700 Mann, hatte den Mittelpunkt der Stadt inne, denselben, auf dem sich heute die Moschee Mohammeds erhebt und ward von den beiden Generalen Cantacuzenos und Nicephor Paläologos kommandirt ...

Wer heute die halb in Trümmern liegende Landmauer Constantinopels besucht, dem wird sich sogleich die Ansicht aufdrängen, daß bei einigermaßen ausreichenden Streitkräften und einigen Batterien die Eroberung der Stadt nie hätte stattfinden können; denn noch heute lassen sie ihre ehemalige Stärke ahnen; geschweige ihren thatsächlichen Schutz zu einer Zeit, wo die Waffentechnik noch gänzlich unentwickelt war ... Der erste Schuß aus Orbans Riesenkanone verbreitete ungeheueren Schrecken unter den Vertheidigern. Man sieht die 12 Centner wiegenden Steinkugeln, welche dieses Ungethüm schleuderte, noch heute in der Nachbarschaft von Top Kapussi und eine derselben befindet sich im Irenenmuseum des alten Serais. Bald jedoch zersprang dieses Riesengeschütz und tödtete hierbei, wie schon erwähnt, seinen Erzeuger, worauf der Sultan sogleich ein zweites, ähnliches Monstrum erzeugen ließ, das bei der nunmehrigen vorsichtigeren Bedienung bis ans Ende der Belagerung intact blieb und zum Falle der Stadt wesentlich beigetragen hat. In den ersten Tagen tobte der Kampf unausgesetzt zwischen dem heutigen Kanonen= und Adrianopler Thore, während an den andern Punkten ziemlich Ruhe herrschte. Am 20. April aber kam in den Kampf einige Abwechslung; denn es fand an diesem Tage das erste Seetreffen statt, welches die Türken, trotz ihrer unverhältnißmäßigen Ueberlegenheit (145 Segler gegen 4 Galeeren) verloren und sich in aller Eile nach ihrem Ankerplatze bei Beschiktasch zurückziehen mußten. Den nächsten Tag ritt der Sultan mit 10,000 Garde=Janitscharen nach Beschiktasch, um den Kapudan Pascha Suleiman Bey zur Verantwortung wegen seiner Schlappe zu ziehen, ein Act, der zur nächsten Folge hatte, daß der Großadmiral abgesetzt und mit hundert Stockschlägen regalirt wurde, während man sein Vermögen unter die Janitscharen vertheilte. Von diesem Tage, der für die Moslims mit Muth= und Rathlosigkeit endete, datirt der abenteuerliche Gedanke des Padischah, Schiffe zu Land von Beschiktasch aus nach dem „goldenen Horn" zu transportiren, um der Stadt rascher Meister zu werden. Er ließ zu diesem Ende 72 leichte Fahrzeuge herrichten, welche insgesammt in der Nacht vom 22. auf den 23. April über Land befördert wurden, und zwar auf Schlitten und Rollen, zum Theile mittelst Thier= und Menschenkräften, zum Theile durch Ausnutzung einer starken Brise, die sich damals dem Unternehmen gerade günstig erwies. Was die Localität anbelangt, wo dieses kühne Manöver stattfand, so wollen wir hier Einiges nach eingehenden, an Ort und Stelle gepflogenen Studien den Lesern mittheilen.

Südlich von Beschiktasch öffnet sich nach dem Bospor ein kleines, sehr sanft ansteigendes Thälchen, jenes von Dolmabagtsche. Wer etwa an der nördlichsten Terrasse des neuen Volksgartens von Pera steht, der überblickt es seiner ganzen Ausdehnung nach bis zu dem kleinen Sattel, jenseits welchen die weite Mulde beginnt, die nach dem Nordende des „goldenen Horns" hin abfällt. Es gleicht dortselbst die Thalsohle einer 15—20 gradigen

Rampe, während der entgegengeſetzte Abfall bei Weitem ſteiler erſcheint, ein Umſtand, der ſich für das Unternehmen ſehr günſtig erweiſen mußte. Nach Paſſirung des ziemlich breitrückigen Sattels beginnt die erwähnte Mulde, an deren Häugen ·heute die Vorſtädte Kaſſim Paſcha und St. Dimitri liegen, während die dieſſeitige Lehne jenes Quartier Peras trug, das im Jahre 1870 bekanntlich einer koloſſalen Feuersbrunſt zum Opfer fiel und im Augenblicke nur ſpärlich durch Neubauten erſetzt iſt. Die Mulde endet bei dem dermaligen Admiralitätsgebäude in ein ſehr flaches Geſtade, das von den Höhen Peras vollkommen beherrſcht wird, und unter dieſem Geſichtspunkte wird es erklärlich, warum die Griechen das feindliche Wageſtück mit ihren eigenen Schiffen nicht verhindern konnten. Zaganos Paſcha, der die Höhen Peras inne hatte, würde die griechiſchen Barken ſofort in den Grund gebohrt haben. Außerdem ſcheint es außer allem Zweifel, daß die Genueſen Galatas nicht nur zu dieſem Unter= nehmen den erſten Impuls gaben, ſondern an demſelben auch thatſächlich ſich betheiligt hatten. Es bot ſich dieſen kleinlichen Creaturen günſtige Gelegenheit zu einem einträglichen Geſchäfte, denn nur ſie konnten die Maſſen erforderlicher Schmiermittel, mit welchen man die Schlitten imprägnirte, liefern.

Das Einlaufen von 72 Schiffen in das „goldene Horn" und zwar auf eine Art, die den überraſchten Griechen wie ein Wunder vorkommen mußte, brachte in ihre Reihen neue Ver= wirrung. Einige kleine Scharmützel führten zu keinem Reſultate und die Belagerten konnten von Glück reden, daß dieſe neu= erſchienene, unwillkommene Flottenabtheilung die größte Zeit über unthätig verblieb. Läſtiger waren von jenem Augenblicke ab die zahlreichen Verſuche türkiſcher Schiffe, die Kette, welche das „goldene Horn" abſperrte, gewaltſam zu ſprengen; denn die Unternehmungsluſt der Schiffsbefehlshaber ſteigerte ſich mit dem Bewußtſein, daß die griechiſchen Galeeren im Hafen ſich nun= mehr nicht vollzählig an den einzelnen Kämpfen würden betheiligen können. Ein ernſtliches Manöver der Griechen, das die ein= gedrungenen Schiffe in Brand hätte ſetzen ſollen, wurde von den Genueſen Galatas ſchmählich verrathen und einige attakirende Schiffe mitten in der Nacht in den Grund gebohrt. Die infolge dieſer Affaire entſtandenen Zwiſtigkeiten konnten nur mit Mühe beigelegt werden. Die Venetianer waren gegen die Genuesen derart erbost, daß sie sich schier lieber gegen sie gewendet hätten, würde nicht der überallhin versöhnlich auftretende Kaiser einen derartigen, in seinen Folgen entsetzlichen Bruderkampf im Keime erstickt haben. So nahmen die Kämpfe gegen den Feind ihren wilden, unerbittlichen Fortgang, sowohl zur See, als auch auf den Wällen der Landmauer.

Bald hierauf unternahmen die Türken ihre ersten Stürme und zwar einen am 7. Mai mit 30,000 Mann und einen andern mit 50,000 Mann, beide gegen den Palast des Hebdomon, ohne indeß etwas zu erreichen. Mauern und Thürme hatten jedoch infolge der unausgesetzten Beschießung so sehr gelitten, daß in den Reihen der Vertheidiger Wankelmuth einriß, der erst durch einen kleinen Erfolg wieder verscheucht werden konnte. Um diese Zeit erschien auch eine Batterie Zaganos Paschas bei dem heutigen Haßköj, einer Vorstadt am obern Ende des „goldenen Hornes", vermuthlich um einen begonnenen Brückenbau daselbst zu schützen, der in der Nacht vor dem allgemeinen Sturme vollendet wurde. Erst gegen das Ende der Belagerung begann der Minenkrieg. Seine Resultate müssen nicht absonderlich groß gewesen sein, denn die griechischen Quellen sprechen von unbedeutenden Zwischenfällen, die im Quartier von Blachernen sich zutrugen. Auch war von einem eigentlichen Systeme hierbei keine Rede und lag für die Belagerten nach wie vor die Haupt= gefahr an der Porta des hl. Romanos, deren nachbarliche Mauern und Thürme gegen Ende des Mai bereits derart in Trümmern lagen, daß den Türken der Erfolg in verzweifeltem Grade gesichert schien ... Der Padischah erschien infolge dessen am 29. Mai auf dem Mal Tepé (Schatzhügel) und traf von daselbst seine Dispositionen für den nächstfolgenden Tag, der Constantinopel zu Fall bringen sollte. Er ordnete seine Heer= haufen in drei Treffen, ließ in der letzten Nacht noch die Faß= brücke bei dem heutigen Haßköj vollenden und gab dem neuen Capudan Pascha den Befehl, seeseits mehrere demonstrative Scheinmanöver in Scene zu setzen, um die Aufmerksamkeit der Belagerten abzulenken ...

Es war Dienstag, am 29. Mai 1453, als dem griechischen Kaiserthume ein Ende gemacht wurde. Die Geschichte hat sich

der denkwürdigen Tage hinlänglich bemächtigt und so mag es
hier genügen, zu erwähnen, daß die ersten Sturmversuche auf das
Thor des hl. Romanos mit der keckſten Todesverachtung zurück-
geſchlagen wurden, bis ein combinirter Angriff von mehr
als 70,000 Mann jede Gegenwehr illuſoriſch machte. Zuerſt
drang die Hälfte dieſer impoſanten Sturmcolonne in den
zerſchoſſenen Zwinger ein, während der Reſt an verſchiedenen
Stellen zwiſchen dem Kanonen= und Adrianopler Thore die
Wallmauern erkletterte, das ſogenannte Thor des Holzreiſes
(Xylokerkos) beim Palaſte des Hebdomon forcirte und ſomit den
Besitz der Stadt ſicherte. Auf demſelben Poſten, welchen der
Kaiſer ſeit dem Beginne der Belagerung inne hatte, fiel derſelbe
inmitten ſeiner Soldaten, ohne von den Erſtürmern erkannt zu
werden und eine Stunde wüthete bereits der Straßenkampf
zwiſchen den Stadtmauern und dem Forum des Taurus.

Der Halbmond hatte triumphirt . . . .

Das Schickſal der Stadt mußte, ohne alle Uebertreibung,
ein gräßliches genannt werden. Bei der bekannten Zerſtörungs=
wuth der türkiſchen Race, welche in dieſem Sinne bis auf unſere
Tage die traurigſten Beweiſe lieferte, war vorauszuſehen, daß
dieſer Sieg des Islam nicht nur das Ende eines Reiches
bedeutete, ſondern auch, und dies weit mehr, eine planmäßige
Vernichtung aller Errungenſchaften des menſchlichen Geiſtes und
Fleißes, abgeſehen von den Schandthaten dieſer, jeder Cultur
unzugänglichen rohen Aſiaten. Selbſt Mohammed II., dem es
zu Zeiten nicht an beſſeren Intentionen und Sinn für Großes
und Schönes fehlte, hat ſich erwieſenermaßen einer Brutalität
zu Schulden gemacht, indem er, gelegentlich ſeines Triumphzuges
durch die eroberte Stadt, mit ſeiner Keule, die im Muſeum der
Irenenkirche zu ſehen iſt, einen der drei Schlangenköpfe, welche
der uralten „Schlangenſäule" angehören, im Anfalle rohen Ueber=
muthes abhieb. Die erwähnte Schlangenſäule iſt aus Erz und
ſoll der Tradition zufolge einſt im Delphi dem Dreifuß der
Pythia als Piedeſtal gedient haben. Wer heutigen Tags den
At=Mejdan (früher Hippodrom), der ſeine Ausdehnung neben der
Moſché Achmed I. nimmt, beſucht, der gewahrt von ferne eine
dünne gewundene Säule aus einer Vertiefung des Platzes
hervorragen. Knapp neben ihr erhebt ſich der weltberühmte

antike Obelisk aus egyptischem Granit, der bisher seinem Schicksale entronnen und uns hoffentlich für immer erhalten bleiben wird, es wäre denn, das ein modernes Bombardement, welches die orientalische Frage weit rascher lösen dürfte, als diplomatische Winkelzüge, ihn in den Boden schmetterte.

Wie groß der Schade ist, den seinerzeit die siegreichen Horden in Constantinopel anrichteten, wird wohl schwerlich je annähernd zu bemessen sein. Aber es erscheint bezeichnend genug, daß die Chroniken erzählen, wie die Türken noch nach Jahren bei einem jeden reichen Menschen ihres Landes voraussetzten, er sei bei der Plünderung der Stadt gewesen. Den Cardinalpunkt der Gräuel aber bildete die Hagia Sofia. In ihren geweihten Räumen verbargen sich Schaaren von Christen, um schließlich von den nachdrängenden Eroberern gefangen genommen und in die Sclaverei geschleppt zu werden. Dann begann das Werk der Zerstörung, alles unbewegliche Gut war zertrümmert, Werth= gegenstände geraubt, der Marmorboden mit Keulen und Aexten zerstampft, auf Altären Jungfrauen und Knaben geschändet und jeder Winkel von den Unmenschen auf jede erdenkliche Weise besudelt.

Gegen Mittag erschien der Padischah in der halb verwüsteten Hagia Sofia. Er hieb sogleich einen der Barbaren, der mit der Zertrümmerung der Bodentäfelung beschäftigt war, zusammen und befahl sodann, von der Kanzel herab das islamitische Glaubensbekenntniß zu sprechen, worauf er sein Abendgebet auf dem Altare, auf welchen er hinaufgesprungen war, verrichtete. Daß in Mohammed II., trotz all' seiner wilden Grausamkeiten, ein besserer Mensch steckte, bezeugt sein Enthusiasmus für das herrliche Bauwerk; er weihte es sogleich dem Glauben des Propheten und befahl, den Schaden im Innern des Tempels nach Möglichkeit wieder gut zu machen. Und so blieb uns dies kühne Denkmal und ihm allein mag Constantinopel die paar prächtigen Moscheen verdanken, denn sie wurden von den Suleimans, Achmeds, Bajazids u. s. f. nach dem Muster der Hagia Sofia erbaut. Auch Mohammed schuf eine derselben und zwar an der Stelle der von den Eroberern zerstörten Apostelkirche. Sie ist heute auf einem Hügel Stambuls situirt und wird jedem Besucher des „goldenen Horns", zumal wenn er das Panorama etwa vom

kleinen Begräbnißplatze Peras genießt, sogleich auffallen. Von
diesem Punkte gewahrt man auch die Ruinen der Wasserleitung
Kaiser Valens', mit ihren hohen, gewaltigen Bögen, die gleichsam
über die Häuser Stambuls hinwegsetzen und deren scharfe Conturen bei Abenddämmerschein ungemein kenntlich aus den glühenden
Farben tauchen, die sodann das prächtige Bild beleben.

Noch sei hier des Zwischenfalls mit der Leiche des Kaisers
Paläologos gedacht. Im Anfange glaubte der Padischah, es
sei seinem gekrönten Feinde gelungen, zu entkommen, und seine
Frage an den gefangenen Großherzog Notares, ob er wisse,
wohin er sich geflüchtet, beweist dies zur Genüge. Bald aber
verbreitete sich die Nachricht, daß der letzte Paläologe beim
Thore des heil. Romanos gefallen sei. Nur mit Mühe gelang
es, denselben aus dem Chaos von Leichen hervorzuscharren; als
aber Notares selbst in einem der ihm vorgelegten Köpfe jenen
seines Herrn erkannte, ordnete Mohammed an, denselben auf
der Säule des Augusteums auszustellen, die Leiche selbst aber
beizusetzen. Es geschah dies mit allem Pompe, der vielleicht
weniger aus dem Gefühle der Pietät für den gekrönten Todten
entsprang, als er vielmehr als ein politischer Act gelten muß,
durch den der Padischah darthun wollte, daß der frühere Herrscher
heimgegangen sei, und ihm somit die Nachfolgerschaft logischerweise zufalle ... Das Grab des letzten Paläologen ist uns
geblieben. Es befindet sich unter einem, mit Rosen und Wein-
reben umwucherten Weidenbaume unweit der Wesa-Moschee und
ist in dem Winkel eines Chans, den allerlei Handwerker bewohnen,
so verborgen, daß es kaum aufzufallen vermag. Abends flackert
über dem schmucklosen Steine eine einfache Oellampe, für welche
von der Regierung das nöthige Brennöl bestritten wird.

Nicht ohne Bedeutung für die islamitische Nachwelt ist die
Episode aus der Belagerungszeit, welche die Auffindung des
Grabes Ejubs betrifft. Ejub Anssari war der Fahnenträger
des Propheten und soll bei der zweiten Belagerung Constantinopels
durch die Araber im Jahre 668 unter den Mauern der Stadt
gefallen und dortselbst begraben worden sein. Die Tradition
berichtet nun: der Scheik Ak Schemseddin habe die Stelle, wo
der heilige Mann ruhe, gerade im Augenblicke der größten
Entmuthigung aufgefunden und durch dieses Ereigniß den

Fanatismus der Krieger Mohammeds II. neuerdings entflammt.
Die Annahme liegt sehr nahe, daß das ganze ein frommer
Betrug war; von den Moslims aber wurde die Geschichte mit
Enthusiasmus aufgenommen und heute erhebt sich über dem
vorgeblichen Grabe Ejubs eine prächtige Moschee aus weißem
Marmor, in der jeder neue Padischah mit dem Schwerte des
Propheten umgürtet wird, und in welcher er den „officiellen"
Schwur zu leisten hat, den Islam auf der Erde mit Feuer und
Schwert zu verbreiten.

Ueber die verschiedenen Localitäten im Innern des heutigen
Stambuls, welche mit jenen denkwürdigen Ereignissen mehr oder
minder zusammenhängen, fehlen uns leider meistens zuverlässige
Nachrichten. Keine Stadt hat sich im Laufe der Jahrhunderte,
so oft metamorphosirt, als die Chalifen-Residenz am Bospor hauptsächlich infolge der zahlreichen Feuersbrünste, welche noch heutigen
Tags alle zwei, drei Jahre viele tausend Häuser einäschern.
Bei dieser Gelegenheit verschwinden die letzten, an Reminiscenzen
reichen Objecte, bis sie aus dem einen oder anderen Anlasse
wieder zur Sprache kommen, mit Commentaren rankenartig
umwuchert, die jeden Wahrheitsbeweis zu Schanden machen.
Wie oft beispielsweise hatte die sogenannte „verbrannte Säule"
durch derartige Elementarereignisse zu leiden! Sie gleicht heute
nur mehr einem geräucherten schwarzbraunen, zerbröckelten Pfeiler,
dessen Theile durch eiserne Ringe zusammengehalten werden.
Den Flammen wußte sie bis heute zu trotzen; aber wir setzen
den Fall, sie wird durch ein kleines Erdbeben zusammengeworfen,
die Türken werden sie ohne Zweifel schlechtweg fortschaffen, da
sie nach ihrer Ansicht die Divanstraße, durch welche, beiläufig
bemerkt, heute die Pferdebahn führt, über Gebühr verunstaltet.

So sind auch die Fortificationen des alten Constantinopel
soviel wie zusammengebrochen. Die sogenannte innere Wallmauer
am „goldenen Horn" ist schon seit vielen Jahren verschwunden,
obgleich man sie auf den Plänen der Stadt noch immer antrifft
und die ersten Breschen in die weitere Circumwallationslinie um
die Serailspitze, brachen die Bahnarbeiten, da die rumelische
Linie keinen andern Ausweg vom „goldenen Horn" aus nach
dem Binnenlande finden konnte, als jenen längs des Ufers des
Marmara-Meeres . . . Ein Ritt von der großen Brücke nach

der angegebenen Bahnrichtung wird Jedem einen unzweifelhaften Genuß bieten, insofern als er eigentlich ein stundenlanges Ruinenterritorium durchmißt, seine gute Meinung aber von den uralten, vielfach genannten Stadtumwallungen dürfte gleich mit Beginn der Excursion den Nullpunkt erreichen. Nicht weit vom ehemaligen „Gartenthore", das in den großen, mit Cypressen und Platanen gezierten Vorpark der Serai-Anlagen führt, — einst Jedem das Betreten desselben bei Todesstrafe verwehrt; heute ein Tummelplatz herrenloser Hunde und levantinischer Vagabunden, — ist der Stambuler Bahnhof situirt. Ein Ritt von hier aus bringt uns zunächst an die Serai-Spitze, ein Fleckchen Erde mit einer der herrlichsten Aussichten der Welt. Der Blick fällt vorerst auf das Gewirre des „goldenen Horns", dann tief in den Bospor hinein, über Scutaris Gelände nach den fernen in farbigen Nebeln verdämmernden Prinzeninseln, südwärts aber auf den azurnen Spiegel des Marmara-Meeres, das in weiter Ferne scheinbar durch das schneebedeckte Gebirgsmassiv des bithynischen Olymps seinen Abschluß findet. Auf dieser Stelle erhob sich einst die Akropolis des griechischen Constantinopel. Wer ein Andenken an jene Vergangenheit, irgend eine bauliche Reminiscenz oder dergleichen suchen wollte, wird sich um so resultatloser bemühen, als auch der Glanz der ottomanischen Herrschaft daselbst längst verschollen ist und das Auge nur düstergrauer vertrödelter Baulichkeiten ansichtig wird. Wir verfolgen unsere Route unter hoher Mauerflucht und schattenden Platanen, um ein Stück Wallmauer zu passiren; dann wird der Blick aufs Meer wieder frei, denn der Schienenweg hat sich durch das uralte Gemäuer Bahn gebrochen, um wieder bei der nächsten Wendung durch ein fortificatorisches Werk maskirt zu werden. So geht es geraume Zeit; verfallene Thürme wechseln mit geborstenen Wallgewölben, hin und wider lehnt sich wohl auch ein baufälliges Haus an das noch baufälligere Gemäuer und zwischen dem Schutte sprießt üppiges Strauchwerk. Weiter westwärts liegt nicht nur der Wallzug, sondern auch mancher kleine Stadtcomplex buchstäblich in Ruinen, grell getünchte Holzhäuser mit den charakteristischen Balcons stehen auf einem Conglomerat von rauchgeschwärzten Grundmauerresten, moderigem Schutt und anderem angehäuftem Geröll, daneben klaffen manns-

breite Spalten in einer uralten, steinernen Hausruine, an deren
Fuße einige windschiefe Hütten türkischer Schuh= oder persischer
Kesselflicker kleben. Elende Baracken schließen den Hintergrund
ab, der nur hin und wider durch die blendend weißen Minarets
der großen Kaisermoscheen überragt wird. Einige hundert
Schritte weiter stößt man auf das Ende des ehemaligen, eine
deutsche Meile langen Wasserwalles, auf die „sieben Thürme".
Auch sie, einst so gefürchtete Staatsgefängnisse und anhaltender
Vertheidigung fähige Burgen, sind heute complete Ruinenhaufen,
von scheuem Gevögel, herrenlosen Hunden und Zigeunern bevölkert.
Bei den „sieben Thürmen", türkisch Jedi Kuleh, verläßt
man die Gestade des Marmara=Meeres, um den Weg längs der
gewaltigen, justinianischen Landmauer nach dem „goldenen Horn"
zurück einzuschlagen. Ist schon die Erinnerung an die heroischen
Kämpfe der Heerhaufen des letzten Paläologen an sich mächtig
genug, um eigenthümlich die Seele zu bewegen, so wird dies
Gefühl noch intensiver, wenn man an den altersgrauen, nun
gleichfalls dem gänzlichen Verfalle preisgegebenen Thurmkolossen
und gewaltiger Escarpen vorüberreitet. Auch für sie ist die
Zeit des Widerstandes vorbei. Durch den Thorbogen der ehe=
maligen Porta des hl. Romanos rollen nunmehr die modernen
Vehikel der Pferdebahn und wo der letzte Paläologe den Heldentod
starb, erhebt sich eine armenische Schnapskneipe. Ueber einzelne
Breschen hinweg erreicht man zunächst die großen Stambuler
Friedhöfe mit ihren zahllosen Steinobelisken unter uralten
Cypressen, dann den einstigen Stadttheil Blachernen, heute eine
Barackenstadt, bestehend aus elenden, von Juden bewohnten
Behausungen, von denen jeden Monat verheerende Feuersbrünste
einen beträchtlichen Theil verschlingen. Hier steht auch die
Ruine des Hebdomon, eine Heimstätte egyptischer Zigeuner,
jüdischer Bettelknaben und griechischer Gauner. Sie theilen die
finsteren Räume mit Fledermäusen und Scorpionen und an
schönen Frühjahrstagen sonnen sich die vagabundirenden Kinder
auf den Platten und Architraven der ehemaligen griechischen
Kaiserpracht ... Noch einige Schritte und wir stehen am Nord=
ende des „goldenen Horns", mit dem Ausblick auf die Lagunen=
landschaft der sogenannten „süßen Wässer", auf die bunten
Häusermassen Haßköjs und Kassim Paschas, mit dem steinernen

Pera im Hintergrunde. Südliche Farbenharmonie umfließt das
feenhafte Bild und im Totalanblicke dieser farbensatten Scenerie
vergißt man auf einige Minuten die arge Täuschung und läßt
sich von dem Zauberspiel der Natur reizende Wohnstätten vor=
gaukeln, wo sie in Wahrheit doch nichts anderes sind als —
Ruinenhaufen. —

Wer würde in dem heutigen Constantinopel überhaupt das
Kleinod erblicken, das die Murads, Selims und Mohammeds
so begeistert zu hüten wußten? Ueberall ist der Einfluß des
Abendlandes fühlbar. Das Marmorschloß Dolmabagtsche, in dem
der „Schatten Gottes" heute kaum mehr, als ein schattenhaftes
Dasein fristet, ist eine barocke Vermengung von baulichen Motiven
aus der Roccocozeit mit Anläufen zur Renaissance; Schloß
Tschiragan trotz seiner prachtvollen Verputzung ein zerbrechlicher
Holzbau; der Beglerbeg=Palast, ein Werk ohne ausgeprägten
Styl und was die moderne Architektur anbelangt, so hat sie
allenthalben den orientalischen Charakter abgestreift, um unent=
schiedenen Formen nachzuhängen ... Wohl ist der Anblick
Constantinopels auch heute noch einzig in seiner Art, wer aber
von einem der vielgerühmten Aussichtspunkte herabsteigt, das
Panorama energisch aus seiner Erinnerung wischt, und sodann
durch die Riesenstadt wandelt, der wird sich auf das bitterste
enttäuscht fühlen. Das „goldene Horn" wimmelt von Dampfern,
andere, nach Dutzenden zu zählen, vermitteln unausgesetzt den
Verkehr zwischen der Residenz und den reizenden Bospordörfern
und das Gedränge auf der großen Brücke gleicht mit seinen
europäischen Staffagen, Reitern und Carossen, in welchen
emancipirte Haremsdamen ohne allen Eunuchen=Convoi ruhen,
kaum mehr einem morgenländischen Treiben, denn nichts muß
im Orient mehr befremden, als das raschgährende, hastige Leben
mit all seinen Kundgebungen und der ängstlichen Ausnutzung
eines jeden kleinsten Zeitabschnittes. Und über das tolle Gewirre
hinweg zieht der beklemmende dicke Kohlendampf, gleich einem
schwarzen Riesenfittiche, aus dem hier und da die schlanken
Minarete gespenstisch hervortauchen. Jenseits der Brücke liegt
die ottomanische Kriegsflotte vor Anker. Auch hier ist die
morgenländische Originalität verschwunden, es wäre denn, man
wollte in den herumschwimmenden Aasen ein Erbstück alten

5*

Stambulerschmutzes erblicken. Wer das „goldene Horn" von
irgend einem Aussichtspunkte zum erstenmale erblickt, vielleicht
gar im Abenddämmerschein, wenn über den türkisklaren Spiegel
die Purpurflocken des letzten Sonnenblickes hinwegvibriren, der
wird der Täuschung erst bewußt, wenn er im Kaïk die Meeres=
bucht durchfliegt und neben einem Chaos schmutziger Barken
und herumschwimmendem Tröbel nichts weiter erblickt, als elende
Gebäude, Holzbaracken und unreinliche Chans, die die kothigen
Ufer besäumen ... Es hat sein Schönes, wenn man über das
Dächerchaos Stambuls hinweg nach den Trümmerresten der
Wasserleitung des Valens blickt, zwischen deren gigantischen
Bögen Abends die letzten Dämmergluthen hindurchleuchten, auch
von den Kuppeln der Hagia Sofia und Achmedijeh funkelts
zuweilen magisch herüber und die stolze Moschee Suleiman des
„Prächtigen" erhebt ihren monumentalen Bau inselartig weit
über die vertröbelte Nachbarschaft; im Innern dieses Stadt=
complexes aber sieht es so verteufelt nüchtern aus, daß es ganz
undenkbar erscheint, irgend welche Illusion zu bewahren.

Man begegnet überdies heute dortselbst auf Schritt und
Tritt einer abendländischen Einrichtung. Durch die lange Divan=
straße rollen die Tramway=Waggons, dicht bis zur „Imperiale"
mit Moslims besetzt und über die Dächer verhallen die schrillen
Pfiffe der Locomotiven, die von und zum Stambuler Bahnhof
verkehren. Dort, wo vorher ein düsteres Mysterium waltete —
im alten Serai — herrscht heute modernes, emsiges Leben und
die vorüberpolternden Eisenbahnzüge durchgellen die öden Räume,
auf deren Terrassen hie und da ein schläfriger Palastwächter
auftaucht. Das Serai wird nur mehr von einzelnen weiblichen
Verwandten des Padischah bewohnt und es steht Jedem frei,
selbst in den Park einzutreten, sowie in den ersten Hof, wo sich
die berüchtigte „Platane der Janitscharen" befindet, doch hat
ersterer seine Reize in einem Grade verloren, daß er bei seiner
Verwahrlosung, seinen Schutthaufen und grasüberwucherten
Pfaden, kaum mehr daran zu mahnen vermag, welchen märchen=
haften Zauber er einst hütete. Keine sorgsame Hand rettet hier
das Andenken an einstigen Glanz und verschollene Größe, das
herrschende Geschlecht verbrütet in geisttödtendem Kef sein Dasein,
ohne etwas für die Traditionen der Osmaniden zu empfinden.

Am Bospor ist heute der einzige Angelpunkt Geld! Der
„kranke Mann" liegt im Sterben und gleich einem ruinirten
Lebemann, hat das hinsiechende Osmanenthum nur mehr Sinn
und Verständniß für den klimpernden Geldsack, der es, in
Ermangelung eigener Kraft und Energie vor dem Tode retten
soll. Das sind schmale Hoffnungen, denn die türkischen Finanz=
männer taugen nicht einmal zu modernen Börsen=Alchymisten.
Als einst Churschid Pascha mit wirthschaftlichem Scharfblicke die
Nothwendigkeit eines, dem Reichswohle dienstbaren Bankinstitutes
anerkannte, gründete er die Ottomanbank. Was den „wirth=
schaftlichen Scharfblick" hierbei anbelangt, so hatte es allerdings
seinen Haken, denn das Finanztalent des seinerzeitigen Ressort=
ministers erscheint in einem nichts weniger als günstigen Lichte,
wenn man hinzusetzt, daß derselbe Churschid Pascha vier Jahre
später einen abendländischen Diplomaten in Pera um die Auf=
klärung bat, was die Ottomanbank — eigentlich sei (!). —

Bevor wir Einiges über das sociale Leben in Constantinopel
an dieser Stelle mittheilen, wollen wir noch einen Blick auf die
Configuration des eigentlichen Stadtkernes — Stambul —
werfen. Auf sieben Hügeln, gleich der „ewigen Stadt", nimmt
das immense Häusermeer der Türkenstadt eine Ausdehnung, die
mit ihrer Einwohnerschaft von etwas mehr als 300,000
Seelen in gar keinem Verhältniß steht. Der Complex ist
nahezu eine Quadratmeile groß. Auf dem ersten Hügel im
äußersten Westen der Stadt, erheben sich die „sieben Thürme"
und von hier breiten sich die Häusermassen zunächst über den
eigentlichen Hauptrücken der thrakischen Halbinsel, gegen das
Nordende des „goldenen Horns". Auf dem Hügel daselbst, dem
zweiten, stand einst das Hebdomon, heute Tekfr=Serai genannt,
und nebenan liegen die Quartiere Fanar und Balata. Ueber
ihnen erhebt sich auf dem dritten Hügel die Moschee Selims,
weiter östlich, auf der dominirenden Krone des vierten Hügels,
die Mohammedijeh, die der Eroberer Constantinopels auf der
Stelle der alten Apostelkirche aufführen ließ. Imposant erscheint
die Gruppe auf dem fünften Hügel. Es ist der bauliche Complex
des Seraskierat (Kriegsministeriums), der gewaltige Feuerthurm
und die Moschee Suleimans, mit ihren vier säulenschlanken
Minarets. Auf dem sechsten Hügel erhebt sich die Moschee

Nurjeh Osmanieh und die sogenannte „verbrannte Säule", auf
dem siebenten endlich, im äußersten Osten der thrakischen Halbinsel,
die Achmed-Moschee zunächst des At-Mejdans (Hypodrom), das
alte Serai und das einzige erhaltene Baudenkmal des griechischen
Kaiserthums, die Sofien-Moschee.

Obwohl über diesen Tempel bereits die umfassendsten Com-
mentare zu Papier gebracht wurden, so erscheint es dennoch
nothwendig, einen flüchtigen Blick auf ihn zu werfen. In ihrer
jetzigen Gestalt, mit den zahlreichen Anbauten und kleineren
Kuppeln, erinnert die Hagia Sofia kaum mehr an das
Wunderwerk Justinians, geschweige an die Urform dieses
Tempels, wie ihn Constantin der Große herstellen ließ. Vor
Justinian brannte die Hagia Sofia zweimal nieder und einmal
stürzte die Kuppel zusammen, worauf unter genanntem Kaiser
der Neubau durch die Architekten Anthenius von Tralles und
Isidorus von Milet aufgeführt wurde. Nach der Eroberung
begannen sodann die mannigfaltigsten Umgestaltungen, welche
Mohammed II. damit eröffnete, daß er ihr zwei gewaltige
Stützpfeiler seeseits gab und ein Minaret anbringen ließ.
Achmed III. gab ihr die Minarets auf der entgegengesetzten
Seite ... Durch die Wölbungen der vier großen Bogen, welche
auf den vier mächtigen Pfeilern ruhen, überblickt man im Osten
und Westen den ganzen Innenraum vom Portale bis zum
Halbbogen des Altars. Die Bogenflächen zeigen noch heute
Bruchstücke von Heiligenbildern, sonderbar genug, da die Osmaniden durch so viele Jahrhunderte immerhin Zeit hätten finden
können, eine stylvolle Restauration in ihrem Geschmacke durchzuführen. Die Mauern aber wurden übertüncht und prangen
heute auf denselben Koransprüche in colossalen Zügen, die an
nichts Aehnliches erinnern, ausgenommen, es kann der Vergleich
mit amerikanischen Straßenplacaten gelten, der indeß nichts
weniger als sublim klingt. Die vier ehemaligen sechsflügligen
Seraphs hat man beibehalten, da die mohammedanische Lehre
dieselben unter den biblischen Namen Gabriel, Michael, Rafael
und Israfil anerkennt. Nach den islamitischen Ueberlieferungen
war es, beiläufig gesagt, der erstere, welcher dem hartbedrängten
Propheten gegen die Koreischiten in der Schlacht von Bedr mit
10,000 Unsterblichen beistand und so gewissermaßen die Mitschuld

trägt, daß halb Asien und Afrika — mohammedanisch wurde; komisch genug, da der Christianismus denselben Seraph als einen himmlischen Diener Gottes anerkennt.

Die Inschriften in der Hagia Sofia stammen von dem türkischen Kalligraphen Bischakjisadeh Mustafa Tschelebi, einem Zeitgenossen Murads IV. her. Es ist ein unvergleichlicher Anblick, wenn der Spruch in der Kuppel: „Gott ist das Licht des Himmels und der Erde" in den Ramazan-Nächten von einem wahren Strahlenmeere umschimmert erscheint und der goldverzierte Kuppelschluß aus kreisrunden Flammenketten farbiger Ampeln hervortaucht. Tops (Kugeln) mit goldenen Haarschweifen, Straußeneier und allerhand blendender Flitter pendelt sodann in den magisch erhellten Raum herab, und wer einmal einen derartigen feenhaften Anblick genossen, der wird es begreiflich finden, daß es bei der lebhaften Phantasie der Orientalen eben nicht vieler Mittel bedarf, um bei ihm den Glauben zu einem Mysterium zu gestalten, dessen blinde Macht ihn vollkommen beherrscht. Wenn der Prediger Freitag Abends die Kanzel besteigt, um das Gebet für den Padischah zu sprechen, so geschieht dies stets mit einem hölzernen Schwerte, das er in der Hand hält, um symbolisch der Erinnerung Mohammeds nachzukommen, der bekanntlich die Verbreitung seiner Lehre mittels Feuer und Schwert angeordnet hat. Dieser Brauch findet indeß nur in solchen Moscheen statt, die einstens christliche Kirchen waren. Die jetzige Kanzel stammt vom Sultan Murad IV.; die beiden großen Marmorbecken von seinem Vorgänger Murad III. und von letzterem gleichfalls der kolossale Halbmond auf der Kuppel, der von Horn zu Horn nicht weniger als 50 Ellen mißt und von der See aus bei klarem Wetter bis auf 10 Meilen, ja sogar von den Höhen des bithynischen Olymps sichtbar ist. Es sollen zu seiner Vergoldung 50,000 Ducaten nothwendig gewesen sein. Die Hagia Sofia wurde durch Jahrhunderte stets zu den officiellen Kirchenfeierlichkeiten benutzt, bis sie dieses Privilegium unter Abdul Medjid der Achmedijeh abtreten mußte. Auch Abdul Aziz verrichtet während der großen islamitischen Festtage seine Gebete nur mehr in der Mosche Achmeds. —

Nach dieser Abschweifung wollen wir uns den nördlichen Quartieren zuwenden. Das Asyl für die Europäer ist heute

mehr denn je das sogenannte Frankenviertel Pera. Auf alle
Fälle bleibt es nur ein Asyl, des leidigen Comforts und der
abendländischen Beziehungen halber, denn bei allen Bemühungen
der occidentalen Colonisten, kann sich selbst dieser Stadttheil im
Augenblicke noch nicht rühmen, die erwünschte Metamorphose
durchgesetzt zu haben. Es muß gewissermaßen als ein Unglück
bezeichnet werden, daß in Pera die Griechen so ziemlich'den Ton
angeben. Der Grieche bleibt seiner Individualität nach immer
specifischer Orientale und seine vermeintliche Emancipation von
morgenländischem Wesen gipfelt einzig in gewissen engeren
Beziehungen mit dem Abendlande als Handelsbeflissener und in
einem schlecht gesprochenen Französisch, sowie überhaupt in aus=
geprägter Nachäffungssucht europäischer Fashion. Die Griechen,
die gar wohl fühlen mögen, daß sie mit jenen Urahnen, die den
Marmor gemeißelt, vom Cothurn herab eine enthusiasmirte
Welt beherrschten, und im Staatsrathe sich als ebenso weise
bewiesen, wie in den Akademien Plato's und Empedokles', nichts
mehr gemein haben, als den leidigen Namen, bemühen sich im
Handumdrehen moderne Cultur=Repräsentanten zu werden. Aber
wie bekunden sie diesen lobenswerthen Trieb? Nun, sie glauben
der Sache damit Genüge zu leisten, daß sie heisere Chansonetten=
sängerinnen in den reizlosen Cafés chantans adoriren, auf
Pianinos Offenbachiaden klimpern und allenfalls falschen Enthu=
siasmus bethätigen, wenn eine tief decolletirte Primadonna in
der „Alhambra" eine Verdi'sche Bravourarie zu Tode quält.
Durch diese ganze Maskerade klingt immer das angeborene
brüske Wesen und die absolute Gefühlsarmuth durch, welch'
letztere namentlich bei den Frauen ein eigenes Capitel des
Jammers bildet ... Die Neu=Hellenin copirt die Französin
und zwar verkennt sie hierbei ganz und gar den sogenannten
Esprit parisien, sie toilettirt sich abscheulich extravagant und
parlirt möglichst laut aber schlecht französisch mit irgend einem
officiellen Cicisbeo über die Straße, zwei Stock hoch hinweg,
um einen in der nachbarlichen Fensternische gelangweilt hin=
brütenden „Franken" zu entzücken. Keine ihrer Attitüden verräth
Grazie, keine ihrer einfachen Redewendungen Geist und Phan=
tasie, von jenen bestechenden Aperçus weiblichen Witzes, den man
im Abendlande so sehr zu schätzen weiß, gar nicht zu reden ...

In diesem Sinne variirt der Werth, als emancipirt und gebildet geltender Helleninnen, wenig von jenem hochstehender Haremsdamen, denn die Prosa des Daseinszweckes dominirt beide gleich intensiv. Die Griechin kennt weiter nicht jene süßen Zeitvertreibe, die im Abendlande tagein und -aus die junge Welt beschäftigen, jenes unentschiedene Tappen nach Gefühls= einigung, jenes wechselseitige Sehnen nach Verwirklichung der Phantasiewelt, wie sie im Norden nicht nur die Dichtung, sondern auch das eigene Herz, im dunklen Triebe nach Veredlung des Daseinszweckes schafft ... Und über dieses duftlose Ge= schlecht, das weder säet, noch erntet, aber dennoch vom gütigen Schöpfer mit Schönheit und Glanz beschert ist, glüht der Himmel des Orients und thaut die Purpurdämmerung wie Paradieses= licht herab ... Wenn die letzten Regenbogenfarben im Azur= becken zerflattern, verlassen die Schönen Peras ihre comfortablen Vogelbauer und gleich einem farbigen Strome fluthets die Häuserzeile der Grande Rue de Péra entlang. Bauschige Atlas= und Seidenroben hemmen die Passage, Federn nicken stolz von ganzen Zwingburgen falschen Haarputzes und wer Sinn für Malerei hat, wird nicht umhin können, die Kunst zu bewundern, mit der man in Pera die alleinseligmachende Schminke zu gebrauchen versteht. Auch sie ist ja ein Pariser „Salonstück" und darf somit im Boudoir der Griechin nicht fehlen ... So sieht man überall nur kalte Formalität, keckes Vordrängen des Genußlebens, ohne seelischen Rückhalt, nichts als Flitter, Rausch= gold, Parfüm und keine geistige Arbeit, kein Ringen nach der Palme der Kunst, nach der Krone der Wissenschaft. Nebenher sei gestattet die Bemerkung zu machen, daß der Grieche, und der Halbgebildete noch mehr, wie der Ellenritter Galatas oder der Bakal Peras, durch und durch corrumpirt ist, der sich als politi= scher Factor nur aus reiner Eitelkeit in den Vordergrund drängt, sonst aber über die Maßen falsch, hinterlistig, grausam gegen seine Feinde und rücksichtslos gegen seine Freunde ist. Unter allen Völkern des Balkans haben sich die Griechen seit jeher die meisten Sympathien im Abendlande zu erobern gewußt, ein Mißverständniß, das von jenen Schwärmern ausging, die die moderne Race so gerne mit der Antike in Verbindung brachten. Der Grieche aber hat unsere Sympathie nie verdient. Sind wir doch auch für ihn nur „Eindringlinge" im Orient, die im besten Falle nur dazu nutz sein könnten, sich tüchtig prellen zu lassen.   Zudem hat der Grieche in seiner Individualität nichts, das zur Hoffnung berechtigen könnte, er wäre als Glied eines modernen Staates, zu jeder Culturarbeit zu gewinnen, denn träge und indolent, wie der Orientale überhaupt ist, faßt er die Arbeit als eine schwere Bürde auf und verlegt sich von Kindesbeinen an auf den Industrialismus.   Heißblütig und rasch in seinem Handeln, ist der Neu-Hellene nichtsdestoweniger feige, die Ehre ist ihm ein vager Begriff und der Geistesarbeit bedarf er schon gar nicht, da er ja den Funken der antiken Weisheit ererbt, somit der Plage einer geistigen Erziehung naturgemäß überhoben wird... Wer diese Race, die der wahren Cultur ebenso weit absteht, wie die osmanische, aus unmittelbarem Verkehre mit ihr kennen lernt, dem wird sich das beschämende Gefühl aufdrängen, daß der Idealismus unserer Zeit nie einen größeren Fehlgriff gethan hat, als sich für ein Volk zu erwärmen, das bar aller jener Eigenschaften ist, die es nur annähernd zu einem Factor der staatlichen Gemeinschaften des Abendlandes machen könnten...

Vierter Abschnitt.

Es gibt wenige Metropolen, die eine solche Fülle typischer Gestalten aufzuweisen hätten, als die Residenz der osmanischen Sultane. Bei der zurückgezogenen, über alle Maßen bequemen Lebensweise der Orientalen und der strengen Abgeschlossenheit der Frauen, mußten sich von vornherein nothwendigerweise Leute finden, die für die Bedürfnisse jedes einzelnen Hauses Sorge zu tragen wußten, was zunächst das eigenthümliche Verhältniß der Käufer und Händler hervorrief. In allen Welt- und auch anderen Städten ist nämlich letzterer das stabile, ersterer das labile Element im alltäglichen Verkehre; in Stambul herrscht gerade das Gegentheil, denn der Käufer bleibt zu Hause und der Händler wandert von Gasse zu Gasse, von Thür zu Thür, um seine Waaren an den Mann zu bringen. In der Bosporcapitale herrscht das Großhausirerthum. Kein Erwerb, kein Berufszweig erscheint zu unbedeutend, um nicht der Speculation sich dienstbar zu erweisen. Früh Morgens, wenn kaum noch das Zwielicht über den Horizont heraufdämmert, regt sich bereits in den schmalen Gassen, Ausrufer werden vernehmbar, die mit allen Stimmnuancen die Insaßen der passirten Häuser auf ihre Anwesenheit aufmerksam machen, Oel- und Brodverkäufer, Eier-

und Spirituosenhändler und Krämer aller Gattungen. Das Eintreffen dieser Repräsentanten der Lebensbedürfnisse ließe sich auf Minutengenauigkeit feststellen, und wer sich rasch an Stimmen gewöhnt, der wird die verschiedenen Klangfarben gar bald im Gedächtnisse behalten und die Reihenfolge der zu erscheinenden Ausrufer unfehlbar vorausbestimmen können. Diese Sitte hat sich bis auf die heutigen Tage behauptet und mag gerade iu Pera den schärfsten Ausdruck erhalten, denn der armenische und griechische Krämersinn benützt jeden kleinsten Anlaß, um Abnehmer seiner Waaren zu finden, selbst auf die Gefahr hin, unliebsamer Weise auf die Straße gesetzt zu werden, wenn er sich in das Inncre eines Hauses wagen sollte ... Der Abend aber gehört den Brod= und Backwerkverkäufern. In sehr vorgerückter Stunde noch, wenn das Lärmen in den Straßen verstummt ist und nur von Pause zu Pause grelles Hundegekläff in die ver= schlossenen und verriegelten Wohnungen heraufschallt, hört man ihre schrillen Rufe und lauten Angebote.

Im Allgemeinen aber hat das originelle orientalische Leben bereits heute sehr große Einbuße erlitten, ja die Grenzen, welche seinerzeit Occident und Orient so scharf zu trennen pflegten, sind kaum mehr zu erkennen, und wer sich noch ein Bild des ursprünglichen Volkslebens machen will, der ist gezwungen, sich die Irrgänge der großen Stambuler Bazars, des Misr Tscharshy zu verlieren oder nach dem verrufenen Stadtviertel Kassim Paschas, Ejubs oder Jedi Kullehs zu pilgern. Hier gähnen niedere, schmuzübertünchte Portale aus dämmerigen Nischen. Bettelderwische psalmodiren ihre eintönigen Lobhymnen auf den „Allerhalter" und in den qualmdumpfen Kaffeebuden kauern die Fanatiker der Ruhe, im süßen Kef begriffen. Trübe Lichter flackern in schmucklosen Nischen, ein oder der andere weißbärtige Hadschi erzählt Wundermärchen von El Kods (Jerusalem), der heiligen Stadt Jsas des Propheten, vom Erdenparadiese Dimschk oder vom Wunderbrunnen Zemzem in der Prophetenstadt Ara= biens. Es ist das conservativste Jslamitenthum, traditionsstark, intolerant, indolent und stumpfsinnig. In diesen verrufenen Winkeln findet man auch die Haschisch=tollen Zeloten der Stam= buler Derwisch=Orden. Es sind abenteuerliche, wüste Gesellen, die in religiöser Richtung längs alles Einflusses bar geworden

sind, desto eifriger aber die rechtgläubigen Mitbrüder in die
Delirien eines phantastischen Scheinlebens durch den Genuß
narcotischer Mittel mit hineinreißen... Sie wollen die Ver-
gessenheit, sie sehnen sich nach den künstlichen Wandlungen von
erträumten Genüssen, um gleichsam durch ein berückendes Schein-
leben fortzutaumeln.

Der Genuß des Haschisch, der entweder als Pille, als
Latwerge andern Substanzen beigemengt, als Kraut in den
Godocpfeifen oder im schwarzen Café erfolgt, ist gleich jenem
des Opiums im Oriente seit Langem eingebürgert. Schon zur
Zeit der Kreuzzüge wußte man von der fanatischen Secte der
Haschaschir oder Assassinen zu berichten und die Zauberkünste
des „Alten vom Berge" auf Schloß Alamut in Azerbeidschan
sind zur Genüge bekannt. Man hat nicht ohne Grund die tolle
Art des Kämpfens und die kühn-trotzige Todesverachtung, die
sie auszeichnete, auf den übermäßigen Genuß des Hanfpräparates
verwiesen. Ein frommer Scheik, Birazdan, entdeckte zuerst das
Wunderkraut und von da ab wurde die verlockende Teufelsgabe
gar bald allgemeines Gut, vom stolzen in schillernde Farben
gekleideten Emir, bis herab zum fieberäugigen, halb nackten
Fakir, der in dumpfen Schlupfwinkeln sein freudloses Dasein zu
betäuben trachtete. Und heute? Wenn die Angaben diesbezüg-
licher Reiseberichte auf Wahrheit beruhen, bekennen sich zu
Sklaven dieses Reizmittels bereits alle Völker der Türkei,
Arabiens, Persiens, Indiens, Nord-Afrikas, ja, selbst jene Sudans,
bis hinauf zu den weiten Terrassenlandschaften Hoch-Afrikas, in
Summe: 300 Millionen Menschen! Das ursprünglich von
conservativen Chalifen und orthodoxen Hohenpriestern verpönte
Reiz-, beziehungsweise Betäubungsmittel, ward alsbald zur
unvermeidlichen Beigabe irdischen Wohllebens und gläubigen
Gemüthern führte es die Herrlichkeiten der sieben Strahlen-
himmel vor die Sinne, wo auf flimmernden Perlenbrücken
gliederschlanke Houris mit den tiefdunklen Geisteraugen wandeln
und das ganze Wonneleben des mohammedanischen Paradieses
enthüllen... Nach der Ansicht der Haschaschirs liegt der Genuß
dieses fürchterlich aufreibenden trunkenen Zustandes in der
seelischen Ekstase, die an dem Trunkenen derart zum Ausdrucke
gelangt, daß sie vom physischen Schwergewichte völlig abstrahirt.

Es ist ein Flug der Seele in die freien Aetherbahnen der Geister, ein Erglimmen des Lebensfunkens in unheimlicher Vision, deren bizarre Bilder den tollen Haschesser umflattern. Gespenster=hafte, weit aufgerissene Fieberaugen, jähes, blitzartiges Aufzucken eines beseligenden Glückestaumels; ... dumpfe Träume, helle wechselnde Zaubererscheinungen, die farbenglühenden Fernen eines paradiesischen Wunderlandes, Frauenschönheit und Diamanten=geflimmer: das sind im Allgemeinen die Nebelbilder jener Ver=zückten. Alle Haschaschirs wissen von der Leichtigkeit zu erzählen, mit der man sich scheinbar in die Höhe bewegt, von der berücken=den Harmonie, in die Alles ringsum zusammenklingt und wie ein farbiges Bild das andere im Sturme drängt, bis Alles mit grellen Effecten ineinanderschwimmt und ein blutrother Nieder=schlag um die Augen wirbelt. Verjüngt steigt die Seele aus diesem Gluthbade und schwingt sich auf den Flügeln der Phantasie in unmeßbare Ferne.

So findet auch hier eine mälige Zersetzung der Lebenskräfte in den einzelnen Individuen statt, wie andere Erscheinungen den großen Reichskörper, das Staatsgebäude, zerbröckeln machen ... Die sociale Misère macht sich aber noch in anderer Richtung geltend, — im Familienleben. An der socialen Stellung des Weibes wurde, trotz des unleugbaren abendländischen Einflusses in anderer Richtung, noch immer nicht das Mindeste verrückt. Noch geschieht nichts für seine geistige und moralische Erziehung; als Spielzeug der gestrengen Herren der Rechtgläubigkeit, füllt es nur wie eine Sache seinen Platz im innersten Familien=heiligthume des Türken aus, um zu verkommen, wenn es seinen Anwerth als Weib in der physischsten Bedeutung des Wortes verliert. Auch für die Erziehung der Kinder geschieht nichts, ja, im Gegentheil, die Eifersucht der einzelnen Frauen eines und desselben Herrn, bestimmt oft das eine oder andere entartete Weib, bei zeitweiliger Abwesenheit der Mutter, das Kind auf die elendste Weise zu demoralisiren. So trifft man im türkischen Familienleben der besseren Stände nicht eine Spur von dem, was man Sittlichkeit zu nennen pflegt. Seinem innersten Wesen nach faul und angekränkelt, zieht das Haremsleben alle jene moralische Monströsitäten groß, die sich dann im öffentlichen Leben breit machen, und man kann sagen, daß Dreiviertel allen

Unglücks, das über den ottomanischen Staat hereingebrochen ist, seinen Ursprung in der seelischen Verkommenheit der Reichslenker hat. In den höheren Familien ist den Kindern meist schon in den zartesten Knabenjahren das Gefühl der Scham abhanden gekommen. Oft bekömmt der zwölfjährige unreife Bursche schon in diesem Alter eine junge Sklavin zur Gespielin, mit der er sich bald zurecht findet, um durch einen ausschweifenden Lebenswandel jede bessere Regung, Mannestugend und Manneskraft im Keime zu ersticken . . .

Man sagt, daß die Türkinnen im Allgemeinen sehr schön wären, doch bleibt dies noch immer eine offene Frage, da es für Europäer sehr schwer ist, sie von Angesicht zu Angesicht zu sehen. Zwar wird der Yaschmak (Schleier), der ihre Stirne, den Mund und das Kinn bedeckt, von Tag zu Tag durchsichtiger und zarter, aber das Hinderniß ist noch immer groß genug, als daß es uns den thatsächlichen Anblick schöner Züge erlauben würde. Eine Schleierlüftung aber, die als eine höchst strafbare Uebertretung und nicht minder als Schande gilt, erscheint für den Europäer ein so unausführliches Experiment, daß man sich mit dem Gedanken an eine solche gar nicht tragen möge. Selbst jene verlorenen Geschöpfe der mohammedanischen Welt, die in Pera unweit des sogenannten „Piccolo Campo" zur Dämmerstunde sich einfinden und namentlich den einheimischen Officieren sich dienstbar erweisen, entschleiern sich niemals; doch kann derjenige, der in vorgerückter Abendstunde von der alten Brandstätte zur zweiten Brücke des „goldenen Horns" herabsteigt, gar manchen moslemischen Adonis erblicken, der unter den flüsternden Cypressen seine Lippen auf das durchsichtige Gewebe drückt, das das Gesicht der Nymphe umflattert.

Möglich, daß binnen kurz oder lang auch mit dieser Tradition gebrochen wird. Vor etwa drei oder vier Decennien und noch später war es sehr schwer einer Türkin in den Straßen Constantinopels zu begegnen und heute durchwandern sie in ganzen Schaaren alle Stadttheile, besorgen wie Europäerinnen ihre Einkäufe und nehmen auch keinen Anstand sich bei „Frengis" Auskunft zu holen. Nur die Damen des ottomanischen high life zeigen sich niemals auf den Straßen. Wenn sie das Haremlik verlassen, so geschieht es zumeist in Wagen, seltener in Sänften.

Aber es gibt in Constantinopel eine Stätte, wo der Yaschmak fällt und die Begehrlichkeit unverhüllt Jedem entgegenlächelt. In Galata befinden sich mehrere schmutzige Häusercomplexe, die düstere, winkelige Gassen bezeichnen, wo die Amazonen des Venusberges ihr Heerlager aufgeschlagen haben und an deren Existenz sich die meisten Schauerromane des modernen Constantinopel knüpfen. Schon mit dem ersten sinkenden Schatten regt sich in jenen Gassen ein eigenthümliches wüstes Leben, Weiber in phantastischen Toiletten neigen sich frech über die Holzbrüstungen der Fenster, an den Portalen lauern bleichwangige Mädchen von einer Unreifheit, daß man entsetzt zurücktaumelt; in allen Sprachen Europas klingen die Sirenenrufe durch die menschenleeren Gassen und wer unvorsichtig genug ist, zu nahe an den Thüren vorüberzugehen, der wird nach allen Regeln der Kunst gegen seinen Willen in einen der Tempel der Venus Vulgivaga hineinescamotirt. Es ist am „goldenen Horn" längst kein Geheimniß mehr, mit welchen Gefahren eine sociale Studie in diesen Quartieren verbunden ist. Mancher, den eine innere Stimme vor einem derartigen zweifelhaften Vergnügen nicht gewarnt hatte, bezahlte seine Neugier mit dem Leben. Der Abschaum der ganzen Levante findet sich da zusammen, italienische Mörder, die dem Arme der Justiz entronnen, verkommene Griechen, dalmatinische „Geächtete", türkische Matrosen und verlaufenes Räubervolk aus Kleinasien, und sie alle bilden die männliche Assistenz dieser „Blumen der Freude", unter denen es einige gibt, die kaum das Kindesalter überschritten haben. Was aber am unerquicklichsten hierbei erscheint, ist der u n f r e i willige Aufenthalt der meisten dieser verlorenen Geschöpfe.

Man muß in vorgerückter Nachtstunde, den Revolver in der Tasche, eine Tour durch jene Gassen gemacht haben, um ein Bild von der Misère zu bekommen, die in diesem größten Lasterviertel der Welt schaltet. Hier grüßt mit erzwungenem Lächeln das hungerbleiche Gesicht einer nordischen Blondine, und während ihre Formen noch von jugendlicher Kraft schwellen, hat die erzwungene Begierde längst den Seelenzauber aus ihren blauen Augen gewischt; dort lispelt mit fröstelnder Stimme ein dreizehnjähriges Kind Oesterreichs, während aus dämmerigem Vorhofe die Flammenaugen mehrerer Ungarinnen dem nächtlichen

Wanderer entgegenleuchten. Sie alle sind mit Gewalt hieher gebracht worden. Der Padischah hat den Sklavenhandel abgeschafft, aber die Türken werden einen sonderbaren Begriff von der abendländischen Civilisation bekommen, wenn sie den europäischen Menschenhandel in solcher Blüthe stehen sehen, wie ihn heute thatsächlich ungarische Kupplerinnen und wallachische Juden betreiben. Es ist bereits so weit gekommen, daß ein Türke, wenn er auf die Oesterreicherin, namentlich aber Ungarin zu sprechen kommt, eine Meinung über dieselbe entwickelt, wie der Amerikaner über die famose „Hessian girl“ . . .

Unter diesen Umständen läßt die Tragik auch nicht lange auf sich warten. Einzelne dieser bedauernswerthen Geschöpfe, die sich nicht nur unausgesetzt in Gesellschaft des ganzen Abschaumes der Lewante befinden, sondern auch als Köder dienen müssen, um dem Raubvolke im Venusberge die nöthigen Opfer zuzuführen, haben Fluchtversuche gemacht, ohne ihr Ziel zu erreichen; wieder Andere, die in ihrem zarten Alter der brutalen Umarmung des nächstbesten aus der menschlichen Gesellschaft längst ausgestoßenen Individuums ausweichen wollten, fanden im Selbstmorde Erlösung von ihrer unwürdigen Existenz. Wie groß die Zahl der Opfer ist, die im Innern dieses wüsten Quartiers ihr Leben gelassen, ist wohl schwer zu bestimmen, doch kann auf Grund mehrerer Thatsachen angenommen werden, daß alle diejenigen Fremden, die in Constantinopel verschollen gingen, wahrscheinlich dortselbst geendet haben . . . Die Haushälterinnen aber befinden sich freilich besser bei diesem Geschäfte, als ihre Sklaven, und man kann sie ebenso oft in Equipagen durch die Hauptstraßen Peras rollen sehen, als man Gelegenheit hat, sie in den Logen der „Alhambra“ in ihren pompös-reichen Toiletten zu bewundern. In den dumpfen Gassen Galatas aber verschluchzt so mancher Schmerz ungehört. Lüstlinge gehen ein und aus, die Matronen leben mit den Kawassen der fremden Consulate auf dem besten Fuße und gelingt es einmal einer Gefangenen zu entkommen, so wird sie von jenen einfach abgewiesen und ihre Klagen kommen niemals vor die Behörde, die Abhilfe treffen könnte.

Und das ist eines der Coulissenbilder im prächtigen Schauspiele am Bosporus! . . . Es sieht sich hübsch an, das tausendfache Lichterspiel über Hügel und Canäle, über die Cypressen-

wipfel Pera3 hinweg und an den pittoresken Rivieren von
Dolmabagtsche und Kuskundschik, was aber in hundert verbor=
genen Schlupfwinkeln lebt und webt, das zu schildern sträubt
sich wahrhaftig die Feder. —

Und so wenden wir uns auch von dieser profanen Welt
ab. — Für den wunderglaubenden Orient, mit seinem poly=
glotten Trosse von Fanatikern, Traumdeutern, Amulettenhändlern
und Schlangenbeschwörern ist ja das religiöse Leben so
ziemlich der Inbegriff der Daseinsfreude. Der Zelotismus hat
eben auch seine bequemen Seiten und zur Ehre Gottes den
schönen Tag nutzlos zu vergeuden, ist ein Act der Frömmigkeit,
der sehr billig zu stehen kömmt. Beschäftigt sich ja die isla=
mitische Glaubenswelt selbst während der strengen, rituellen
Uebungen des Fastenmonds Ramazan mit nichts anderm, als
mit der Korallenschnur in den müßigen Händen von Djami zu
Djami zu promeniren und die Großmuth Allahs in stehenden
Phrasen zu preisen. Es ist in der That eine drollige Sippschaft.
Hungernd und gequält von dem Verbote des Rauchens für die
Tagesstunden, kauern sie im Moscheenhofe, beim Besestan und
vor den Krambuden des egyptischen Marktes, bis die Kanonen=
salven vom Bospor=Ufer den Augenblick des Sonnenunterganges
verkünden, worauf sich die ganze Stambuler Rechtgläubigkeit in
den Strudel des Genusses stürzt. Drommeten schmettern dann
durch die winkeligen Gassen, dumpfhohl wimmern Tambourins,
von braunen Arnautenkindern gehandhabt, und wenn dann die
nächtlichen Schleier über das beleuchtete Stambul hinwegflattern,
hört man hie und da leises Flötenspiel, das hinter den ver=
sponnenen Drahtfenstern eines oder des andern Haremliks
executirt wird. Mit den ersten Frührothstrahlen hinter den
Bergen Scutaris aber verkünden abermals Geschützsalven das
Herannahen des Tages, worauf jeder Moslem sich tagsüber des
Genusses von Speisen und Trank, des Rauchens und Gebrauches
wohlriechender Essenzen enthält.

Die Höhe des Ramazan bildet das Mysterium der „heiligen
Nacht". Bangen erfüllt die Islamiten, wenn diese Nacht mit
ihren Schatten heraufzieht. An sie knüpft sich eine ungeklärte,
geheimnißvolle Vorstellung von überirdischen Einflüssen auf die
gesammte Erscheinungswelt; alle Geschöpfe, die belebte und

unbelebte Natur werden während dieser Stunden von Zauber=
kräften durchpulst, die in ihnen das Bewußtsein der Existenz
intensiver zum Ausdruck bringen. Und das ist Alles. Kein
thatsächliches Ereigniß, weder ein historisches Moment, noch ein
Mirakel dienen dem festlichen Augenblicke der letzten Ramazan=
nacht zur Basis; der ganze Anhaltspunkt liegt somit in einer
mysteriösen Vorstellung von dem Daseinszwecke, der hier kräftiger
reagire. Am greifbarsten hat indeß durch Jahrhunderte dies
islamitische Mysterium in einer Sitte Ausdruck gefunden,' deren
Bestehen seit dem Regierungsantritte Abbul Aziz' vielfach negirt
wird. Sie bestand oder besteht in der sogenannten Ramazan=
Brautnacht des Padischah. Nach der großen Ceremonie in einer
der Kaiser=Moscheen ritt der Sultan nach seinem Marmorschlosse
Dolmabagtsche, wo neben festlichen Kundgebungen, Tanz und
Musik, des Beherrschers aller Gläubigen eine noch unberührte
Haremsblüthe harrte, die von Seite einer der Sultanas Jahre
hindurch mit aller Sorgfalt erzogen wurde, um sie für diesen
wichtigen Moment würdig vorzubereiten. Die Zusammenkunft
fand inmitten der Festlichkeiten statt. Während in dem groß=
herrlichen Prachtsaale unter flammender Rubinglas = Kuppel
reichgeschmückte Damen mit distinguirter Langweile hin= und
widerpromenirten, ein unsichtbares Orchester gedämpfte, süße
Weisen durch den ungeheuren Raum zittern ließ, lauschte der
lebensmüde Padischah hinter den Damastvorhängen seiner Loge.'
Farbige Flammen irrlichtern von Knauf zu Knauf, da rauscht
der Purpurvorhang des rückwärtigen Eingangs und ein Lala,
die einzige männliche Person, die während dieses Festes sich
innerhalb der kaiserlichen Gemächer befinden darf, bittet den
Padischah, an ihm die übliche Toilette machen zu dürfen.
Gespenstisch einsam sind die Räume, alle Thüren verschlossen,
die Spiegel verhängt und auf der großen Terrasse, die gegen
den Bospor abfällt, stehen wohlbewaffnete Bostandschis, um jeden
Frevler, der es etwa wagen sollte, in dieser heiligsten aller
Nächte dem großherrlichen Heiligthume zu nahen, kurzweg nieder=
zuschießen. In dem herrlichen, von Mosaik, Alabaster und
Bernstein=Incrustationen flimmernden Brautgemache aber wartet
die Braut, nach moslemischen Ansichten das glücklichste Mädchen
unter Allahs Sonne, bis der Purpurdamast der Nische

zurückrauscht und der Stellvertreter des „Allgewaltigen" auf
Erden naht.

Indeß ist auch für das Volk, dem die Heiligkeit und
Wichtigkeit der letzten Ramazan-Nacht nicht so greifbar kund-
gegeben wird, Sorge getragen, ihm den hochwichtigen Augenblick
der Begegnung bekannt zu geben, und es werden zu diesem
Ende hundert Kanonenschüsse gelöst, die vielleicht in mancher
Brust, und sei es auch die eines abendländischen Ungläubigen,
den frevelhaften geheimen Wunsch rege machen mögen, ein derartiges „Mysterium" zu feiern … Was die allgemeine Erbärm-
lichkeit umdüstert, das soll der großherrliche Glanz wieder über-
flimmern und gibt es, nach orientalischen Begriffen, ein besseres
Zeichen allgemeiner Wohlfahrt und Zufriedenheit, als wenn die
Massen mit Begeisterung des Momentes harren, wo das Oberhaupt auf milchweißer Nedjder Stute nach einer der Kaiser-
Moscheen reitet, damit sie Ihn in seiner ganzen Herrlichkeit
sehen können? Zwei Stunden nach Sonnenuntergang pflegt der
Padischah sich nach einer der kaiserlichen Moscheen zu begeben,
um seine officielle Andacht daselbst zu verrichten. Die Gebet-
galerien flimmern im Buntlichterglanze farbiger Glaslampions
und in flammenden Ketten irrlichterts längs der zierlichen Simse.
Hoch oben auf graubraunen Kuppelschlusse blinkt der goldene
Halbmond, indeß die ersten Sternbilder ihre Silberfäden auf
das zauberhafte Bild herabthauen lassen. Der Sultan naht entweder zu Pferde, oder im großherrlichen, vierundzwanzigruderigen
Staatskaïk. Geschieht das erstere, so eröffnen Vorreiter mit fliegenden
Mänteln den Zug, Garden schließen hieran, worauf der Sultan
in seiner einfachen Uniform und feinem überreichen Gefolge
kommt, umgeben und gefolgt von einem bunten Trosse von Laternen-
trägern und Leib-Kawassen. Der Besuch der Moschee von Topchana
geschieht immer von der großen Terrasse Dolmabagtsches aus und
zwar im prächtigen Staatskaïk, dem diejenigen der übrigen
Prinzen, Höflinge und Würdenträger folgen. Der erstere ist
außen weiß, mit Goldarabesken reich verziert, kostbare Teppiche
hängen von der Bordwand in die glitzernde Fluth und vorne
am Schnabel leuchtet der goldene Falke des Hauses Osman.

Während der kirchlichen Ceremonie halten Garden die
Tempeleingänge besetzt, Palastoffiziere stehen auf den Treppen

und im Innenraume Spalier, indeß die Kaïks in Bereitschaft
bleiben . . . Es gibt Augenblicke, wo dem Abendländer noch
scheinbar der verschollene morgenländische Glanz entgegenleuchtet,
aber die Täuschung währt nur kurz, und vor uns tritt wieder
das öde Bild der Gegenwart, dessen nackte Misère die ver=
schwenderische Pracht des Osmaniden nimmer zu beschönigen vermag.
Das Auge ist einige Minuten hindurch einem grellen Lichtreize
ausgesetzt, worauf es wieder in die frühere düstere Nacht taucht.

Noch sei einer Ceremonie gedacht, die während des Ramazan
stattfindet. Es war am 15. dieses Monats, wo dem Propheten
durch Allah die erste Koransure offenbart wurde. Zur Erinnerung
an diesen bedeutsamen Tag für die Rechtgläubigkeit, begibt sich
der Padischah ins alte Serai, um die Reliquien des Propheten
zu verehren und sie sodann auszustellen. Diese Reliquien belaufen
sich auf sieben, von denen fünf in einer Capelle des oberen
Serais liegen. Die letztere öffnet sich nach einer Galerie nord=
westlich vom Thronsaale und liegt dem bekannten, prachtvollen
Erivan=Kiosk gerade gegenüber. Man nennt sie Hirkaï Scherif
Odassi, d. i. „Kammer des heiligen Mantels" . . . Das größte
Heiligthum ist die „heilige Fahne" (Sandschak Scherif), welche
laut arabischer Ueberlieferung, ursprünglich als Zeltvorhang der
Lieblingssultanin des Propheten, Ayescha, diente, andererseits
aber als das Turbangewinde eines von eifriger Gegnerschaft zu
ebenso eifrigem Glauben bekehrten Jüngers Mohammeds, Namens
Sehmi, angesehen wird. Die zweite Reliquie ist der Mantel
des Propheten. Die Tradition berichtet, daß unter allen arabischen
Gelehrten, die zur Zeit Mohammeds dem Heidenthume huldigten,
ein gewisser Krab dem Propheten am meisten Widerstand leistete
und geraume Zeit unbekehrt blieb, bis er eines Tages aus seinem
trostlosen Wüsten=Exile eine Lobhymne auf Gott und seinen
Abgesandten diesem letzteren zusendete, den sie derart rührte,
daß er dem Dichter seinen Mantel zum Geschenk machte. —
Weiter befindet sich unter den im Ramazan ausgestellten Reliquien
der Bart des Propheten, angeblich sehr schütter, drei Zoll lang
und von lichter Farbe. Der Bart soll dem Religionsstifter von
seinem Günstlinge, dem Barbier Selman, im Beisein Abu Bekrs
und Alis abgenommen worden sein. Ein Zahn, der ebenfalls
als Reliquie figurirt, wurde dem Propheten in der Schlacht von

Bedr durch eine Streitart ausgeschlagen. Die letzte in diesem Raume ausgestellte Reliquie ist ein Stück Kalk mit einer Fußstapfe, welche angeblich in jenem Momente entstanden ist, als sich Mohammed auf das Himmelsroß Borak schwang, um die sieben ewigen Sphären zu durchfliegen.

Alle diese Reliquien sind, wie eingangs erwähnt, am 15. des Monats Ramazan ausgestellt und erfahren ihre erste Huldigung an diesem Tage durch den Padischah selbst. Nicht minder glaubensstark als das abendländische Volk drängen sich die Massen hierselbst nach der Hirkai Scherif Odassi, um Trost im Anblicke der gebenedeiten Gegenstände zu suchen. Bläuliches Licht fließt durch den stillen Gebetraum und die Purpurschnüre der farbigen Spitzampeln leuchten durchs magische Dämmerdunkel bis hinauf zum goldenen „Maschallah", das aus silberverzierter Rosette niederflimmert. Und all die buntschillernden Beter auf den Marmorfliesen sind des Mysteriums voll, das sie nicht begreifen, weil es eben — keines ist; dessen Verschwinden aber den Islamiten einen religiösen Zauber nehmen würde, das ihnen vielleicht schmerzlicher wäre, als der Tod ...

Nach den strengen rituellen Uebungen des Fastenmonats beginnt mit dem Neumond des Schawal der moslemische — Karneval, das Baïram. Neunundzwanzig schwere, nur der absolutesten Enthaltsamkeit und dem Gebet gewidmete Tage sind vorübergestrichen, wenn die Kanonensalven, die von der Höhe Topdschi Kischlassis über die Riesenstadt und die Bospordörfer hinwegdröhnen, dem gläubigen Volke den Moment verkünden, daß es sich ungeschmälert der Existenzfreude hingeben darf ... Und es mögen aufregende Augenblicke der Spannung sein, mit welchen die Moslems jenem langersehnten Monatswechsel entgegensehen. Noch schwebt zuweilen das düster leuchtende Tagesgestirn über dem Rücken Daud Paschas, hinter dessen runden Formen es gewöhnlich zu versinken pflegt, wenn vom astronomischen Observatorium der Rapport einläuft: der neue Mond des Schawal erhebe sich ostwärts über die Reiche des Halbmonds. Dann fallen die ersten Kanonensalven, die Bosporbatterien antworten und die Masten der türkischen Flotte klettert mit Einemmale der bunte Flaggenschmuck hinan. In den Straßen aber regt sich ein bunteres Leben. Der Orientale hat das Bedürfniß, so innerlich er seiner ganzen Natur nach ist, zeitweise feierliche Augenblicke, die ihm der Koran heiligt, auf irgend welche Art äußerlich kund zu geben. Glänzend kann dieser Vorabend des Baïram auf keinen Fall genannt werden. Die schläfrige Menge bedarf mitunter gar wohl eines Spornes, um zu erwachen und nach einmonatlichem gebeterfüllten Hinbrüten sich ihres Daseins bewußt zu werden. Was hinter den dichtversponnenen Harems-fenstern, in den Palästen am Bospor oder in den Selamliks der Stambuler Konaks vor sich geht, gibt hier keinen Maßstab für die Bedeutung eines kirchlichen Festes, dem immer nur das Volk seinen sichtbaren Ausdruck zu geben vermag.

Nach dem ersten wilden Tumult gelangt in der Regel etwas Farbe in die festlichen Kundgebungen. Farbige Ampeln erglimmen auf den Knäusen und Terrassen, über die dunkle Wasserfläche des Bospors irrlichterts von tausend purpurnen Flammen, deren milde Lohe zahllose Kaïks umfließt; auch in den Straßen Peras und Galatas glühen Leuchtballons über flatternden Fahnen, in deren Purpurfelde der silberne Halbmond mit dem Sterne prangt. Sinkt dann die Nacht vollends auf das unüber-sehbare Häuserchaos herab, so schweben nur die Millionen Lichter gleich Irrwischen durch die mystischen Schatten und man hat auf Minuten die Illusion, als befände man sich auf dem Schau-platze irgend eines morgenländischen Märchens ... Auch im Innern wechselt das Bild. Die rohen übertriebenen Freuden-ausbrüche verstummen und Paar an Paar, in unübersehbaren Ketten, wandelt das typische Volk von den östlichen Gestaden vorüber, die Lumpen sind festlichen Gewändern gewichen und selbst der dürftige Hamal, dem sein Erträgniß kaum den Exceß eines warmen Mittagsessens gestattet, fühlt sich in seiner neuen Jacke gehobener und mustert mit einer gewissen Geringschätzung den ungläubigen Frenghi, der keine Notiz von dem Ehrentage Mohammeds nimmt. Es ist charakteristisch, daß der Moslem seine Verachtung gegen den christlichen Fremden, selbst wenn er mit ihm in stetem Verkehre steht, ja, von demselben abhängig ist, nie ganz unterdrückt. Aeußerlich zugethan und von bestechender Liebenswürdigkeit, die dem Türken überhaupt angeboren zu sein scheint, bleibt in seinem Innern stets ein Rest jenes traditionellen Hasses und er nimmt bei etwaigen Differenzen auch keinen

Anstand, denselben offen an den Tag zu legen. Bei der ottomanischen Bevölkerung bedarf es sehr oft nur eines böswilligen
Rädelsführers, um selbst die trägsten Elemente binnen wenigen
Minuten in Feuer und Flammen zu versetzen und Alles von
unten nach oben zu kehren. Sie fügen sich in das moderne,
doppelfarbige Bild am Bospor, nehmen Geld und Wohlthaten
von den Fremden an, aber wie sie unter Sultan Mahmud II.,
ja selbst noch unter Abdul Medjid in wildesten Allarm gegen
die Fremden geriethen, wenn zufälligerweise ein Ereigniß die
Berechtigung hierzu zu geben schien, so mag man auch heute
noch nicht vollkommen sicher davor sein. Man erinnere sich
nur der aufgeregten Stimmung in Stambul, als der actuelle
Padischah nach scheinbarer Bezwingung Montenegros, der
verrückten Absicht sich hingab, nun den Dschihad (Glaubenskrieg)
gegen das ganze Abendland zu führen, ein Blödsinn, den Fuad
Pascha noch zu rechter Zeit unschädlich zu machen wußte.

Am ersten Tage des Baïram herrscht große Aufregung in
der Türkenstadt. In aller Frühe verläßt der Padischah sein
Schloß am Bospor und reitet, von einer glänzenden Suite
begleitet, vorerst nach dem alten Serai an der Stambuler Landzunge und sodann nach einer der Kaisermoscheen, gewöhnlich nach
der Achmedijeh, wo er sein Gebet verrichtet ... Es hat dieser
Galaritt seit der Abschaffung der historischen Kostüme viel von
seiner früheren Originalität verloren. Man sieht keine glänzenden
Kaftans oder Maschlahs mehr, weder juwelenumflimmerte Turbans
mit den nickenden Reiherfedern noch die blendende Waffenzier
früherer Zeit, nur die auffallende Verschwendung an Gold,
Tressen u. dgl. läßt noch errathen, daß der „König der Könige"
an uns vorüberreite. Auch der Zug der Haremsfrauen hat
etwas modern Tolerantes an sich. Der Kamtschyk des mit-
reitenden Kawassen spielt keine Rolle mehr unter den müßigen
Gaffern und man kann sich bis auf Schrittlänge an die Karossen
herandrängen, die so kostbaren Inhalt, wie Sultansweiber nun
einmal sind, tragen. Und die Himmelsblumen Dolmabagtsches
sind nicht ohne alle Koketterie. Sie tragen Schleier aus feinstem
Gewebe, so zart und durchsichtig, wie ein leichter Blüthennebel,
der um Rosenstauden flattert. Oft lächeln sie verstohlen aus
ihrem Käfig hervor oder eine Hand, schimmernd wie frisch

gefallener Schnee, wird am Wagenfenster auf einige Secunden sichtbar.

Den ganzen Vormittag des ersten Baïramtages halten zahlreiche Gruppen von einheimischen und fremden Neugierigen die Straßen und Plätze besetzt, über die der Padischah mit seinem Stabe nach der Kaisermoschee geritten. Man begeht von Seite der stets augenauswischendeu Effendaffis (Bürgermeister) Recht, an diesem Tage diese Route zollhoch mit feinem Sande zu bestreuen, damit der Gewalthaber am Bospor nicht in Verzweiflung zu gerathen brauche, wie die anderen Sterblichen, die dasselbe, elende Pflaster an gewöhnlichen Werktagen treten. Von Stelle zu Stelle sind in den Straßen Abtheilungen von Infanterie und Reiterei aufgestellt, welch' letztere sich indeß den Dienst während der mehrstündigen Ceremonie leicht machen, indem sie von ihren prächtigen Pferden absteigen und die Straßen auf= und niederpromeniren. Diese Abtheilungen nehmen stets nur eine Straßenseite ein, während die andere dem Publikum überlassen bleibt. Und welch ein buntes Bild entrollt sich da! Niemand, sei er nun Schiite oder Sunnite, Ismanlier oder Jeside, möchte den Augenblick unbenutzt vorübergehen lassen, wo ihm die Möglichkeit geboten ist, den Großsultan, den „Schatten Gottes" auf Erden, von Angesicht zu Angesicht zu sehen. Die Europäer occupiren zumeist die Hauptstraße Galatas, die große Brücke und den Platz vor der Yeni=Djami in Stambul; weiter hinauf gegen die „hohe Pforte" und die Seraimauer drängen sich die typischen Gestalten der mohammedanischen Welt: modern gekleidete Reformtürken, conservative beturbante Beys vom Lande, Perser mit hoher Kegelmütze, Kurden, ja, Chinesen und Tartaren mit ihren riesigen, das ganze Gesicht überschattenden Kopfbedeckungen. Bei der Seraipforte aber kauert auf den Sand= und Steinhügeln demolirter Gebäude ein Troß moslemischer Weiber, und sie harren Stunde um Stunde, um das „Licht der Erde" strahlen zu sehen, ihn, den breitköpfigen turanischen Herrscher, dessen rohe, nichtssagende Züge von einem müden, nichtsdestoweniger aber selbstbewußten Lächeln umflattert werden. Strahlend ist sie allerdings, diese Majestät, aber das Diamantengeflimmer und der Juwelenglanz, der auf den gewöhnlichen Sterblichen niederflackert, wirkt nichts weniger als erwärmend und man muß Islamite sein, um

die Hoheit des „Herrschers" in solch überflüssigem Tande —
überwältigend zu finden.

Drei Tage dauert das kleine Baïram, d. i. jener nach dem
Fastenmonat Ramazan. Den Tag über wird viel Pulver ver-
knallt und sowohl Vor- als Nachmittags verhallen die Echos
der Geschützsalven. Allenthalben vernimmt man Musik an
öffentlichen Belustigungsorten, ein wildes Chaos von Tönen;
Rhapsoden durchziehen das Frankenquartier, um Balladen vor-
zutragen und bei einbrechender Dämmerung vernimmt man in
den einsamen Gassen Peras auch zuweilen die einförmigen
Weisen türkischer Flötenspieler, deren melancholischer Vortrag
eher verstimmt als belustigt. Der Text dieser Lieder ist nicht
minder monoton, als die Melodie und dreht sich in der Regel
immer um den gleichen Stoßseufzer, der indeß selten weltlicher
Natur ist. Das Gefühl der Sittlichkeit ist beim gemeinen Türken
dessen Hauptgebot die Frömmigkeit ist, weit ausgeprägter, als
beim Abendländer. Er ergibt sich weder ausschweifenden Gedanken,
noch finden sinnlich-überschwängliche Wünsche in seinen Gesängen
ein Echo und welche Wohlthat das Koranverbot des Weintrinkens
ist, kann der beurtheilen, der die Excesse kennt, durch die man
bei uns den Kirchenfesten Relief geben zu müssen glaubt. In
Stambul zumal hat das sich belustigende Volk etwas Würdevolles.
Es ist festlich gekleidet und auf dem Platze vor dem Seraskierat
sieht man bunte Gruppen heiterer Dinge auf- und niederwogen,
die Beseftans und Bazars besuchen und Zuckerwerk naschen, das
dem Türken so unentbehrlich zu sein scheint, wie dem Dalmatiner
die — Zwiebel.

Am At-Mejdan haben einige feiernde Pferdemiether eine
Art Dscheridtournier inscenirt, und sie ergeben sich, von gaffenden
Gruppen umstellt, zwanglos diesem nationalen Vergnügen.
Das Dscheridspiel ist eigentlich arabischen Ursprunges und besteht
darin, daß der zuerst zum Fliehen gebrachte Reiter von deffem
Gegner ventre-à-terre verfolgt und mit einem kurzen stumpfen
Wurfstabe (Dscherid) attaquirt wird, den der Verfolger im
geeigneten Momente auf den Feind abschleudert. Wunderbar
erscheint hierbei oft die Geschicklichkeit der Dscheridwerfer, die
während des schnellsten Rittes ihre verlorenen Stäbe vom Boden
auflesen, sich jählings durch Herabneigen der gegnerischen Waffe

entziehen und sonst ihre Reiterübung an den Tag legen. Des Oeftern indeß wird dies edle Spiel auch zur Carricatur und auf dem steinigen Boden des alten Hippodroms tummeln einige zigeunerähnliche Individuen ihre mageren Gäule und gebrauchen den nächstbesten Prügel anstatt des Dscherids zum Zweikampfe, der mitunter auch in eine tüchtige Prügelei ausartet. In früheren Tagen, da noch die moslemischen Würdenträger, wie im Abendlande die christlichen, auf festliches Gepränge mehr hielten, wie heute, und einen nicht unbedeutenden Apparat in Bewegung setzten, um dem Gefühle der Gottesverehrung intensiveren Ausdruck zu geben, damals fand man sich auf officielles Geheiß zum Tourniere ein, und manch stolzer Moslem identificirte es mit seiner persönlichen Ehre, den Gegner im Kampfe unbedingt zu überwinden ... Auch Kriegsspiele fanden einstens in den Tagen des Baïram am At-Mejdan statt. Leider spielten in jenen Jahrhunderten der Bedrängniß die Christen eine sehr demüthigende Rolle und wir wollen beispielsweise nur der Sitte gedenken, die noch zu Ende des vorigen Jahrhunderts in ungeschmälerter Ausübung stand und in welcher den Christen die Aufgabe zufiel, ein hölzernes Schloß zu vertheidigen, das türkische Dscheridschleuderer angriffen. Es war ein fixer Punkt auf dem Programme, daß die christliche Besatzung unterliegen müsse und sobald die Zugbrücke fiel, entsprang der hölzernen Vertheidigungsburg — ein Rudel Schweine.

Es ist anders geworden. Die Festlichkeiten sind nunmehr äußerst harmlos und man mag sich kaum mehr des einstigen rohen Zeitvertreibes erinnern, der einst bestimmt war, dem Ehrentage Mohammeds Relief zu geben. Mit dem mäligen Erlöschen des Sternes der Chalifendynastie am Bospor, haben auch die Traditionen ihre ursprüngliche Macht verloren. Das ehemalige Signal der turbulentesten Begeisterung, das berüchtigte „Inschallah!" (Gott will es), welches den wildesten Taumel in den Schaaren der Rechtgläubigen hervorrief und zu Zeiten der Schlachtruf zu grausamer Niedermetzelung wehrloser Christen war, übt in den heutigen Tagen nicht mehr jenen Zauber aus, denn man wird jeden Excesses müde, nicht minder des blutigen, religiösen Wahnwitzes.

Unter diesem Gesichtspunkte mag auch das Hauptgebot der

Islamiten, einmal im Leben die **Pilgerfahrt nach Mekka**
anzutreten, bedeutend geschmälert worden sein. Es war dieser
Moment seinerzeit der willkommenste Anlaß, um durch äußerlichen
Pomp, durch Kundgebungen absonderlichster Art dem religiösen
Bewußtsein schärferen Ausdruck zu geben und sich künstlich in
den Rausch des wildesten Enthusiasmus zu stürzen. Wer vom
Glauben an den alleinigen Gott nicht intensiv genug durchdrungen
war, fand in der imposanten Pracht der gepflogenen Feierlichkeit
den verlorenen Angelpunkt, der ihn wieder an den wahren
Glauben klammerte. Sünder und Verbrecher fühlten sich plötzlich
von der Macht der religiösen Enunciation derart erfüllt, daß
sie reuig auf den Pfad der Tugend zurückkehrten, und was den
Troß fanatischer und fanatisirender Mollahs und Muftis anbelangt, so besaßen sie ohne Zweifel den nothwendigen Apparat
durch das Fest des Pilgerzuges, um ihren Absichten entschiedenen
Nachdruck zu verleihen. An der thatsächlichen Bedeutung
des Festes heutigentages, ließe sich nun berechtigt zweifeln.
Man hat es gewissermaßen zur Staatsceremonie gemacht, bei
welcher der Padischah mit seinem ganzen Hofe, seinen Würden-
trägern und Palastoffizieren, den Zuschauer bildet, während
Priester und Volk die Rollen in diesem confusesten aller rituellen
Spectakel übernehmen. Seit Osman II. hat kein Padischah
mehr die Mekkafahrt unternommen und dieser selbst mußte in
einem Aufruhre, den die Janitscharen in Scene setzten, unter-
gehen. Man hat seit jenem tragischen Vorfalle angenommen,
daß es unpolitisch sei, wenn das Staatsoberhaupt mit dem
Hadsch (Pilgerzug) die weiten Wanderungen nach den Propheten-
städten antrete und wählt seitdem einen Stellvertreter, Sarra
Emini, dem auch die Geschenke für die heilige Kaaba, die
Karawanengelder und Almosen übergeben werden, welch letztere
indeß häufig nach gut türkischem Brauche in den Sack des
Generalbevollmächtigten fließen.

Man hat die Summe, welche zur Bestreitung sämmtlicher
Bedürfnisse, dann behufs Verabfolgung von Almosen, an Tribut
für die Wüstenaraber u. s. w., auf ungefähr 5 Millionen Francs
beziffert, eine Auslage, die in Anbetracht der neuesten Finanz-
reformen und Säcularisirung der Wakufs hoffentlich eine annehmbare Reduction erfahren haben dürfte. Da der größte

Theil dieses Geldes ohnedies unterschlagen zu werden pflegt und mit seiner sublimen Bestimmung nichts zu schaffen hat, so erscheint diese Verschwendung doppelt unduldsam.

Am 12. des Monats Schawal rüstet sich in Stambul die große Pilgerkarawane zum Aufbruche. Während der Padischah durch das „Thor der Glückseligkeit" in den ersten Seraihof und von dort in den zweiten reitet, erwarten ihn die Reichswürdenträger daselbst, um ihren Herrscher nach der Achmedijeh zu begleiten, wo dieser sein Gebet verrichtet. Sodann begibt sich der Padischah zurück ins Serai, um vom Fenster des über dem großen Mittelthore sich erhebenden Kiosks die Pilger und Processionstheilnehmer Revue passiren zu lassen ... Dieser Zug ist an sich malerisch genug. Er wird durch eine Abtheilung Kavallerie, prächtige, martialische Gestalten auf milchweißen Pferden eröffnet, denen unmittelbar der oberste Emir mit grünem, reich mit Gold gestickten Kaftan und Turban folgt. Eine stattliche Gruppe von Effendaffis, Mollahs, den Großkadis von Rumili und Anatoli schließt hieran, begleitet von berittenen Secretären und Fußtrabanten, die neben den reichgeschmückten Reitern einherschreiten. Grüne und himmelblaue von Gold- und Silberarabesken strotzende Uniformen tauchen jetzt aus dem Gewühle. Es sind schmucke Pagen, die silberne Pfannen mit duftigem Räucherwerk tragen, während sie gleichzeitig mit heller, weithin hörbarer Stimme den islamitischen Glaubensruf: „Allah Akbar" (Gott ist groß!), anstimmen, worauf die Massen in wildem, verworrenem Chorus einfallen. Den Pagen aber folgen zwei Hauptpersönlichkeiten des Zuges, der schon erwähnte Sarra Emini mit seinem Trosse grüngekleideter Hausbeamten, dann der Mustadschi Baschi, ein kaiserlicher Würdenträger, dessen schwerer Beruf von der einzigen Pflicht ausgefüllt wird, das Begrüßungschreiben des Padischah eigenhändig dem Scherif von Mekka zu übergeben. Dies Document ist, wie man zu sehen vermag, in einer grünüberzogenen Kapsel verwahrt. Der Mustadschi Baschi, der selbstbewußt und stolz die hochwichtige Kapsel wie eine Monstranz über dem Sattelknopfe hält, wird zu beiden Seiten von Kawassen begleitet, die seinem Pferde die Zügel halten.

Nachdem diese Würdenträger vorüber geschritten sind, beginnt ein eigenthümliches Schauspiel. Ein reich mit Teppichen, Fahnen

und farbigen Federbüschen geschmückter Kasten ragt hoch über
das Gewühl empor und man nimmt gar bald aus, daß
dies plumpe Ding von einem, von Gold und Juwelen leuchtenden
Kameele getragen wird. Es ist eines der „heiligen" Kameele,
deren Stammbaum bis zu jenem Thiere hinaufreichen soll, das den
Popheten am Tage der Flucht getragen. Daß sie in großem Ansehen stehen müssen, beweist schon der Umstand, zu welchem Zwecke
sie gebraucht werden, denn in jenem thurmartigen Kasten befindet
sich nichts weniger, als die geheiligte, für die Kaaba bestimmte
Decke, welche man während des Processionsfestes auf das pompös
geschmückte Thier zu laden pflegt. Golddurchwirkte Teppiche
und Schabracken hängen von seinem Rücken bis zur Erde nieder,
von seinem Haupte nickt eine Federkrone aus den prächtigsten
Reiherbüschen und vom grünen Gezäume flimmerts von Juwelen
und Goldzierrath. Dieser abenteuerliche Mummenschanz, der
seiner Façon nach an längstvergangene Zeiten erinnert, enthält
ohne Zweifel noch viel ursprüngliche Originalität.

Sowohl das erste „heilige" Kameel, als auch das zweite,
welches unmittelbar folgt und die Copie von Mohammeds Sattel
(grüner Sammt mit Silberzierrath) trägt, wird von pittoresk
gekleideten Trabanten umgeben, während der Karawanenrichter,
der vielgenannte Hakim-el-Hadsch (wörtlich: Pilger-Doctor) mit
seinen martialischen Kawassen diese Abtheilung des Zuges
schließt... Jetzt wechselt das Bild... Ein bunter Knäuel
wogt hin und wider, Tambourins ächzen dumpf zwischen mark-
erschütterndes Geheul, das einen Gesang vorstellen soll, und
allmälig gewahrt man Schaaren zerlumpter Derwische, die
ihr religiöses Bewußtsein auf keine bessere Art zu bethätigen
wissen, als sich wie das liebe Thier des Waldes, ja, vielleicht
weit roher zu gebärden. Ein solcher Fanatismus kann im
Jahrhunderte der Gewissensfreiheit keinen Bestand haben. Es
ist der letzte Rest mittelalterlichen Ascetismus, dessen düsterer
Ausdruck heute bedeutungslos erscheinen muß, und wenn die
frommen Korangläubigen sich etwa der Illusion hingeben sollten,
durch solch unwürdige Ausbrüche religiösen Wahnwitzes dem
Volke einen Begriff von der Macht des Glaubens vorzudemonstriren, so irren sie sich gewaltig, denn es ist heute im
Oriente eine allgemein anerkannte Thatsache, daß nahezu alle

Orden und religiösen Körperschaften ihr früheres Prestige verloren haben und auf die unteren Klassen nur wenig Einfluß mehr zu nehmen fähig sind.

„Allah hu! Allah Akbar!" schrillts in allen Tonarten aus dem wüsten Chaos und verhallt weithin im dumpfen Echo. An die „heulenden" Derwische, deren roher Enthusiasmus der Feierlichkeit vermuthlich das nothwendige Relief geben soll, schließt sich eine Abtheilung Fußsoldaten, die dem Pilgerzug auf seiner langen Reise beigegeben wird und zwar gipfelt deren Hauptaufgabe darin, die sieben „heiligen" Maulthiere zu beschützen, die die Geschenke des Großherrn und dessen Brief an den Scherif von Mekka zu tragen haben. Außerdem werden ihnen Zelte und Zeltstangen aufgebürdet, deren Bestimmung es ist, jenen Geschenken bei Nacht und Unwetter Schutz zu bieten. Die goldenen, grünbewimpelten Knäufe der Stangen blinken weithin, indeß die Maulthiere von Amuletten und buntem Kram strotzen, da nur diese die Reise mitmachen, während die heiligen Kameele nach der Processionsfeierlichkeit wieder in ihre Stallungen im großherrlichen Palaste eingestellt werden und während des ganzen Jahres zu keinem weltlichen Zwecke mehr in Verwendung gelangen. Sie scheinen somit unter allen ottomanischen Hofchargen, das ausgesprochenste orientalische Leben zu führen, denn sie halten während 353 Tagen (islamitischer Zeitrechnung) Kef und stehen nur an einem in allerhöchstem Dienste.

Sobald der Zug der Pilger vor dem Padischah die Revue passirt hat, schwenken die Tragthiere beim Gartenthore ab, um am Landungsplatze ihre Lasten dem bereitstehenden Schiffe zu übertragen, während die Ehrenwache die Kameele nach ihren Stallungen escortirt. Nur die verschiedenen Beamten, an ihrer Spitze der Sarra Emini, besteigen diesen Dampfer und unter den Salutschüssen der Hafenbatterien, dem wilden Geheule der Derwische und ihren Rufen „Allah Akbar!" schiffen sie sich nach Scutari ein. Die übrigen Pilger folgen im Laufe des Tages in einzelnen Abtheilungen. Man kann sich hierbei lebhaft vorstellen, daß die feierlichen Demonstrationen so ziemlich die ganze Zeit über anhalten, bis der letzte der Hadschis auf dem gegenüberliegenden asiatischen Ufer angelangt ist. Erst am Morgen des nächsten Tages, wenn sich die Pilger aus der Umgebung Scutaris und der benachbarten anatolischen Provinzen eingefunden haben, bricht die Karawane nach Mekka auf, wobei sich ähnliche Scenen wie in Stambul allenthalben wiederholen.

Es muß hier bemerkt werden, daß neuester Zeit ein weitaus geringerer Theil der wallfahrenden Moslems den alten Landweg durch Kleinasien und Syrien einschlägt, während die Emancipirteren sich des modernen Transportmittels österreichischer, französischer und russischer Dampfer bedienen, die sie von Stambul nach Alexandrien bringen. Von hier setzen sie ihre Reise über Port Said und Suez durchs rothe Meer fort, um in der arabischen Küstenstadt Djidda abgesetzt zu werden, von wo aus sie nur mehr zweier Tagereisen bedürfen, um die Prophetenstadt zu erreichen ... Früher war es anders. Der Generalgouverneur von Syrien hatte die Verpflichtung, in Damascus, dem ersten großen Rastorte der Landkarawanen, alle neuhinzuströmenden Pilger aus dem Innern Vorder-Asiens, aus Mesopotamien, Kurdistan und dem mohammedanischen Osten zu sammeln und sie den ungeheueren Weg von 300 Meilen durch die Wüsten Arabiens zu führen. Er wurde speziell für das Wohl der Pilger verantwortlich gemacht und übte Controle über die Geld-auslagen des Sarra Emini, während ihm irgend ein pensionirter Pascha als Escortecommandant beigegeben wurde. Heute ist dessen Wirkungskreis — er übt ihn noch immer aus — bedeutend kleiner geworden, denn es sind nicht nur die Pilger des moham-medanischen Nordens, die zu Schiff nach Port Said, beziehungs-weise Djidda sich befördern lassen, sondern auch Perser und andere Völker des Ostens. Zumal jene in der Nähe der Küste, oder an dieser wohnenden Islamiten ziehen neuester Zeit den Seeweg jenen alten Landrouten, wo der Tod in tausenderlei Gestalt lauert, vor, und dem gewaltigen Emir el Hadsch, d. i. Karawanenprinz erübrigt nur ein kleines Häuflein, das er zu führen verpflichtet ist.

Es wird hier nur Eines bedenklich. Nach den allgemeinen Bestimmungen ist der Generalgouverneur von Syrien, also eben der genannte Emir el Hadsch verpflichtet, die oben erwähnte Summe von 5 Millionen Francs für Geschenke, Reiseauslagen und Geleitegebühr für die Beduinen zu bestreiten, die er jeden-falls nur durch gehörige Zwangs-Contributionen zusammen-

zubringen vermag. Da nun angenommen werden kann, jene
gewissermaßen festgesetzte Summe habe keinerlei Reduction erfahren
— man läßt sich in der Türkei zu Aenderungen und Neuerungen
überhaupt Zeit —, andererseits aber die Pilgerschaaren sehr
zusammengeschmolzen sind, so kann logischerweise geschlossen
werden, daß der Ueberschuß bewußter Gelder in den Sack des
Karawanenprinzen fließt. Es wäre nach den bestehenden Ver=
hältnissen gewiß auch nichts Ueberraschendes, wenn jene Gelder
selbst dann noch vom Generalgouverneur Syriens eingetrieben
würden, wenn längst keine Karawanen mehr den Landweg ein=
schlagen. Was im Uebrigen noch auf diesem Felde von den
verschiedenen türkischen Beamten, die bekanntermaßen wahre
Musterbilder von Redlichkeit und Charakter sind, geleistet wird,
zumal in jenen Provinzen, die durch den Pilgerzug unmittelbar
berührt werden, ist weniger interessant, als bedauerlich und
schließt sich dem bestbekannten Thema ottomanischer Ehr= und
Gewissenlosigkeit würdig an ... In Mekka aber weiß man sich
den Zelotismus der Rechtgläubigkeit ganz außerordentlich zu Nutze
zu machen. Die eingeborene Bevölkerung betrachtet eben den
heiligen Gebrauch der Pilgerfahrt als ein sehr lucratives Geschäft
und unbeschadet der miraculösen Macht, die der Prophetenstadt
ausströmt, sind die Mekkaner nicht so blöde, um nicht zu wissen,
wie man Gelegenheiten ausnützt — Geld zu machen ...

Fünfter Abschnitt.

Zur Situation. — Sultan Abdul-Aziz. — Streiflichter zur „orientalischen Frage". — Finanzmisère. — Die Regierungsorgane. — Die Reformen in ihrem wahren Lichte. — Türkische Staatsmänner. — Fuad Paschas politisches Testament.

Die Türkei macht heute mehr als je von sich reden. Es sind nicht Reformen die diese Popularität hervorgerufen haben, nicht das Aufblühen von Industrie, Kunst, Gewerbe und Handel, sondern Episoden von aller Art Mißwirthschaft und Symptome eines stetigen Zersetzungsprocesses. In der Politik ist die Türkei durch den dominirenden Einfluß der europäischen Mächte soviel wie todt; man beginnt ihr geradezu die Wege vorzuschreiben, die sie bei eventuellen Verwickelungen zu gehen habe, und bevormundet sie auf die drastischste Art bei Ausübung ihres politischen Hausrechtes. Keine Fehde, kein blutiger Zwischenfall auf der Balkanhalbinsel findet mehr statt, der nicht die gesammte Diplomatie am Bospor in Bewegung setzte, und wenn die Regierung irgend eine entsprechende Maßnahme in dieser Richtung vorhat, erscheinen die abendländischen Vertreter bei der hohen Pforte und fühlen dem „kranken Manne" den Puls, ob er noch lange zu leben habe ... Nichtsdestoweniger leben die ottomanischen Reichsbeglücker heiterer Dinge fort, werden Minister und Großwürdenträger und spiegeln dem Gewalthaber in Dolmabagtsche köstliche Bilder von der Wohlfahrt seiner Völker, vom Segen seiner Länder vor. Es ist ein ewiger Betrug, ein unverantwortliches Hinweggaukeln über die elende Wirklichkeit, und der

ottomanische Autokrat, mit seinem Weibertrosse und seinen
erpreßten Reichthümern, empfindet kaum eine leise Ahnung von
dem öden, ausgehungerten Lande, das man das „moderne
Chalifat" nennt. Er lebt unter Gauklern und ist selbst nicht
mehr als ein Schatten, ein Phantom, das sich hie und da in
das wirkliche Leben hinauswagt, um irgend eine Ungeheuerlich=
keit zu Tage zu fördern . . .

Am 21. des Monats Dschommad el Auwal begeht man
alljährlich zu Stambul das Fest der Thronbesteigung Sultan
Abdul Aziz Khans. Diese Feierlichkeit, wohl die glänzendste in
den zwölf moslemischen Mondmonaten, fällt zufälliger Weise in
eine Jahreszeit, wo die Phantasie in nicht allzu erfinderischer
Weise auszuholen braucht, um dem officiellen Ehrentage in jeder
Richtung das erwünschte Gepräge zu verleihen. Das eintönige
nichtssagende Hofceremoniell ists eben nicht, das dem alljährigen
Sultansfeste einen gewissen Reiz verleiht. Während in unserem
nüchternen Abendlande Empfangsstunden, Audienzen, Allocutionen
und Huldversicherungen nur Ausflüsse einer traditionellen steifen
Förmlichkeit sind, die sich in den geheiligten Räumen der Majestät
abspielen und somit der Masse mehr oder minder unbekannte
Staatsacte bleiben, gestaltet sich das Sultansfest für die Stam=
buler Rechtgläubigkeit, die dem Padischah freilich ganz andere
Empfindungen entgegenbringt, als occidentale Boulevardiers, zu
einer Art orientalischem Märchen, in welchem sie sich wohl=
fühlt, da es einen Abglanz jener Herrlichkeit spenden soll, die
der morgenländische Optimismus mit starrer Consequenz um
das Haupt des „Beherrschers aller Gläubigen" webt.

Das Fest an sich ist allerdings prächtig. Der fremde
abendländische Wanderer, der nach der Chalifenstadt gepilgert ist,
um den verlöschenden Glanz einer einstigen Weltmacht noch ein=
mal zu schauen, fühlt sich urplötzlich inmitten eines Freuden=
bacchanals, der bestimmt zu sein scheint, den herrschenden Jammer
zu verscheuchen, und traumhaft greifts in seine Seele . . . Ein
schwüler Sommerabend zieht herauf, dem jählings die Nacht
folgt. Dann beginnt die „östliche Siebenhügelstadt" in einem
Feuermeere zu schwimmen, dessen Wogen purpurn auf und
niederwallen, unübersehbare Flammenbetten zeichnen Stadttheile,
Moscheen, Paläste, Dörfer, ja selbst die traumstillen Todtenhaine

7*

in fahlglühenden Linien auf der dunklen Himmelstapete ab, und
die Seefahrzeuge gleiten wie flammende Geisterschiffe über das
ruhige Meer, das geschmolzenem Erze gleicht ... Das ist der
schöne Traum, der auf einige Stunden die schreckliche Wirk=
lichkeit verscheucht. Die orientalische Phantasie mag derlei Hinter=
grundes bedürfen, uns kann er nicht entnüchtern.

Wir sehen in Abdul Aziz Khan ohne allen Pessimismus
den erbleichenden Stern des Islamitenthums als politische Macht.
Man hat seinerzeit, als Abdul Medjid heimging, viel Hoffnungen
auf die Energie, auf die Thatkraft des actuellen Padischah
gesetzt. Sie mögen auch gerechtfertigt gewesen sein, da es aber
eine alte Erfahrung ist, daß orientalische Machthaber in ihren
kühnen Reformanläufen entweder nie Maß halten, oder gar bald
von denselben ablassen, so konnten auch die Dinge, wie sie später
kamen, nichts weniger als überraschen. Zudem waren die letzten
Lebenstage Abdul Medjids nur mehr eine elende Copie von
Sultansherrlichkeit. Der bleiche, entnervte Despot fröhnte in
der ungeheuerlichsten Weise dem Trunke, und während er das
Marmorschloß Dolmabagtsche um die Kleinigkeit von rund 80
Millionen Francs errichten ließ, ritten seine Palastofficiere mit
zerfetzten Schabracken en queue der kaiserlichen Majestät, und
über die milchweißen Steinfliesen der großen Palasttreppen
trippelte barfuß eine verwahrloste Dienerschaft. Da brach jene
verhängnißvolle Ramazannacht herein in der Abdul Medjid aus
dem Leben schied. Eine düstere Fürstenexistenz schloß mit einem
mysteriösen Actus ab.

Man darf nicht vergessen, daß Abdul Aziz zunächst der
Erbe einer Reformarbeit wurde, die schon Sultan Mahmud II.
inaugurirte und die sich damals so ziemlich in der Person des
energischen Raschid Pascha verkörperte. Der angebahnte Weg
hätte zwar nicht spielend, aber immerhin mit einiger Aussicht
auf Erfolg nun um so entschiedener fortgesetzt werden können,
als Männer wie Mehemet Kibrisli, Aali und vor Allen Fuad,
in gewissem Grade Zierden der jüngsten ottomanischen Staats=
geschichte, ebenso viel Talent, als guten Willen und den Glauben
an die Neugeburt des türkischen Reiches besaßen. Aber die
Anstrengungen dieser Männer blieben immer nur Episoden. Von
momentanen Erfolgen geblendet, überließ sich der Stambuler

Hof und das unwissende indolente Bureaukratenthum, die „obern Zehntausend", einer beispiellosen Sorglosigkeit, nicht erwägend, daß der Erfolg nur in mühevoller, unausgesetzter Arbeit und nicht in politischen Lichtblicken liege.

Es muß überdies als ein Hauptgebrechen für das türkische Reich angesehen werden, daß seine fähigsten Repräsentanten niemals die nationale Idee des Osmanenthums festhielten und dem Lande Reformen aufbürdeten, die mit der ganzen Individualität des Bevölkerungs-Conglomerates in keinem organischen Zusammenhange standen, und somit auch nicht die Basis im Reiche, d. i. keinen Elementen fanden. Eine ersprießliche staatliche Reform muß aus der Entwickelungsgeschichte eines Reiches herauswachsen, sie darf ihm nicht aufgepfropft werden. So kam es, daß man bei uns im Abendlande in Stambul Pioniere einer nationalen, aber modern-fortschrittlichen Culturarbeit wähnte, die das morsche Staatsschiff wieder in das richtige Fahrwasser gebracht hätten, während es sich thatsächlich doch nur um eine elende Stümperei, um die Nachäffung fremder, dem Wesen und der Individualität des Orientalen incongruenter Regierungsmaßnahmen handelte, von denen das Volk nie etwas erfahren, nachdem es ihnen ohnedies kein Verständniß entgegenbringen hätte können.

Das ganze in dieser Manier reformirende Jungtürkenthum concentrirt sich in Stambul. Die hoffnungsvollen Staatsmänner der Zukunft haben auf den Pariser Boulevards oder in Hydepark eine blasse Ahnung von Culturarbeit erhalten und mit diesem kostbaren Schatze, den sie noch mit dem Nimbus umgeben, daß sie französisch oder englisch plappern, kehren sie in die Chalifenresidenz heim, um ihren eigenen Leuten vorzudemonstriren, wie man „regieren" müsse. Daß eine solche Wirthschaft so unpatriotisch wie nur immer denkbar sei, leuchtet wohl ein; wir wagen aber hier die Behauptung, daß die leitenden Männer am Bospor, sammt dem ganzen Hofe, überhaupt gar keine Patrioten sind. Das Gefühl der Zusammengehörigkeit und der staatliche Selbsterhaltungstrieb entspringt aus rein religiösen Beziehungen, der Glaube ist ihr Palladium und der Sandschak Scherif in der Hirkai Scherif Adassi des Serais der Magnet, der sie an das Reich festhält. Nationalgefühl ist den türkischen Machthabern ein unbekanntes Ding, und es mag ihnen dies gerade nicht zum Vorwurfe gemacht werden, da sie ja sammt und sonders keine Osmanen sind... All die Sterne, die an der hohen Pforte geglänzt und wieder erloschen sind, all jene begeisterten Streiter für die turanischen Chalifen, ja diese selbst, haben so viel osmanisches Blut in ihren Adern, wie etwa die Bulgaren — finnisch-ugrisches.

Einst war der Stamm jener kleinen Familie, in der die Seldschukiden aufgingen, rein, und er war, mächtig, von Amurat I., der zuerst europäischen Boden betrat, bis herauf zu den Sultanen des 17. Jahrhunderts; die Polygamie aber hat ein Geschlecht von Bastarden gezeugt, das nichts gemein hat mit den Manen Osmans und Orchans. Tschirkassisches und georgisches Mischblut, armenische Parvenüs oder gar Prinzen, die ihren mütterlichen Stammbaum an den Ascendenten einer Sclavin Gondars oder Massauahs nachrechnen, halten die Zügel eines Reiches von 30 Millionen Seelen, von denen höchstens der dritte Theil der türkischen Race angehört. Am Hofe hat sich das Osmanenthum nur noch typisch erhalten, das Blut ist tschirkassisch, vermengt mit georgischem und abessynischem. Die Reichsposten halten seit Decennien in überwiegender Zahl Armenier und Griechen, oder gar occidentale Renegaten in Händen. So degenerirt nicht nur die Race vom ethnologischen Standpunkte, sondern auch die Race als politischer Begriff, als Nation, und da findet die Vaterlandsliebe keine Priester.

Abdul Aziz, ein Mischling gleich seinen erlauchten Vorgängern, stand noch vor Kurzem vor der wenig patriotischen Absicht, die Thronfolge umzustürzen. Es muß als bekannt vorausgesetzt werden, daß die Erbschaft des Osmanenthrones nach den Satzungen der Reihe nach den Söhnen eines heimgegangenen Vater-Regenten zufällt, d. h. von Bruder auf den Bruder übergeht. So ist Prinz Murad eventuell Nachfolger Abdul Aziz Khans. Der actuelle Padischah aber trieb seine Kindesliebe so weit, dem Prinzen Justuf Jzeddin mit dem Aufwande aller erdenklichen Intriguen in den politischen Vordergrund zu schieben um den geplanten Staatsstreich mit einiger Gewißheit auf Erfolg durchführen zu können. Abdul Aziz, von allen Seiten auf das Ungeheuerliche seines Vorhabens aufmerksam gemacht, ist seitdem von demselben wieder abgestanden, nicht ohne sich vorher noch gegen den Haupt-Faiseur dieser Komödie, Hussein Awni Pascha, dankbar zu erweisen. Dieser hochmüthige Mensch, der mit seinen zerlumpten Soldaten renommirte, als wären es Elitetruppen einer abendländischen Militärmacht, wußte seinen kaiserlichen Herrn zu beschwatzen, daß die Armee leicht für den Staatsstreich zu gewinnen wäre. Daß Soldat und Pfaffe nirgends brüderlicher vereint sind, als in der Türkei, wird Hussein Awni wohl auch gewußt haben, aber als Vermittler in dem ganzen Anschlage gegen das Gesetz der legitimen Thronfolgerschaft hatte er nur zu gewinnen und nichts zu verlieren. Für seinen guten Willen erhielt der damalige Kriegsminister das Reichssiegel aus den Händen des Padischah. Jetzt ist er ebenso abgethan, wie seine zahllosen Vorgänger.

Neuester Zeit hat Abdul Aziz wohl stärker denn je geahnt, daß es mit seinem Reiche rapid herabgehe. Die Löwenfreund=schaft mit den abendländischen Großmächten schien ihm nicht haltbar genug, und um seiner Herrschermacht mehr Relief ver=leihen zu können, wendete er sich wieder den Fürsten des Ostens zu, die an seine Gottähnlichkeit noch glauben mögen. Er hat kürzlich erst den Abgesandten des Emirs von Kaschgar, Yacub Bey, mit allen Ehren am goldenen Horn empfangen, den Gene=ralissimus der afghanischen Armee, Mehemet Sabbyk Khan, mit Liebenswürdigkeiten überhäuft, und sogar einen untergeordneten Araber-Schech, Nassir Pascha, der mit dem Stamme der Montefik den Regierungstruppen im Kriege gegen die Wahabis beigestanden, als seinen Gast in Dolmabagtsche aufgenommen. Alle diese Anknüpfungen scheinen uns aus dem Bedürfnisse zu entspringen, Anlehnung in der eigenen Bluts= und Glaubensgemeinschaft zu suchen. Wie weit aber Abdul Aziz mit Erfolg handelte, um den Zusammenbruch des Chalifats zu verhindern, das vermögen wir nicht zu ermessen. Der Gewaltige am „goldenen Horn", von dem die Nomaden in Centralasien, die Afghanen und selbst freie Araberstämme träumen, scheint uns der Mann nicht, in dem man die Incarnation des islamitischen Kampfmuthes erblicken könnte. In reizloser Zurückgezogenheit verbringt er seine Tage, den Weibern und seiner Hauscapelle lebend, oder er obliegt dem edlen Sport des — Hahnenkampfes, und lohnt den Tapfern desselben mit Recht orientalischer Ueberschwänglichkeit. Abdul

Azizs Liebling unter den gefiederten Cumpanen trägt, stolzer als jeder seines Geschlechtes, den — Groß-Cordon des Osmanis-Ordens (sic!) unbeschadet der andern zweibeinigen Mitbesitzer, darunter Diplomaten und Minister, die hin und wider mit demselben Ordensschmucke die große Treppe zum Audienzsaale in Dolmabagtsche gravitätisch hinanschreiten. — —

Bevor wir in das verworrene Getriebe der ottomanischen Staatsmaschine weiter einblicken, wollen wir eines wunden Punktes gedenken, der früher oder später mit aller Rücksichts-losigkeit zur Sprache gebracht werden wird müssen. Es handelt sich um die Stellung Oesterreich-Ungarns zur sogenannten „orientalischen Frage". Dies klangvolle Schlagwort, einst von den Matadoren am grünen Tische gegeben, hat zwar in den geängsteten Herzen der abendländischen Diplomaten alle erdenk-lichen Erregungen hervorgerufen; verständnißvoll zu handeln wußte aber bisher nur Rußland und vielleicht England, dessen kosmopolitischer Geist eben dazu geeignet schien, einen historischen Zersetzungsproceß, wie es der Verfall der Türkei auf alle Fälle ist, auf seine eigentlichen, unmittelbaren Grundübel zurückzuführen. Unkenntniß der orientalischen Verhältnisse war bis heute und ist wohl noch zur Stunde die Signatur unserer Bospor-Diplomaten. Von der Ueberzeugung getragen, daß sich das Staatsleben in seinen einzelnen Trägern verkörpern und somit in diesen auch typisch zum Ausdruck gelangen müsse, haben bisher die meisten diplomatischen Vertreter bei der hohen Pforte den Born der Aufklärung in vertraulichen Mittheilungen oder rhetorischen Auseinandersetzungen mit den Stambuler Effendis gesucht. Hier glaubten sie Stimmungen und Verhältnisse studiren zu können, eine glatte Phrase war ihnen der Spiegel der herrschenden politischen Strömung, und war irgend ein redegewandter Bot-schafter gar so glücklich auf einem perotischen Eliteballe einen Discurs mit irgend einem vertrauensseligen Sadrazam anzu-knüpfen, so wähnte er sich tief in alle Staatsgeheimnisse ein-geweiht und überraschte mit bizarren Combinationen das Laien-publicum des Abendlandes.

Von diesen Seifenblasen lebten auch seit Decennien die Orientpolitiker Oesterreichs. Für sie gab und gibt es nur ein Stambul, nur eine hohe Pforte, was darüber hinausgeht, deckt

finftere Nacht, der Schleier einer politischen Ignoranz, wie fie
größer gar nicht denkbar ift. Welchen Segen aber konnte man,
fragen wir, von einer derartigen Tändelei erwarten? Wo lagen
jene Ziele, die man am Ballplatze den Nachkommen Osmans
abzutroßen hoffte, da man ja nicht im entfernteften damit vertraut war, mit welchen Factoren eventuellen Falles zu rechnen
wäre? ... Diefes planlofe Herumtappen in aufdämmernden
politifchen Ahnungen, diefes unausgebildete biplomatifche Taft-
gefühl hat nun zunächft bewirkt, daß die Situation im otto-
manifchen Oriente mit all ihren kaleidoskopartigen Wechfel-
wirkungen, Beziehungen und Zwecken uns abfolut entfrembet wurde,
um vollends von andern Nachbarmächten beherrfcht zu werden.

So mußte Rußland fich zunächft die umfaffendften Local-
kenntniffe zu verfchaffen, um in feinen Calculationen nicht beirrt
zu werden. Ruffifche Officiere haben nur zu oft incognito die
entlegenften Provinzen Border=Afiens durchftreift; fie haben
blankes Gold in die Gebirgswildniffe Kurdiftans getragen, wo
die rebellifchen Stämme der Yeziden und Neftorianer kaum mehr
die Autorität des Padifchah achten. Ruffifche Eclaireurs durch=
pilgern noch heute mit guten Worten und blanken Münzen die
Stufenländer gegen Perfien und fteigen wohl auch in die mefopo-
tamifchen Stromlandfchaften hinab, um nachzufpüren, ob die
großen Wanderftämme der Anezi und Schamahrah abfolut auf
die Gottähnlichkeit der türkifchen Statthalter im arabifchen Irak
fchwören oder offene Unabhängigkeitsgelüfte an den Tag legen.
So haben zuverläßliche Nachforfchungen dargethan, daß auf der
ungeheuern Strecke von Palmyra bis Bagdad — kein Soldat
anzutreffen ift, obgleich die Friedens=Ordre de Bataille=Charte
im Euphratthale ein ganzes Armeecorps aufweift. In ganz
Südkurdiftan haben Landflächen von mehreren hundert Quadratmeilen nur einzelne Wachtpoften und die Thalfperren liegen in
Trümmern, ohne Garnifon, ohne Gefchüße, nur von Polizei-
foldaten befeßt, wenn überhaupt noch etwas zu „befeßen" ift.
Draftifch klingen dem entgegen andere Thatfachen, von denen
hier zur Charakterifirung nur eine erwähnt werden möge. Ein
europäifcher Vertreter, der fchon der Stammesverwandtfchaft
des Volkes halber, dem er angehört, fich leicht klare Begriffe
von den türkifchen Zuftänden hätte machen können, glaubte, es-

gäbe auf der illyrischen Halbinsel zwei verschiedenartige Völker, die die Namen Albanesen und Arnauten führen, und hielt die bosnischen Slaven, ob nun Christen oder Mohammedaner, für — Türken (!). — Man sieht, daß unseren Diplomaten noch weit andere Dinge abgehen, als Talent und politischer Scharfsinn. Wie aber will eine Großmacht in die laufenden Ereignisse mit Nachdruck eingreifen, wenn der diplomatische Ausluger am „goldenen Horn" nicht recht weiß, ob er in der Türkei oder in Patagonien ist, ob es mit Mohammedanern, Hindus oder Heiden zu thun hat?

So hat man sich auch von verschiedenen Maßnahmen am Bospor über die Gebühr täuschen lassen. Es klingt wunderbar imponirend, wenn man die einzelnen Nachrichten verfolgt, die uns nahezu alle paar Wochen aus Constantinopel zukommen und uns in Kenntniß setzen von den gewaltigen Anstrengungen, um dem Reiche durch weitgehende militärische Einrichtungen den nothwendigen Schutz zukommen zu lassen. Diese Nachrichten mußten zu Zeiten sogar eine alarmirende Wirkung auf die schwarzsehenden Gemüther des Abendlandes zu äußern, freilich auf solche, denen die Geheimnisse der ottomanischen Wehrkraft, die Oede der Staatskassen und nothwendigen Dispositionsfonds, ferner die Deroute der meisten militärischen Anstalten, wie: Institute, Arsenale, Forts und Festungen, stets unbekannt blieben und eine gewisse Beängstigung somit erklärlich machen mußten. Als Hussein Awni Großvezier wurde, hatte die Aufregung ihren Gipfelpunkt erreicht. Einzelne Tumulte, die sich im Oriente nicht nur zwischen Andersgläubigen, sondern auch im eigenen Glaubensstamme Tag für Tag abspielen, wie bei uns etwa einfache polizeiliche Uebertretungen, gaben zunächst Anlaß, auf die feindliche Gesinnung des neuen Großveziers hinzuweisen, bis die öffentliche Meinung aus Anlaß der von der Sultanin Walide gemachten Geschützbestellungen völlig außer Rand und Band gerieth. Nun, das letztere ist allerdings eine Thatsache, die Türkei verfügt aber beinahe über gar keine Festungen, Schumla, Silistria und etwa Kars ausgenommen, wo sie dieses kostbare Kriegsmaterial, das der Kanonenkönig Krupp geliefert, anbringen könnte, dann erfordert sein Transport, infolge Mangels aller Communicationen, derartige Anstrengungen, daß voraussichtlich zu erwarten steht, die modernen Feuerschlünde würden das Schicksal ihrer ältern Vorgänger theilen und im großen Hofe Tophanas resignirt Allahs Sonnenschein und Regen über sich ergehen lassen. Passanten der großen, nunmehr auch von einer einspurigen Pferdebahn occupirten Straße durch Tophana und Fyndykly werden gewiß des Oeftern Gelegenheit gefunden haben, den prächtigen Geschützpark in dem bewußten Arsenalhofe zu mustern. Geschütze und Protzen, die zu einander gar nicht passen, sehen sich bei ihrer Spärlichkeit gar melancholisch an, und zu Zeiten stößt man wohl auch auf abenteuerliche Exemplare, die an das Monstrum Orbans oder an die Familie der „faulen Grete" und anderer Ueberreste aus der militärischen Grauwacken-periode erinnern. Dort ruht im tiefen Sande den Schlaf des Gerechten jenes fabelhafte Geschütz, das, wie die Türken noch heute ganz ernsthaft versichern, bei dem Rückzuge Murads von Bagdad, ihrem Herrn nachgeflogen und guter Dinge, wenn auch etwas reisemüde am goldenen Horn angekommen sei.

Doch gehen wir weiter.

Es dürfte nicht unberecht erscheinen, scharf zu betonen, daß die „orientalische Frage" eng mit der Finanz-Misère der Türkei verkettet sei. Vor dem Jahre 1854, wo die Türkei in die Reihe der Alliirten gegen Rußland trat und so an der abend-ländischen Politik participirte, kannte es die Kunst des Borgens noch nicht. Der Jungfernschleier der Schuldenreinheit war ihr noch erhalten und von den süßen Verlockungen moderner Geld-Operationen kounte ihr keine etwas anhaben, bis man sich zu einem Versuche entschloß, der das Reich sogleich auf jene ab-schüssige Ebene brachte, auf welcher es sich seitdem befindet. Die erste Anleihe geschah im Jahre 1854 mit 3 Millionen Pfund Sterling und ward mit dem Hause Dent, Palmer und Comp. auf 33 Jahre contrahirt. Schon im darauffolgenden Jahre wollte man neuerdings von diesem süßen Gifte kosten und man nahm 5 Millionen Pfund bei dem Londoner Hause Rothschild auf, mit der Amortisationsdauer von 45 Jahren. In den beiden nächsten Jahren schränkte man sich ein; das Jahr 1858 aber brachte die türkische Regierung in die Klemme und sie nahm abermals bei dem Londoner Hause Dent, Palmer und Comp. 5 Millionen Pfund auf und zwar auf 35 Jahre. Das Jahr

1860 belastete den Staatsschatz mit 2 Millionen (Miret und Comp. in Paris) und jenes von 1862 mit 8 Millionen (Devaux und Comp. in London); die Amortisation hat bei ersterer Anleihe nach 36, bei letzterer nach 34 Jahren zu erfolgen. Im Jahre 1863 contrahirte die ottomanische Bank in London und Paris 8 Millionen und 1865 6 Millionen, mit beidesmaliger Verfallszeit von 22 Jahren. Von hier ab blieb die Türkei durch mehrere Jahre creditlos, da es selbst minder gewiegten Finanzmännern auffallen mußte, mit welchem Leichtsinne die Regierung darauf losborgte, ohne sich bei Zeiten durch gesunde wirthschaftliche Institutionen zu decken. Das Jahr 1868 aber bracht den Bedrängten am Bosporus abermals 6 Millionen, die durch die „Société général de Paris" contrahirt wurden, welch' letztere mit dieser Geld=Operation im Orient debütirte. Verfallszeit war 31. October 1873. Im Jahre 1869 wurde durch die Pariser Escomptebank eine Summe von 22 Millionen Francs auf 33 Jahre contrahirt, während kurz nachher abermals das Londoner Haus Dent, Palmer und Comp. mit 5 Millionen dem leeren Staatssäckel beisprang. In den letzten Jahren hat die Türkei unermüdlich fortgeborgt, es wurden Capitalien aufgetrieben, um einfach nur verfallene Posten zu decken oder Interessen zu zahlen, andere Anlehen mußten das Finanz=Deficit decken und so hat man die türkische Staatsschuld in den wenigen Jahren, seitdem das Reich in das europäische Concert einbezogen wurde, bis auf die respectable Höhe von 2020 Millionen Gulden hinaufgetrieben. Man kann hierbei nicht ohne berechtigte Besorgniß des Augenblickes gedenken, in welchem sich die ottomanische Regierung einer Reihe von Zahlungsverpflichtungen gegenüber befinden wird, die sie niemals zu lösen im Stande sein könnte. Die Türkei steht heute vor dem — Staatsbankerotte. Da der Handel nach wie vor in den Händen ausländischer Speculanten sich befindet, die Landesindustrie möglichst unrationell betrieben wird und überhaupt auf dem ganzen producirenden Elemente ein ungeheurer Druck lastet, so drängt sich Einem in der That die Frage auf, woher die ottomanische Regierung die Mittel nehmen sollte, um sich von einer noch nie dagewesenen Finanzkatastrophe zu retten, die wie ein drohendes Gespenst heraufzusteigen beginnt.

Resourcen hat das Reich allerdings wie wenig andere, aber
der türkische Verwaltungs-Apparat und das nichtsnutzige, corrum-
pirte Bureaukratenthum spottet jeder Kritik. Wie jeder Hamal
oder Kaïkdschi in Constantinopel, überhaupt jedes Individuum
neben dem einer Taxe unterworfenen Verdienste den Bakschisch
(Trinkgeld) gewissermaßen als eine pflichtgemäße Draufgabe
betrachtet, im gleichen Sinne belohnt sich jeder Gouverneur, jeder höhere Beamte mit einem Theile der Einnahmen,
und die Gelder, die von Seite der Regierung ausgeworfen
werden, um einzelnen Provinzen beizuspringen, kommen selten
über das goldene Horn hinaus und finden gar bald ein
Plätzchen in den Taschen der redlichen Herren, die in der Türkei
regieren. Die Industrie-Entwickelung hat man in der letzten
Zeit so rapid überstürzt, daß die paar Fabriken, die sich beispielsweise in Constantinopel befinden, und zwar jene in Staats-
regie, den größten Theil des Jahres feiern. Der Padischah
bricht stets in gerechten Zorn aus, wenn er die hohen Schlote
ohne das sichtbare Merkmal ihrer Thätigkeit, den Rauch, erblickt,
und mehr als einmal hat er sich gegenüber seinen Machthabern
geäußert, er wolle ein für allemal keine Schlote sehen, die nicht
— rauchen! Was die Fabrikarbeiter auf diese ihnen über-
mittelte Weisung thun, ist nicht schwer zu errathen, da es seitdem
über Galata und Stambul in einer Weise dampft, als befände
man sich bei Lüttich oder Manchester. Die Fabriksarbeiter bereiten
eben ihren Mokka in den Heizräumen der Maschinen . . .

Gleich traurig sieht es mit der ottomanischen Beamtenfrage
aus. Es vergehen wenige Tage in der Woche, wo die officiellen
Organe nicht ganze Spalten von Personal-Veränderungen bringen,
die sich zumeist auf die so wichtigen Reichsämter in der Provinz
beziehen. Dies bedarf einiger Beleuchtung. Unter den hochgradigen
Mängeln, mit denen das kranke ottomanische Reich so gesegnet
ist, mag jener der willkürlichen, zweck- und kopflosen Stellen-
besetzung, wie sie seit Decennien in noch immer unveränderter
Form stattfindet, wohl der allerempfindlichste sein. Mit jedem
neuen Regierungsvertreter greifen neue Einrichtungen, selbst-
geschaffene Reformen Platz, die bei ihrer Systemlosigkeit gegenüber der Gesammtverwaltung des Reiches niemals von Erfolgen
begleitet sein können. Die Herrlichkeit eines Kaimakam, Mutte-

ſarif oder Vali iſt in der Regel nach Monden gezählt. Was
erſcheint ſomit für einen türkiſchen Beamten natürlicher, als die
Zeit der ſieben fetten Tage nach Kräften für das eigene Wohl
auszunützen, das Reichserträgniß mit den perſönlichen Bedürf=
niſſen zu identificiren und nach gethaner Arbeit ſich ins beſchau=
liche Leben in irgend einen Pracht=Konak am Bosporus oder
Marmara=Meer zurückzuziehen? Das officielle Glücksſpiel, das
im Traume hohe Regierungspoſten bringt und wieder verſchwin=
den macht, als wären ſie nur optiſche Täuſchungen, wird übrigens
vorzugsweiſe im Bezirate cultivirt. Es gibt Söhne und zahl=
reiche Verwandte, die, obgleich in jeder Richtung unwiſſend und
unbrauchbar, von dem jeweiligen Gewalthaber über die Köpfe
der geſammten amtirenden Beamtenwelt hinweg getragen werden,
um ſie in irgend einer fetten Provinz wie auf ein Lager von
Eiderdunen niederzulaſſen. Mit welchem Materiale zuweilen
Reichsſtädte bedacht werden, kann man aus der Thatſache ent=
nehmen, daß noch heute des Sultans Pagen bei erlangter Reife
zu Kaïmakams und Mutchariſſ ernannt werden. Welch eigen=
thümliches Verwaltungstalent und welche Energie in praktiſchen
Regierungsfragen in dieſen Burſchen ſtecken mag, die von Kind=
heit an nur die perſiſchen Teppiche des Großherrn getreten
haben und nur auf Seide ſchlummerten, braucht nicht erſt com=
mentirt zu werden. Wir wollen bei dieſer Gelegenheit einiger
türkiſcher Staatsmänner gedenken, von denen man in den letzten
Jahren alles Heil für die Zukunft des osmaniſchen Chalifats
zu erwarten geneigt war ... Nachdem Mahmud Paſcha,
wie die meiſten ſeiner Vorgänger einer Palaſtintrigue zum Opfer
gefallen war, kam gerade zur Zeit der größten finanziellen Be=
drängniß Mehemet Ruſchdi Schirwanezade ans Ruder.
Mahmud Paſcha, ein enfant gaté der ruſſiſchen Politik am
Bospor und Buſenfreund des Generals Ignatiefs konnte damals
nicht einmal von der Sultanin Walide gehalten werden, ein
Beweis, daß zu Zeiten ſelbſt die maßgebendſte Protection auf
die launiſchen Entſchlüſſe des Großherrn nicht im entfernteſten
beſtimmend einzuwirken vermag. Mehemet Ruſchdi gehörte
früher der osmaniſchen Hierarchie an und war noch unter Aali
Paſcha als ein intoleranter, culturfeindlicher Paladin der con=
ſervativen Partei am „goldenen Horn" verrufen. Seine wiſſen=

schaftlichen Arbeiten — er sprach fertig viele orientalische Sprachen und hat den Aristoteles ins Türkische übersetzt — konnten nicht maßgebend in einer Berufssphäre erscheinen, deren Factoren sich in einer modernen, nutzbringenden Culturarbeit vertiefen, und da sich zur Zeit, als dieser Würdenträger das Reichssiegel führte, die leidige Eisenbahnfrage auf ihrem Höhepunkte befand, so hätte für die künftige Wohlfahrt des Staates manches geschehen können. Mehemet Ruschdi aber setzte in alle Vorschläge kindische Zweifel und der ehemalige Mollah entblödete sich nicht den Militär zu spielen, mit „strategischen" Linien zu paradiren und auf die unvernünftigste Art Reformen zu inauguriren. Er fiel, als sich die französische Regierung in den Haffunistenstreit mengte und den Padischah von der nutzlosen Hartköpfigkeit des Großveziers in dieser unerquicklichen Angelegenheit zu überzeugen wußte. Abdul Aziz Khan mag indeß nicht so sehr den Einflüsterungen des französischen Botschafters Bogus Gehör geschenkt haben, als er es überhaupt an der Zeit hielt, seinem Lieblinge, dem getreuen Mitarbeiter an dem Umsturze der legitimen Thronfolge, an seine Seite zu berufen. Unter allen Großvezieren der letzten Jahre war es Hussein Awni, der das meiste Comödiantentalent an den Tag legte und an nationalem Eigendünkel das Höchst= möglichste leistete. Hussein Awni war unmittelbar vor seiner Berufung Seraskier (Kriegsminister). Mag es nun sein Adlatus Kerim Pascha, ein ehemaliger Schüler des österreichischen Generals Hauslab, oder die eigene Selbstüberschätzung gewesen sein, Hussein Awni hielt seine Armee für eine der sattelfestesten Europas, verbat sich jede Einmengung in Regierungsangelegen= heiten und gab selbst der europäischen Diplomatie zu wieder= holten Malen zu verstehen, daß er keiner Unterstützung bedürfe und das Reich binnen Jahr und Tag in das gehörige Fahr= wasser bringen werde. Hussein Awni ist eben neben Rauf Pascha einer der größten Christenfresser der Türkei und ließ keine Gelegenheit vorübergehen, um seinen Haß zu documentiren. Unter diesem Großvezier hat die Eisenbahnfrage die wunder= barsten Wandlungen durchgemacht, und derselbe Mann, der sich als ein Reichsbeglücker par excellence hinstellte, wußte durch seine Intriguen ein Chaos herbeizuführen, daß nicht besser gelöst werden konnte, als mit der Entfernung seines Hervorrufers.

Hussein Awni wurde „in Gnaden" entlassen und so kam der liberale Essad Pascha zum zweiten Male ans Ruder, wobei man betonen zu müssen glaubte, daß das wirthschaftliche Talent dieses Mannes die schwebenden Fragen ehemöglichst in das günstige Fahrwasser bringen werde.

Das Prototyp eines echttürkischen Würdenträgers war unter den beiden letzten Großveziers der Minister für öffentliche Arbeiten — Edhem Pascha. Ohne wissenschaftlichen Bildung und von unqualificirbaren Charaktereigenschaften, war dieser Großmeister orientalischer Intrigue, Falschheit, Schlechtigkeit und Hinterlist durch mehrere Jahre unausgesetzt bemüht, eine jede officielle Maßnahme absolut für seinen eigenen Vortheil auszunützen und der Ungeheuerlichkeiten gibt es Legion, die von ihm zum Besten gegeben wurden. Edhem Pascha arbeitete nur in Bestechungen; er drängte sich selbst an die Bospor=Diplomatie heran und wir wollen einstweilen noch den Schleier über eine Angelegenheit gebreitet lassen, die beweist, wie selbst europäische Vertreter Würde und Ehre unter türkischem Einflusse vergessen lernen . . . An seine Stelle trat Serwer Pascha.

Unter den modernen türkischen Staatsmännern hat Mithad Pascha am meisten von sich reden gemacht. Wir haben schon einmal auf ihn hingewiesen und erübrigt uns nur noch zu ergänzen, daß dieser hochfahrende, eitle Mensch mit seinen Unternehmungen selten reussirte, da er mit Reformen nur tändelte und in einzelnen Spielereien abendländische Cultur zu copiren meinte. Mithad Pascha war auch Gouverneur in Bagdad. Er hat dort eine Pferdebahn anlegen lassen, zu deren Financirung die Bagdadiner mittelst Peitschenhieben gezwungen wurden, führte zwei Chausseen von seinem Regierungssitze in die benachbarten Districte, jede eine Meile lang, macadamisirt mit gußeisernen Telegraphenständern, die schlechter waren, als der elendste Karawanenweg und schon deshalb nie benutzt werden konnten, weil sie eben spurlos in der Steppe verschwanden. Wie Mithad Pascha die rebellischen Arabergebiete pacificirte, darüber wird sich noch Gelegenheit ergeben, wenn wir einen Blick auf Mesopotamien werfen, dem äußersten Territorium der Osmanidenmacht, die daselbst kaum mehr irgend welche Autorität ausübt . . . . Auf Mithad kamen Rauf und später Redif Pascha als Gouver-

neure nach Bagdad. Ihr Wirken war Null, doch haben sie nach
Kräften ihre Stellung ausgenützt, um über Nacht reiche Leute
zu werden und die Regierung zu hintergehen. Damals saß in
der Bilâjetsstadt Djarbekr der berüchtigte Ismail Pascha,
ein Mann, der es kaum zur Kenntniß des Lesens und Schreibens
zu bringen vermochte, sich aber sonst die ungeheuerlichsten Ver=
untreuungen zu Schulden kommen ließ, große Städte von aller
Garnison entblößte, um die auf sie entfallenden Gelder einzu=
streichen, d. h. einzutreiben, und Zwangssteuern auf Zwangs=
steuern decretirte. Stellt man nun neben diese am meisten
genannten ottomanischen Würdenträger die früheren Parvenus
Rhiza Pascha, Heydar Efendi, Kurschid, dann die
Glücksritter Daud, Aarifi, Sadbyk, Derwisch und die
Ignoranten im Style Hafiz Paschas, Yzzeds und viele
Andere, so haben wir das schöne Concert türkischer Politik,
Administration und Volksbeglückung beisammen ...

Dieser Troß nun stellt die politischen Propheten vor, denen
die Botschafter bei der hohen Pforte seit jeher ein williges Ohr
liehen. Ohne Geist, Bildung und Charakter, zu Intriguanten
geboren und erzogen, haben diese Serai=Creaturen, denen die
Verleihung eines großherrlichen Kebsweibes zur Gesponsin den
Inbegriff aller Auszeichnung ausmacht, seit jeher unsere kurz=
sichtigen Diplomaten getäuscht, mit Versprechungen und pomphaft
inscenirten Reformen irregeleitet, um in ihren Divans über die
leichtgläubigen Frenghis sich lustig zu machen und aus einer
Cabinets=Politik voll düstern Ernstes einen Bairamspaß zu machen.
Man hätte wenigstens doch bedenken sollen, daß man es hier
nicht mit einem geregelten Staate, sondern mit einem mehr oder
minder geheimnißvoll umhüllten Länder=Conglomerate zu thun
habe, dessen verschiedene Völkerschaften, wie: Kurden, Nestorianer,
Araber, Bulgaren, Serben, Albanesen und Bosniaken, durch ihre
centrifugalen Tendenzen gleichmäßig an der Zersetzung und Zer=
störung des Gesammtkörpers arbeiten, wie all jene andern
Factoren, die in der Chalifenresidenz am „goldenen Horn" zu
Tage treten, und sonst wenig feinen diplomatischen Spürnasen
eben nicht leicht zu entgehen vermögen.

Wie sieht es aber mit den großartigen Reformen aus, die
unsere Vertreter so naiv anstaunten? Die gemachten Reform=

anläufe, welche die allgemeine Tabakregie, die Säcularisirung der Wakufs, die Stempelabgaben u. dgl. m., sowie die Weisungen behufs Nutzbarmachung der Waldgebiete und Erzlager in sich schließen, sind Maßnahmen, deren praktische Resultate vielleicht kaum vor einem Menschenalter fühlbar werden dürften. Es ist überdies eine traurige Erscheinung in der Türkei, daß die Inangriffnahme von zweckmäßigen Neuerungen in der Regel einen bedeutenden Verwaltungsapparat in Anspruch nimmt, der bei seiner traditionellen Corruption von vornher als der Ruin eines jeden Unternehmens betrachtet werden muß. Ein großer Theil der Stämme und Völker von Türkisch-Asien leistet gar keine Abgaben, dafür saugt man um so tüchtiger die zugänglicheren europäischen Provinzen aus. Wenn man erwägt, daß die Vilayets von Djarbekr und Bagdad bei gesunder Verwaltung und Verwerthung des Bodens, sowie der massenhaften Roh-producte, binnen wenigen Jahren den Staatssäckel füllen könnten, muß es als geradezu lächerlich bezeichnet werden, daß diese reichen Provinzen infolge des immensen Verwaltungsapparates das Reichsbudget in bedenklichem Grade belasten. Für Jene, die letzterer Zeit der türkischen Finanzreform Sympathien entgegen-brachten, sei heute beiläufig bemerkt, daß nach den gemachten Erfahrungen zweifellos angenommen werden muß, die Unter-schlagungen, Bereicherungen und dgl. würden in dem Maße wachsen, als die Staatseinnahmen in den einzelnen Provinzen möglicher Weise zunehmen könnten.

Wie es sonst in den verschiedenen Regierungsbezirken aus-sieht, würden wir so manche Botschaft in Pera vergeblich befragen. Anstatt von Seite Oesterreichs eine Politik zu beobachten, die, auf intellectuelle und moralische Eroberungen bis ans schwarze Meer und die Donau-Mündungen gestützt, dem eigenen Bedürfnisse und jenen der dort vorwärtsstrebenden Völkerschaften gerecht hätte werden sollen, kokettirte es bislang mit den geschminkten Staats-Courtisanen von „Pascha Kapussi"; eine unverantwortliche Lauheit hat ferner seine Suprematie in commerzieller Beziehung lahmgelegt und den Westmächten ein Monopol dadurch in die Hände gespielt, daß es auf ottomanischem Boden Schienenwege erstehen ließ, die auf die Unterbindung seines Orienthandels gerichtet waren. So verblieb es auch bisher that- und rathlos in der „orientalischen Frage". Staatsmänner anderer Reiche sind mit ihren geistigen Waffen, mit ihrem politischen Scharfblicke und einer unausgesetzten streng wissenschaftlichen Prüfung der Situation, dem Zersetzungsprocesse der Türkei in allen seinen Erscheinungen gefolgt. Oesterreich aber steht unvorbereitet vor den Eventualitäten eines Zusammenbruches des Chalifen-Erbes, indeß seine Politik der Naivität in blasse Vorstellungen zerflattert und sich bisher keines bestimmten Programmes bewußt geworden ist, das ihr vorschweben sollte, um in dem diplomatischen Concert am Bosporus mehr als den — politischen „S t r o h m a n n" darzustellen. — —

Es war am 3. Januar 1869, als sich der größte Staatsmann der Türkei und deren begeisterter Patriot, F u a d P a s c h a, entschloß, seine letzten Lebensstunden dazu zu benutzen, ein politisches Glaubensbekenntniß niederzulegen. Dies inhaltreiche Document ging von Nizza, dem Sterbeorte Fuad Paschas, direct an den Padischah und enthielt die weitgehendsten Auseinandersetzungen über das Verhältniß des ottomanischen Reiches zu den abendländischen Mächten, über die Gebrechen, an denen es krankt, und legte die Wege klar, auf welchen fortan alle patriotischen Bestrebungen vorschreiten müßten, um eine drohende Katastrophe abzuwenden. Man hat dies Actenstück, welches erst kürzlich durch den Engländer Farley das Licht der Oeffentlichkeit erblickte, Fuads p o l i t i s c h e s T e s t a m e n t genannt, als weches es auch seinem ganzen Umfange nach betrachtet werden kann. Die niedergeschriebenen Worte sind bitterer Ernst, unerschütterliche Ueberzeugung und die vorurtheilsfreie Sprache muthet Einem an, wie die Kunde eines Sehers, dessen visionärer Blick in eine umdüsterte Zukunft dringt, um ein heraufsteigendes Verhängniß schonungslos zu verkünden ... Für diese patriotische Kundgebung aber hat Fuad denselben finsteren Dank geerntet, wie seinerzeit durch sein öffentliches Wirken. Für das traditionsstarke Islamitenthum, für die Fanatiker der politischen und bürgerlichen Stabilität bleibt er nach wie vor der „gottlose Neuerer", der „Gjaur", der der abendländischen Cultur und dem Zeitgeiste so große Concessionen zu machen wußte, daß die Individualität des Osmanenthums darunter nahezu verwischt wurde. Zu dieser Haltung der türkischen „Intelligenz" bedarf es keines Commentars.

8*

Bei dem beschränkten Gesichtskreise, wie er den ottomanischen Staatsmännern mit wenigen Ausnahmen seit jeher eigen war, kann kein vernünftiger Mensch erwarten, die Stambuler Efendis hätten dem Fluge des Fuad'schen Geistes folgen können. Er selbst erklärte unumwunden, daß alle Gehässigkeit seiner Gegner, alle persönlichen und principiellen Angriffe ihn unbekümmert lassen, da er wohl wisse, daß er im Kreise seiner Landsleute unverstanden bleiben werde und deshalb auf ihren Beifall nicht zu rechnen habe. Die heutigen Schlemmer am Bospor aber dürften so gut wie wir wissen, daß sowohl Fuad, wie Aali — die politischen Dioscuren der Pforte — mittellos starben, ein Beweis, daß sie den Patriotismus nicht von der Seite eines Hussein Awni oder Edhem Pascha auffaßten, denen die eigene Tasche immer vor dem Reichswohle ging. Das Fuad'sche Vermächtniß hat indeß kein Gehör gefunden und in jenen sechs Jahren, die uns von dem Todestage des Patrioten trennen, ist das Reich rapider denn je herabgeschritten ...

In den Auseinandersetzungen, die Fuad Pascha seinem Herrn und Gebieter machte, war er vor Allem bestrebt, die Besorgniß zu verscheuchen, als liege in der Abänderung der bestehenden Verhältnisse der Keim zum Abfalle von den islamitischen Traditionen. Er wies mit seltenem Scharfsinne darauf hin, daß allen Culturbestrebungen, durch die die abendländischen Mächte ihren gewaltigen Vorsprung gewannen, nicht im entferntesten etwas anhafte, was mit dem mohammedanischen Geiste nicht verträglich wäre, ja, er betonte entschieden, daß sich die Türkei schlechtweg an den Gedanken gewöhnen müsse, eine vollkommene, rationelle Umgestaltung ihrer politischen und socialen Einrichtungen durchzuführen, um bei dem europäischen Eilschritte der Cultur nicht ein Jahrhundert zurückzubleiben. Fuad beschwor den Padischah mit Institutionen zu brechen, die für die Zeit nicht mehr taugen. Wenn die Kraft des Volkes bloß in der Stabilität läge, dann gebe es ja überhaupt keinen Fortschritt und Jahrhunderte müßten ohne Wirkung auf das geistige und materielle Wohl vorübereilen. Was aber speciell die Errungenschaften der letzten Jahrzehnte anbelange, seitdem die Völker sich aus der Nacht despotischen Druckes emporgearbeitet, so sei es für das ottomanische Reich geradezu ein

Gebot der Nothwendigkeit, mit Europa gleichen Schritt zu halten und jene Institutionen ins Leben zu rufen, ohne die heute in Europa keine Macht länger bestehen kann ... All' diese Betheuerungen brachte der verständnißvolle Staatsmann dem ottomanischen Autokraten mit der entschiedenen Versicherung vor, daß sie aus reinem patriotischen Gefühle entspringen und somit in keinerlei Weise gegen den Islamismus verstoßen, ja, im Gegentheil derlei Reformen zu dessen Festigung absolut nothwendig geworden seien ...

Neben seinem wohlgemeinten Rathschlage für die Reorganisatiou im Reiche, waren Fuads Schlaglichter über die Stellung der Türkei zu den abendländischen Mächten noch weit bedeutsamer. Er rückte offen heraus, daß der wahre Alliirte der Pforte nur in England zu suchen sei und der Verlust seiner Freundschaft schmerzlicher wäre, als jener ganzer Provinzen. Eine Begründung dieser Ansicht hat Fuad Pascha nie vollkommen ausgesponnen, aber sie mag zweifellos aus gesunden politischen Calculationen entsprungen sein, wie überhaupt Fuads Politik etwas Absolutes, Elementares hatte und oft wie durch höhere Eingebung dictirt wurde. — Weniger verläßlich fand er die Beziehungen mit Frankreich. Ueberzeugt von dem Nutzen, der dem ottomanischen Reiche durch einen innigen Contact mit dem französischen Volke erwachsen müsse, verhehlte er dennoch nicht, daß eine gegenseitige Verständigung nur dann auf die Dauer möglich sei, wenn man dem französischen Nationalgefühle entsprechend Rechnung trage und sich überhaupt der scharfen Individualität dieses Volkes eng anschmiege. Andererseits würde Frankreich, sobald es von der Türkei nichts mehr zu erwarten, zu hoffen habe, zur Trübung der Verhältnisse um so energischer beitragen ...

Wohlbegründet, und ihrem ganzen Umfange nach wahres Verständniß der Sachlage bekundend, waren Fuads Ansichten über Rußland, das er den „natürlichen, eingefleischten Feind" der Türkei nannte. Ihn beängstigte das rapide Anwachsen dieser Macht, in welchem er, speciell was die Territorial-Erwerbungen in Asien anbelangt, ein verhängnißvolles Gesetz ihrer Bestimmung erkannte. Für Fuad ist dieser Entwickelungsprozeß ein Fatum, eine unabwendbare Nothwendigkeit, die sich in der Staats- und

Völkerstellung der Hundertmillionen=Nation begründet und er findet in dem successiven Vordringen dieser Macht nichts Ueber= raschendes. Er gibt sogar zu, daß er als russischer Staatsmann Himmel und Erde in Bewegung setzen würde, in den Besitz Constantinopels zu gelangen. Nebstbei war Fuad Pascha auf= richtig genug, zuzugeben, daß Rußland eigentlich nur in ähnlichem Sinne handle, wie seinerzeit die Osmanen gegen das byzantinische Kaiserreich, und principiell sei somit hier nichts einzuwenden, ja eine jede Berufung auf das gute Recht müßte sich äußerst kindisch ausnehmen, aber ihn beängstigte die Gleichgültigkeit Englands in Bezug auf Centralasien. Nun mit dieser „Gleich= gültigkeit" hat es sein eigenes Bewandtniß und wenn Fuad heute unter uns weilen würde, gäbe es der Gründe genug, anderer Ansicht zu werden. Die Staubwolken, welche alljährlich über die „centralasiatische Frage" in englischen und russischen Blättern aufgewirbelt werden, vermögen sich kaum mehr zu verziehen, und man erwartet einen Zusammenstoß der beiden erobernden Kolosse in Asien ebenso sehr, wie einen Zusammenbruch des Osmanen= reiches. Fuad Pascha hat keine Macht so sehr in ihren Maß= nahmen beobachtet, als Rußland. Er fühlte sozusagen den Stoß, den der nordische Koloß über den Kaukasus her gegen die asiatischen Provinzen der Türkei ausführte. Heute steckt der Pfahl bereits im Leibe der anatolischen Territorien und von den russischen Grenzforts in Armenien ist das obere Euphratthal in zwei, drei Märschen bequem erreicht. Man hat die Mahnung Fuads nicht berücksichtigt, der die größte Gefahr in dem Vor= dringen Rußlands südlich des Kaukasus erblickt, und ließ die Dinge ihren gewöhnlichen Lauf nehmen. Freilich war sogar dieser redliche und klardenkende Staatsmann nicht frei von jener angeborenen Verachtung gegen das Moskowitenthum und er hat sich zu dem Ausspruche verleiten lassen, in Rußland den denkbar schrecklichsten Despotismus verkörpert zu sehen. Ob nun die eiserne Faust Rußlands wirklich „schrecklicher" sei, als die ganze, viel hundertjährige Barbarei des Osmanenthums, erfordert wenig ernstliches Nachdenken und man darf es dem „Patrioten" Fuad nicht verübeln, wenn er sich gegen den ver= nichtenden Stachel des Erbfeindes emporbäumte.

Ueber die Stellung der Türkei zu Deutschland und Oesterreich

hat Fuad nur flüchtige Bemerkungen gemacht. Ersteres sah er
eben vollkräftig an seinem Einheitswerke arbeiten, letzteres mit
seinen inneren Angelegenheiten und mit der Heilung der Wunden,
die die letzten Kriege ihm geschlagen, beschäftigt und so lag kein
Anlaß nahe, Meinungen schärfer zum Ausdrucke zu bringen.
Die „natürliche" Bruderschaft, welche Fuad in dem politischen
Verhältnisse zwischen Oesterreich und der Türkei erkannt wissen
wollte, ist nie vollkommen einleuchtend geworden, und wenn wir
offen sein wollen, so müßten wir unumwunden zugeben, daß
die Freundschaftspolitik Oesterreichs diesem in jeder Hinsicht
geschadet hat. Aus Allem geht hervor, daß die Fuad'sche Politik
auf die Tripelalliance Frankreich-England-Oesterreich rechnete,
falls es je zu einem Conflicte mit Rußland gekommen wäre.
Gegen Rußland alle Bajonette Europas zu richten, war das
Um und Auf der Fuadschen Bestrebungen. Er wußte wo die
Gefahr lag und in seinem patriotischen Feuereifer ging er
unbewußt so weit, dem Padischah gewissermaßen testamentarisch
zu vermachen, was er in der zwölften Stunde zu thun habe,
um entweder das Reich vor dem Untergange zu retten, oder im
erbitterten Glaubenskriege ehrenvoll unterzugehen ...

Sechster Abschnitt.

Die Provinz Rumelien. — Eine Eisenbahn=Tour durch Thrakien. — Adrianopel, die Metropole des Alttürkenthums. — Moscheen. — Ruinen und Reminiscenzen. — Bis zum Balkan. — Blick auf Albanien. — An der Küste Albaniens. — Scutari. — Land und Volk. — Unabhängigkeitskämpfe der Montenegriner und Albanesen. — Die Souveränität Montenegros.

Kein Land hat auf ähnliche Weise alle Reminiscenzen an seine einstige Vergangenheit verloren, als das alte Thrakien. Die ehemalige römische Provinz, heute Rumelien genannt, ist im vollsten Sinne des Wortes ein ödes, uncultivirtes Steppen= land, in welchem es leicht geschehen kann, daß man ganze Tag= reisen hindurch auf keine menschlichen Niederlassungen stößt. Weites, wellenförmiges Land mit sporadischem Buschwerk zieht sich von den Thoren Constantinopels bis zur alten Sultans= residenz Adrianopel und die wenigen Städte, die man auf einer Tour durch die Provinz trifft, bieten das trostlose Bild türkischer Verwahrlosung, es wäre denn, daß Griechen oder Bulgaren sie bewohnten, wo die Ortschaften sodann wenigstens stellenweise die Physiognomie von menschlichen Ansiedelungen annehmen ... Und diese Provinz, die durch ihre Lage südlich des Balkans, in der einen Hälfte des Jahres ein überaus mildes Klima besitzt, ist nichts weniger als uncultivirbar. Was heute weites Steppen= und Weideland ist, auf dem Schildkröten ihr melancholisches Dasein fristen und über dessen Mulden zahllose Geier und Falken hungrig kreisen, könnte unter thätigen Händen über Jahr und

Tag aufblühen, die Hügel würden sich bewalden, und wie in den Gebieten des oberen Tuudja-Thales, gäbe es bald kein Naturproduct, das die verarmten Bewohner nicht erfreuen würde. So aber geht Alles seinen gewohnten lässigen Gang und die Regierung ist blind oder indolent genug, die Vortheile nicht einzusehen. Heute führt noch nebenbei die Schienenstraße von Constantinopel nach Adrianopel und darüber hinaus, quer durch das Land. Man sollte glauben, daß diese Thatsache nicht wenig geeignet wäre, die trägen Osmanen aus ihrer Lethargie aufzurütteln, aber wie im Augenblicke die Dinge bezeugen, hat man das Ereigniß des Bahnverkehrs sehr still und wo möglich uninteressirt aufgenommen. Statt einer rationellen Verwerthung dieses so hochwichtigen wirthschaftlichen Instituts, denken die allzeit weisen und reformsüchtigen Machthaber am Bospor an ungesunde Finanzoperationen, die dem Staate weit weniger auf die Strümpfe zu helfen vermögen, als es eine Nutzbarmachung der Bodenfruchtbarkeit naturgemäß erzielen könnte... Und jeder Rath hiebei ist ein verlorener. Gouverneure und Regierungsbeamten wissen, daß ihr Verweilen auf ihren jeweiligen Posten nur zu sehr von dem herrschenden Ministerium abhängig ist und wie der Vorgänger die Hände im Schooße behielt, so thut es auch der Nachfolger und die Kette der officiellen Faullenzer ist auf immerwährende Zeiten gesichert.

Es mag nun nicht uninteressant erscheinen, bevor wir in die alte Sultansresidenz Adrianopel einziehen, einen Flug im modernen Waggon-Coupé durch das thrakische Land zu vollführen. Die ersten Stationen, die den Reisenden hinter Stambul aufnehmen, sind Makriköj und St. Stefano, freundliche Griechendörfer, die infolge des geschaffenen, bequemeren Verkehrsmittels nun auch von Städtern bewohnt werden, zumal während der besseren Jahreszeit. Links erblickt man noch die kaiserliche Pulvermühle, rechts ein einförmiges ehemaliges Landgut des verstorbenen Omer Pascha und nach Passirung des Dörfchens Tschekmedsche klimmt die Locomotive die ersten Steilen des thrakischen Plateaus hinan. Bald wechselt das Bild. Nur stellenweise blinkt noch der azurne Spiegel des Marmarameeres herüber, Einschnitte verhindern oft jeden Ausblick, und nach unausgesetzter, fünfviertelstündiger Fahrt hält der Zug vor einer abermals unansehlichen Häusergruppe — Hadimköj. Von da ab macht sich die Charakteristik des thrakischen Steppenlandes geltend. Gleich einer bewegten See erscheint das weite Land mit seinen ab und zu wechselnden Kuppen und Mulden; Strauchwerk taucht inselartig auf und bei den Materialplätzen der Bahn kann man den lehmigen Boden, die weißen Sandmassen und das Gerölle, aus welchem das ganze Land zusammengesetzt ist, nach Muße in Augenschein nehmen. Von einem Hause oder Dorfe aber ist zu beiden Seiten der Bahnlinie nichts zu sehen.

Nach der Station Tschataldje hat diese Terrainformation ihr schärfstes Gepräge erreicht und die zahlreichen Mulden und Risse nehmen nach und nach die Form eines tief eingeschnittenen Thales an. Es ist der Erghene, an dessen Ufern die Bahnlinie bis über Tschorlu hinaus läuft und der durch einige Vegetation, die in dessen Nachbarschaft wuchert, das trostlose Bild ein wenig belebt. Buschwerk ist von hier ab überhaupt häufiger, ja, bei Tscherkesköj, dessen Name von einer Tscherkessen-Ansiedelung herrührt, nimmt der Baumwuchs schüchternen Anlauf zu einem kleinen Waldplätzchen, aber man möge sich von dieser Bauminsel (der einzigen auf der ganzen Tour nach Adrianopel) keine übertriebenen Vorstellungen machen. Bei Kabaткöj und Sinekli sah ich auf einer derartigen Reise die ersten Schafheerden. Man wird bei der ewigen Monotonie der landschaftlichen Scenerie bei ihrem Gewahrwerden geradezu elektrisirt und man mag sich innerlich freuen, endlich einmal auf lebende Wesen zu stoßen ... Die Staffagen auf den einzelnen Stationen sind übrigens malerisch genug. Außer den amtirenden Beamten, die in ihrer, aus allen Ländern des Occidents bekannten Uniform stecken, erblickt man durchwegs nichts Europäisches. Beturbante Faullenzer bieten Maulaffen, Pferdemiether sind nach Passagieren lüstern und warten ungeduldig mit ihren abgerittenen Mähren am Schlage, während am Perron ein bewaffneter Zaptié (Gensdarm) seiner Würde vollbewußt auf- und niederschreitet und sich mitunter auf eine Weise wichtig macht, als hätte er die ganze Bahn einzig und allein zu Stande gebracht. Auch Tscherkessen finden sich auf den Bahnhöfen ein und sie scheinen in ihrer jetzigen Abgeschiedenheit friedlicherer Natur geworden zu sein. Wer sich von dem „blutigen Stahl" nicht trennen kann, der hängt ein rostiges

Messer mittelst eines einfachen Strickes um und bei seiner sonstigen Toilette verliert er wenig von seinem ursprünglichen martialischen Air. Im Balkan selbst sind die internirten Tscherkessen indeß nicht so harmlos, namentlich um Varna und Burgas. Sie zählen zu den gefürchtetsten Räubern und sind noch wie vordem die erbittertsten Christenfresser.

Die erste Stadt, die man auf dieser Eisenbahnfahrt durch Thrakien erreicht, ist Tschorlu. Der Ort selbst ist nur in der Ferne sichtbar, in einem kleinen Thale — Tschorlu-Dere — und über den Rand des vorstehenden Bergrückens sieht man die dünnen Nadeln der weißschimmernden Minarets hervorragen. Die weitere Fahrt nun ist womöglich noch reizloser als die vorangegangene. Die Hügelformen schrumpfen zusammen und dann geht es Stunden hindurch in nahezu schnurgerader Richtung bis Lule-Burgas. Zwischen diesem Städtchen und Uzun-Kjöprü fallen mehrere eigenthümlich geformte Steinbrücken auf, die bei vollkommen ebenem Boden sich hoch übers Niveau erheben. Sie sind der Form nach kleine Rialto-Brücken und dürften vermuthlich in nicht gar zu naheliegender Zeit erbaut worden sein. Der Ort Uzun-Kjöprü (Lange Brücke) hat sogar den Namen von einem derartigen Bauwerke erhalten ... Mit der letztgenannten Station befindet sich der Reisende bereits im Maritzathale; Hügelreihen erheben sich hin und wider und vor Kuleli-Burgas übersetzt die Bahn den Fluß und sein Inundations-Gebiet. Die Maritza ist nach der Donau der größte Fluß in der Türkei und so harmlos er sich in der trockenen Jahreszeit ausnimmt, so tückisch wird er nach der Schneeschmelze im Balkan, wo sowohl in seinem Bette, wie in jenen seiner beiden Nebenflüsse Tundja und Arda, die Wassermassen zu ungewöhnlicher Höhe anschwellen. Da von Kuleli-Burgas eine andere Linie das Maritzathal abwärts bis Dedeagatsch an der Küste des ägäischen Meeres läuft, ist dieser Ort nicht ohne Wichtigkeit in Bezug auf den Handel zwischen dem Innern Rumeliens und jenem Küstenpunkte, von einer annehmbaren Ortschaft aber ist, wie überhaupt in den meisten Gebieten dieser Provinz, keine Rede.

Es muß hier bemerkt werden, daß die eben skizzirte BahnTour keine vollen zwölf Stunden in Anspruch nimmt. Das moderne Verkehrsmittel rettet die heutigen Reisenden in der

Türkei vor der geistigen und physischen Qual eines vieltägigen
Rittes durch dies öde Land und wenn man früh Morgens den
Stambuler Stationsplatz verlassen, nähert sich der geborgene
Coupé=Insasse gegen Abend einem dunklen, grau=braunen Häuser=
meere, zwischen dessen überschatteten Umrissen Lichtpünktchen hin=
und wider irren, gleich Funken vor einer Tapetenwand. Es ist
Adrianopel... Der Name hat guten historischen Klang
und je mehr man sich dem denkwürdigen Platze nähert, desto
intensiver bemächtigen sich die vorübergerauschten Ereignisse der
Phantasie. Die glorreichsten Epochen der Osmaniden dämmern
in verworrenen Bildern herauf, jene Zeit, da noch ein Suleiman,
den man den „Prächtigen" nannte, das Chalifen=Erbe nach
Außen hin über Gebühr repräsentirte und seine asiatischen
Schaaren bis vor die Mauern Wiens führte. Ein Lichtblick
für unsere Gedanken ist ferner jene Epoche, wo der Reichthum
und Glanz eines Selim oder Murad den morgenländischen
Zauber noch nicht verwischt hatte und der Stern des Türken=
thumes, der heute rascher denn je hinabsinkt, noch eine Welt
bestrahlte. Schade, daß diese momentane Illusion so rasch zer=
flattert und mit dem Betreten der uralten Stadt Hadrians die
Decadenz überall grell dem Besucher sich kundgibt... Ein
Volk, das keine Pietät für seine glorreichen Erinnerungen hat
und in ihnen kein belebendes Element findet, dem ist der Lebens=
nerv von vornher unterbunden, denn ohne Selbstbewußtsein
reagiren keine moralischen Kräfte und das Siechthum wird auf
die Dauer ein acutes.

Adrianopel, noch unter Mohammed IV. und Suleiman II.
im 17. Jahrhunderte vorübergehend die Residenz der osmanischen
Sultane, ist heute ein ungeheures Nest von vielen Tausenden
Holzhäusern, deren graue Dächermassen sich über niedere Hügel
hinwegziehen. Ein Labyrinth enger, schmutziger Gassen durchirrt
nach allen Weltrichtungen den Barackencomplex und mühsam
klettert der Fuß nach den höheren Quartieren. Nur wenige
monumentale Bauten fallen auf. Zu diesen gehören neben den
stattlichen Moscheen auch mehrere ehemalige Karawanserais, die
ihres ursprünglichen Zweckes längst überhoben sind und heutigen
Tags der hier ansässigen Kaufmannswelt zu Comptoirs und
Waarenmagazinen dienen. Zwei dieser großen Gebäude, Iki=

Kapuli-Chan und Rustem-Pascha-Chan, zeichnen sich durch ihren
alterthümlichen Styl aus. Im Innern des quadratischen Baues
laufen ringsum Balkon-Arkaden, überdacht von zahlreichen niederen Kuppeln. Eiserne Thüren führen rings in die Magazine
und in der Mitte der Hofräume stehen noch die verfallenen
Marmorbrunnen mit den bizarr geschweiften Flugdächern ...
Sonst ists einsam und öde in diesen einstigen Tummelplätzen der
osmanischen Kaufmannswelt. Tauben flattern durch die baufälligen Bogengänge und an dem einen oder anderen Pfeiler
kauert ein bulgarischer Garnspinner oder Teppichweber, der nur
dann erstaunt aufblickt, wenn einzelne Passanten, von all zu
intensiver Neugier gedrängt, seine Arbeiten in nächster Nähe
mustern. Neben dem Rustem-Pascha-Chan befindet sich eine
Kaffee-Bude, die ziemlich verwahrlost und armselig aussieht.
Nichtsdestoweniger mag sie für uns interessant erscheinen, denn
hier versammeln sich seit Jahrzehnten jene Janitscharen-Veteranen,
die seinerzeit als toll-trotzige Empörer die Macht Sultan
Mahmud II. zu fühlen bekamen. Sie mögen durch ein Wunder
jener Massacre entkommen sein und sind heute die besten Reform-
Hasser des Reiches. Da sie der Zeiten Lauf nicht ändern
können, grollen sie im Stillen über den Verfall des Osmanenthums und klagen das Jungtürkenthum zu Stambul an, daß es
von den alten Traditionen abgewichen und sich den ketzerischen
Neuerern des Abendlandes ausgeliefert hat. Hier glimmt noch
schwach der Funke einstigen Patriotismus. Still genährter Haß
facht ihn zeitweise an, wenn aber der letzte Janitscharen-Veteran
sein Auge schließt, ist auch diese ohnmächtige Opposition zerbröckelt ...

Imposante Denkmäler aus seiner Vergangenheit besitzt
Adrianopel nur in seinen drei Moscheen, welche sozusagen
knapp nebeneinander im Stadtcentrum liegen. Die älteste von
Amurad I., der zuerst europäischen Boden betreten, gegründet,
ist für Andersgläubige nicht zugänglich, denn wie die Stambuler
Ejub Moschee dient auch jene den von Mekkapilgern heim-
gebrachten Kaaba-Reliquien als Aufbewahrungsort. Nicht weit
von der „Muradjeh" steht ein zweiter moslemischer Tempel, die
„Moschee der drei Minarets", sogenannt, weil jedes der letztern
in Form, Höhe und Styl von dem andern abweicht. Der

geräumige Moscheehof hat hohe, weiß=grün gemusterte Bogen=
gänge und einen Marmorbrunnen mit Kuppeldach und Rund=
gitter ... Ein imposanter Bau ist die Moschee Selim II.
Sie ist das Meisterwerk des aus der osmanischen Culturgeschichte
bestens bekannten Architekten Sinan, der Erbauer der „Sulei=
manjeh" und der Moschee Bajazits zu Stambul. Die „Selimjeh"
zu Adrianopel ist der schönste und imposanteste Tempelbau im
osmanischen Reiche. Die Moschee dominirt mit ihrer Riesen=
kuppel, die um zwei Fuß weiter spannt, als jene der Hagia Sofia,
und mit ihren ungemein schlanken und hohen Minarets die
ganze Stadt und ist viele Stunden weit sichtbar. Wir treten
in den geräumigen Moscheehof. Weißrothe Bändermuster laufen
quer über die Rundbögen der Arcadengänge. Die Säulen sind
aus egyptischem Granit. Ueber das geschweifte Flugdach des
monumentalen Marmorbrunnens fällt der Blick auf das Riesen=
portal, durch das wir in das fremdartige Heiligthum eintreten ...
Behagliches Dämmerdunkel, von den Lichtern des Abendroths
durchirrt, empfängt uns. Rings concentrische Kreise von farbigen
Glasampeln, darüber hinaus die weiß=roth=blauen Bändermuster,
die sich nach dem Kreuzgesimse hin verlieren, dann grüne Felder
mit Koransprüchen in goldener Schrift und das bunte Farben=
geschiller der Kuppelwölbung, von der Goldrosetten und
Medaillons herableuchten. Einfache dunkle Teppiche, hin und
wider gar nur simple Strohmatten belegen das Marmorgetäfel
des Bodens, nur ein Thronhimmel mit vergoldeten Trägern,
Seidendraperien und werthvollem decorativen Schmuck deutet
auf den Glanz der einstigen Sultane, die in diesem Tempel zu
ihrem Gotte beten kamen ... Wer einige Zeit hier verweilt,
der wird unwillkürlich zur Erkenntniß gelangen, daß der Islam
immerhin noch äußere Mittel besitzt, um die Macht des Glaubens
in Tausenden von fanatischen Hassern fremder Religionen blitz=
artig zu erwecken.

Es verlohnt sich wohl der Mühe nun auch Einiges über
das alte Serai mitzutheilen. Man verläßt Adrianopel gegen
das Tundja=Thal. Bei dem Betreten des Weichbildes der Stadt
erblickt man zwischen den großen Platanen der sogenannten
Tundja=Insel einen mächtigen, achteckigen Thurm von anderem
baufälligen Gebäu umgeben. Ueber eine steinerne Bogenbrücke

gelangt man vor das Portal der alten Seraimauern. Trümmer=
hügel nehmen den zunächstliegenden Raum ein, dann betreten
wir das Innere eines arg beschädigten Kiosks, der seinerzeit
die Großen des Reichs aufnahm, denn noch findet man daselbst
den Thronhimmel mit seiner Ornamentenpracht und den Email=
Incrustationen, welche alle baulichen Träger überwuchern. Schutt
bedeckt den seiner Marmorplatten beraubten Boden, die schönen
Majoliken an den Wänden aber sind noch allenthalben erhalten,
und von der goldverzierten Decke leuchten farbige Arabeskenmuster
herab. Auf der entgegengesetzten Seite des Thurmes befinden
sich die, gegenwärtig einer kleinen Restauration unterworfenen,
Baderäumlichkeiten der einstigen Padischahs. Man betritt zuerst
das Soukluk (Kühlzimmer), in dessen Mitte ein prachtvolles
Marmorbassin auffällt. Auch hier sind die Wände mit den
schönsten Majolikaziegeln ausgelegt. Das nebenanstoßende Ruhe=
zimmer trägt eine Kuppel. Wer einen Blick in die Höhe wirft
und sich in die graziös verschlungenen Linien von Goldarabes=
ken und Email=Incrustationen vertieft, der wird dem Geschmacke
der früheren Osmaniden seine Bewunderung nicht versagen
können. Das Auge verweilt gerne bei diesem phantastischen Spiele,
wo die bildende Hand ein ganzes Blüthenbeet geschaffen, dessen
Krystall= und Goldkelche aus geschwärzter Ornamentik hervor=
flimmern. In eine der Wände dieses Schlafcabinets, welches
sein Licht von sacettirten Simsfenstern erhält, ist der Plan der
heiligen Kaaba als Majolikaziegel eingelassen, primitiv in seiner
Ausführung, wie die gesammte orientalische Bildnerei nun ein=
mal ist. Die weitern Räumlichkeiten wurden neuestens gleich=
falls restaurirt, da man infolge der Schienenverbindung mit
Constantinopel stets der Ueberraschung eines höheren Besuches
ausgesetzt ist. Vor einiger Zeit wurde auch der Padischah an
dieser geheiligten Stätte seiner Ahnen erwartet, und in Vor=
aussicht des Zutreffens dieser Hoffnung, ließ der damalige Gou=
verneur, Yzzed Pascha, unter den Platanen der Tundja=Insel
einen Marmor=Obelisk errichten, der den glücklichen Tag der
Anwesenheit des „Schatten Gottes" in schöner Goldinschrift
preist. Der Sultan aber erschien nicht und so verkündet heute
ein Monument eine Thatsache, die — nie stattgefunden hat.

Complet in Trümmern liegen die Räumlichkeiten des ein=

ftigen großherrlichen Harems. Es ist ganz unmöglich hier die
ursprüngliche Form einzelner Bauten auszunehmen. Wo einst
eine Reihe von Prachtgemächern stand, deren Inneres morgen=
ländische Schätze ohne Zahl barg, wo der Silberquell der
Marmorfontainen feine Regenbogenlichter aufs glitzernde Boden=
flies warf, und der Osmaniden Favoritinnen auf Persiens
Seidenstoffen schlummerten, dort dehnt sich heute eine Reihe
von Schutthügeln, zwischen denen hie und da Mauerrippen
emporragen. Da liegt die Herrlichkeit des Alttürkenthums in
Ruinen! Man denke nur an Selim I., dem Eroberer Egyp=
tens, an Mohammed II., der das Kreuz auf der Hagia Sofia
zum Sturze brachte, dann an Suleiman, dem glorreichsten aller
Sultane, deffen barbarische Eroberungslust sich mit anderen,
trefflichen Eigenschaften paarte. Dort, wo heute eine Schaar
Elstern im mürben Mörtelschutte scharrt, brütete einst Roxelane,
das schöne Frauenbild, ihre Intriguen aus. Indem sie die
ränkesüchtige Gesponsin des Propheten, Aïscha, die Todfeindin
Alis und der Fatimiden, copirte, zerstörte sie den inneren Frie=
den des Serais, während ihr Gebieter fremden Völkern mo=
hammedanische Gesetze mit dem Krummsäbel aufzwang ... Auf
diese Stätte werden heute die Pferdecadaver geschleppt und ein
Rudel wilder Hunde läßt sich das Aas schmecken.

Um dem öffentlichen Leben Adrianopels einige Worte zu
widmen, bedarf es keiner zu eingehenden Studie. Ein großer
Theil der türkischen Bevölkerung verbringt seine freien Stun=
den, wie jene Constantinopels, im Besestan und in der großen
Marktbude Ali Pascha Tscharschy. Die letztere, eine ungemein
lange, gewölbte Bazarhalle ist weitaus großartiger, als irgend
welche Gallerie in den Besestans Stambuls. Unter den Waaren
sieht man bereits sehr abendländische Erzeugnisse vorwiegen.
Im Uebrigen ist das Volk apathisch, die Geselligkeit Null und
die Reibereien zwischen Moslems, Bulgaren und Griechen an
der Tagesordnung ... Adrianopel ist die einzige Stadt südlich
des Balkans, welche seinerzeit Bekanntschaft mit dem Erbfeinde
der Osmanen, den Russen machte. Es war dies bekanntlich
1829, wo die „Moskows“ in die Metropole des Alttürken=
thums eindrangen und, von der europäischen Diplomatie unisono
unterstützt, jenen vortheilhaften Friedensschluß erzielten, der ihnen

die Suprematie im Osten verschaffte und den Padischah bis zum Jahre 1856 geradezu zum Vasallen des Czaren degradirte. Es leben in Adrianopel noch Leute, die sich jener Tage der Drangsal erinnern und die, gleich den Franzosen bei ähnlichen Anlässen, in der damaligen Passivität der Pforte Verrath wittern. Der Pascha von Scutari befand sich mit einem Heere von 30,000 Arnauten wenige Tagereisen entfernt, als die Präliminarien ihren Anfang nahmen. Es wäre im andern Falle den Russen auch übel genug ergangen. Ihre Truppen, welche die Stadt besetzt hielten, betrugen kaum den dritten Theil des heranrückenden albanesischen Hilfscorps und die 50,000 türkischen Einwohner der Hadriansstadt würden eventuellen Falls eben auch nicht ohne aller Bedeutung gewesen sein. — —

Mit dem Gefühle, als entferne man sich von einem Friedhofe, kehren wir der thrakischen Hauptstadt den Rücken, um weiter westwärts zu wandern. Es ist wieder der Schienenweg der uns vorwärts bringt. Zuerst gehts an der „Siebenhügelstadt" Philippopel vorüber, einer freundlichen Stadt, deren Terrassen herübergrüßen und dann an den Fuß des Balkans, wo heute der rumelische Schienenweg sein Ende findet. Dasselbe Gebiet, über das wir schon einmal gesprochen, das centrale Hochland der Türkei, nimmt uns auf und nach tagelangem Wandern durch die Gebirgswildniß des Rilo-Stockes und der Landschaften des „Arnautluk" im Quellgebiete der bulgarischen Morawa steigen wir auf das „Amselfeld" hinab. Hier hat die Civilisation wieder ihren Repräsentanten, den Schienenweg, der das weite, historisch berühmte Thalbecken von Nord nach Süd schneidet. Für uns aber hat diese Thatsache wenig Interesse. Der Blick der anfänglich am Mausoleum Murads gehaftet und vielleicht flüchtig den Rauchwirbeln der Locomotive gefolgt war, taucht plötzlich über die niedern Vorlagen in eine weit ausgedehnte Gebirgswelt. Bis zur Alpenregion ragen die imposanten Kalkzüge empor, gerade im Westen wie zu einer Cyklopen-Mauer emporwachsend, während nach Süd-Westen hin ein Chaos von Domen, Zacken, Schneehäuptern und meilenlangen Kämmen seine Ausdehnung nimmt. Jene sind der natürliche Grenzwall Montenegros, diese bilden das Hochland von Albanien... Von diesem Punkte aber, den uns

die Totalität dieser Gebirgswelt so großartig vorführt, würde
uns eine mühevolle, an Gefahren aller Art reiche Reisetour erst
nach vielen Tagen ans Ziel, d. h. in einzelne zugängliche
Districte führen, wenn sich nicht gar die Nothwendigkeit ein=
stellt, auf halbem Wege wieder kehrt zu machen. Wir verlassen
demnach das türkische Binnenland und zwar vorerst auf dem
makedonischen Schienenwege, der uns nach Saloniki bringt.
Von dort gehts zu Schiff um Griechenland, und nach einer
reizenden Meerfahrt zwischen dem hellenischen Festlande und den
jonischen Inseln, hält der Dampfer bei einem Knäuel grau=
brauner Häuser an ödem Gestade.

Wir sind hier in Albanien, und zwar an dessen Westküste.
Die eigentliche Hauptstadt des Küstensaumes ist Antivari, aber
sie liegt in ziemlicher Entfernung vom Gestade und die Bretter=
buden, die sich vor unseren Blicken erheben, sind nichts anders
als die Amtslocale des türkischen Zollwächters, der das Gepäck,
oder besser dessen Inhalt solange auf dem sumpfigen Boden
hin= und widerzerrt, bis er sein Trinkgeld erhalten, und des
Polizeibeamten, der uns — ebenfalls gegen Backschisch — den
Paß vidirt ... Seit Decennien halten an diesem Gestade die
Lloydschiffe, aber noch findet sich an demselben kein Quai, oder
Hafendamm. Geht die See hoch, so ist eine Ausschiffung mit
Lebensgefahr verbunden, und ist das Meer in vollkommener
Ruhe, so bringt es kein Boot über den Ufersand und Schlamm
hinaus. Passagiere und Gepäck werden mittelst Träger beför=
dert, die durch das Uferwasser waten. Auf dem Festlande an=
gekommen, späht man vergeblich nach einem Pfade, denn vor
uns breitet sich ein Sumpf mit weiten Rohrfeldern, durch die
man sich erst Bahn brechen müßte. Nur wenige Stunden
landeinwärts liegt die Hauptstadt des Vilayets Nordalbanien,
S c u t a r i, aber deren vorzügliche Lage in Nachbarschaft der
Küste konnte bisher die Regierung nicht bestimmen eine annehm=
bare Communication herzustellen; am Handel ist den Leuten eben
nichts gelegen, und so lange die Wildniß bei Antivari existirt,
der meilenweite Sumpf, die aus ihren Ufern tretende Bojana
und die unwirthlichen Felsensteige, — solange sind sie dahinter,
in ihren Erdlöchern, in Sicherheit. So denkt man in Scutari
und so wird es wohl für immer bleiben. Wer demnach dies

Erdenparadies erreichen will, der schließe sich einer Karawane an, die von Antivari aufbricht. Ist das Wetter trocken, die Jahreszeit günstig, so mag er auf zehn beschwerliche Reisestunden rechnen, während deren er durch die sumpfige Niederung, durch halsbrecherische Furten und über spiegelglatte Felsplatten zu setzen hat; ganz anders gestaltet sich die Excursion, wenn die feuchte Jahreszeit eingetreten und die Bojana aus ihren Ufern tritt. Dann gleicht die Niederung nur mehr einem weiten See, die Furten sind unpassirbar und auf dem elenden Reitwege sind die mannstiefen Trichter mit Schlamm ausgefüllt, die schönsten Mausefallen für unvorsichtige Reisende. Man findet nur mehr Schutz in einer verlassenen Mühle, um oft nach tagelangem Warten, die Reise fortsetzen zu können. Und in der That, auch das Ziel derselben ist des Weges dahin würdig. Ueber eine baufällige Brücke hält man den Einzug in Scutari. Geht die Bojana hoch, so kann kein Reitthier und kein Fußgeher über die Brücke, denn die Fluthen stürzen über deren Decke und reißen die Geländer fort. Auch die Stadt wird überschwemmt und das Wasser bringt in die Bazare, oder drückt die baufälligen Mauern jener Hütten ein, die zunächst des gefährlichen Stromes liegen. Aber von Seite der Regierung geschieht nichts, und so oft eine Hochfluth ihreVerheerungen angerichtet hat, errichten die indolenten Bewohner ihre neuen Wohnstätten neben den Ruinen.

Scutari ist eine der wichtigsten Städte der Türkei und zählt an 40,000 Einwohner. Eine Stadt nach den gangbaren Begriffen kann indeß diese Anhäufung von Wohnstätten nicht genannt werden. Es gibt keine eigentlichen Gassen, die niedern Häuser liegen einzeln in Gärten und sind mit Lehmmauern umgeben. Auch das Haus des Gouverneurs, ein einstöckiger viereckiger Bau, steht isolirt in der Ebene. Nur in der besseren Jahreszeit grünt es zwischen diesen traurigen Wohnstätten und die Gegend nimmt sodann ein gartenähnliches Aussehen an, im Winter liegt der größte Theil der Stadt im Sumpfe, den die Hochfluthen bilden. Dann ist jeder Verkehr unmöglich, die Straßen unpassirbar und die einzelnen mit ihren mauerumgürteten Garten-Häuser gleichen Inseln, die aus einem See emportauchen ... Es hat sich zwar der Fall ereignet, daß einzelne Gouverneure Anläufe zu Bauten nahmen,

ja, man sieht zu Scutari sogar das Fragment einer Fahrstraße,
aber derlei Spielereien begegnet man in der Türkei in jeder
Provinz, im Westen, wie im äußersten Osten, unter den Alba-
nesen, wie unter den Kurden. Die Hauptsache ist die, und
redselige Türken ermangeln nicht darauf hinzuweisen, daß eine
Invasion von der Küste her so lange eine Unmöglichkeit bleibt,
so lange sich Felsen und Sümpfe zwischen Scutari und dem
Meere lagern und keine Communication nach dem Gestade führt.
Das südliche Albanien hat seine Felsküsten, das nördliche seine
Sumpflandschaften. Communicationen aber brauchen die biedern
Moslems nicht, denn sie pflegen sich selten zu übereilen und
was in einem Monate zu richten wäre, daß läßt sich ohne
weiteren Nachtheile auch in dreien ausführen. Fällt es doch
keinem transferirten Beamten ein, von Scutari etwa nach
Stambul quer durch das Reich zu reisen. In diesem Falle
weiß er ganz gut von den, bei Antivari haltenden Dampfschiffen
Gebrauch zu machen, und er schlägt die kürzeste Route nach
der Residenz etwa über Triest, Wien, Galatz, Stambul ein.
Im Lande aber fürchtet der Rechtgläubige nichts mehr, als die
sogenannten Errungenschaften der Civilisation. Für ihn liegt,
seiner Ansicht nach, kein Segen darin, wenn das Land seine Straßen, seine Eisenbahnen oder seine Schulen hat, denn durch alle
diese Mittel wird der fremde Geist, die fremde Macht importirt
und das Osmanenthum geht zu Grunde. Welch wunderliche
Logik liegt nun darin, daß die einzige Rettung für die Türkei
ihre eigene Barbarei sei! Wenn man in den Ländern des
Propheten kein besseres Schutzmittel weiß, als dies, so mögen
sie resignirt ·den Tag abwarten, wo dieser letzte Wall durch-
brochen sein wird.

Indeß mag es auch für einen türkischen Machthaber keine
Kleinigkeit sein, zu Scutari zu residiren. An der Grenze Montenegros gelegen, sind die Conflicte von dieser Seite jahrein und
jahraus ebenso unvermeidlich, wie die im eigenen Lande. Das
Gouvernement von Skodra ist nicht groß. Es gibt zahlreiche
Unterdistricte im Reiche, die es, sowohl an Ausdehnung, wie in
der Bevölkerungsziffer, übertreffen, aber es handelt sich hier um
Elemente, die weit schwerer zu regieren sind, als vielleicht die
größten Provinzen des osmanischen Staates. Und diese Ele-

mente, wilde, unabhängige Bergstämme, bewohnen ihre unzu=
gänglichen Schlupfwinkel, spotten, wenn es darauf ankommt,
jeder Autorität und sind Herren in ihrem Lande. Nur die
Umgebung der Hauptstadt ist Tiefland, gleich unterhalb der=
selben beginnen die Felsenzüge des „weißen Albanien", die groß=
artigen Terrassenketten mit ihren baumlosen Plateaux und Schnee=
wipfeln. Hier, wo die Farbeneffecte des Südens in der
wärmeren Jahreszeit oft die bezauberndsten landschaftlichen
Scenerien vor dem Beschauer erstehen lassen, herrscht ein stren=
ger Winter, wo der Verkehr zwischen Thälern und Bergen auf
viele Monate vollkommen unterbrochen ist. So ist denn auch
der Kampf mit den Machthabern nicht der schwerere. Wem
das Leben so wenig bietet, wie dem albanesischen Hochländer,
der ist auch leicht bereit, es in die Schanze zu schlagen, und an
diese Verachtung der Existenz schließt sich noch die Heimaths=
liebe des Bergsohnes, die bei Bedrohung seines Herdes dop=
pelt feurig erwacht … Diese Thatsache macht es erklärlich, wie
sehr sich die Albanesen gegen die Außenwelt abschließen und
wie schwer es noch heute ist, sich umfassende Aufklärung über
ihre Wohnstätten, ihre Stammesbeziehungen und nationalen
Eigenthümlichkeiten durch locale Forschung zu verschaffen. Weite
Länder sind dem Fremden vollkommen verschlossen. Nur ein
Tollkühner könnte es beispielsweise wagen, in die nie von einem
Europäer betretenen Berge der Mirditen eindringen zu wollen.
Der Albanese tödtet nicht aus Mordlust, er tödtet, weil es ihm
Pflicht ist, seine Heimath dem Fremden zu verschließen, und
dieser Fremde ist nicht etwa der abendländische Reisende allein,
sondern auch die türkische Behörde, welche es niemals wagen
würde, an den uralten Privilegien der freien Bergstämme zu
rühren. Die christlichen Albanesen sind die einzigen Anders=
gläubigen, die in der türkischen Armee dienen dürfen.

Um den Charakter und die typischen Eigenschaften der
albanesischen Race kennen zu lernen, ist es vor Allem noth=
wendig, sich mit deren Geschichte vertraut zu machen. Sie ist es,
die uns an der Hand der Erfahrung gewissermaßen die Mittel
und Wege nahelegt, wie dies Volk für den Fortschritt und die
abendländische Cultur zu gewinnen wäre, und welche Concessionen
vorerst gemacht werden müßten, um dies urkräftige Bevölkerungs=

element für die moderne Civilisation zu gewinnen. So
weit es möglich ist, den typischen Charakter des Albanesen in
Contouren zu bannen, fällt vor Allem auf, daß er vollkommen
unfähig ist, sich mit Individuen derselben Race zu vergesellschaf=
ten. Ihm fehlt der Begriff der Association, das Axiom, daß
Einigkeit Macht verleiht. Im hohen Grade begabt, ist sein
Gesichtskreis dennoch sehr enge, und das eigene Interesse domi=
nirt alles Uebrige. So ist es nicht Wunder zu nehmen, daß
ein großer Theil der vornehmeren Albanesen, durch die vor=
handenen Eigenschaften sich im Oriente nach und nach empor=
geschwungen, daß sie durch Erwerbung praktischer Kenntnisse
Reichthümer geerntet und in der Handelswelt der Türkei eine
Rolle spielen. Aber es ist immer die Individualität, die zur
Geltung kommt, niemals eine nutzbringende Idee. So fehlt
diesem Volke, das so vorzügliche Naturanlagen besitzt, auch jed=
weder Sinn für das Ideale, das zunächst den Impuls zur Ent=
wickelung, zur Bildung und zum geistigen Wettkampfe gibt.
Nichtsdestoweniger besitzt es im hohen Grade die Eigenschaft,
fremde Cultur sich anzueignen, ohne je deren Einfluß absolut
zur Geltung kommen zu lassen, denn die Individualität des Alba=
nesen entspringt aus dessen Abgeschlossenheit, aus dessen Hang zur
Scholle, die er durch Emanation einer fremden Sitte oder Cultur
entweiht glaubt. Man kann all diese Charakterzüge sehr genau
verfolgen, wenn man sich in das Studium der albanesischen Ge=
schichte versenkt. Der hohe Begriff von persönlicher Ehre hat
beim Albanesen zur Folge, daß er durch Jahrhunderte der
tapferste Soldat war und die Blutrache als sein erstes Gebot
ansah.

Schon im Mittelalter taucht der Name der Albanesen auf,
denn sie haben nicht nur dem Halbmonde gedient und vielen
erobernden Sultanen eine Elite=Truppe in der vollsten Bedeutung
des Wortes gestellt, sondern auch in den Reihen englischer,
deutscher und französischer Armeen gekämpft, wie unter Hein=
rich VIII., Franz I. und Maximilian I. Die Urspünglichkeit
ihres ganzen nationalen Wesens wußte bei ihnen auch im hohen
Grade den Hang zur Romantik großzuziehen und viele Epochen der
Geschichte Albaniens verlieren sich in legendaren Kundgebungen,
oder im Volksliede, durch die die Liebe zur Freiheit gleich

einer unsterblichen Hymne hindurchzittert. Sie haben für die
Osmanen gekämpft, waren aber jederzeit zur Hand, sich gegen
sie ins Feld zu stellen, wenn man an ihrer Unabhängigkeit oder
an der Integrität ihres Landes zu rühren wagte. So bewahrt
uns die Tradition einen Cyclus homerischer Thaten, aus der
Zeit Amurats, wo die katholischen Albanesen, die noch heute die
Hauptmasse der nordalbanischen Bevölkerung ausmachen, gegen
die turanischen Eindringlinge den Vernichtungskrieg zu führen
begannen. Ihre Privilegien datiren seit Mohammed II. Sie
haben sie durch Jahrhunderte durch zahllose Revolutionen befestigt
und so ist die sporadische Autorität der türkischen Regierung
nur eine freiwillig augenommene, die sie spielend abzuschütteln
vermögen.

Wenn man nun einen Blick auf Nord=Albanien wirft, so
fällt es nicht schwer, zu erkennen, daß eine gewisse Stabilität
der Verhältnisse sich nur in den Bergdistricten erhalten hat,
nicht aber in den Nahien, wie die unter der gewöhnlichen
Bilayetsverwaltung stehenden Bezirke der Scutarier Niederung
genannt werden. Da ist die vor Jahrhunderten mühsam
geschaffene Cultur nach und nach spurlos verschwunden. Die
elenden Niederlassungen, auf die man heute stößt, krönen zwar
dieselben Hügel, auf denen die Venetianer ihre Städte erbaut
hatten, aber diese sind verschwunden und zwischen uralten Festungs=
werken erheben sich die baufälligen Hütten der heutigen Einwohner.
Hin und wider stößt man auf die Ruine einer christlichen Kirche,
über deren Portal der Markuslöwe zu erblicken ist. Eine große
Zahl von ehemaligen Niederlassungen slavischer und griechischer
Städte, die durch die verheerenden Kriege unter Suleiman
Pascha und Mahmud Pascha vernichtet wurden, sind aus denselben
nie wieder erstanden und aus den veröbeten Niederungen ragen
die Ruinen wie die Grabsteine eines Kirchhofes empor. Zu dem
ererbten Uebel immerwährender Fehde hat sich nun neuester
Zeit ein noch weit schlimmeres gesellt, nämlich das Fieber, das
in den weiten Sümpfen brütet und von Zeit zu Zeit die Bewohner
aus ihren Niederlassungen forttreibt ... So macht sich denn
auch hier, wie in allen übrigen Provinzen ein ungeheuerer Rück=
schritt geltend und über kurz oder lang wird die Türkei auch
die Anhänglichkeit ihrer albanesischen Partisanen verlieren, die

mit ihren katholischen Stammesbrüdern nur eine Sache mehr zu vertreten haben, ihre Autonomie, ihre nationale Unabhängigkeit.

Wir haben oben erwähnt, daß man die nationalen Eigenschaften der albanesischen Race am besten aus deren Geschichte beurtheilt. Obwohl es nun nicht Zweck dieser Schrift sein kann, ein historisches Gemälde über ein Volk zu liefern, das hier nur als Staffage im ottomanischen Reiche figurirt und dem entsprechend nur einiger scharfer Charakteristiken bedarf, so liegt, ebenso wie bei den Bulgaren, die zwingende Nothwendigkeit vor, zu dem bestehenden Verhältnisse gewisse Argumente aus der Geschichte hervorzuholen. Es liegt indeß noch ein anderer Grund vor. Montenegro, das im Norden an Albanien grenzt, kann von uns nicht gleichgültig übergangen werden, da das Volk der „Schwarzen Berge" seit der Invasion der turanischen Race immer als ein Hauptacteur in den Kriegen und Kämpfen im westlichen Theile der Balkan-Halbinsel aufgetreten ist. Das Bild der albanesischen Wirren im 17. und 18. Jahrhundert ist nicht vollständig, wenn man nicht die Geschicke Montenegros mit einflicht, d. h. man ist überhaupt nicht in der Lage, eines zu entwerfen. Wir werden bei dieser Gelegenheit gleichzeitig wahrnehmen, wie schwer sich das schwarze Hochland geraume Zeit hindurch gegen die osmanischen Gouverneure Albaniens zu halten vermochte, wie es dann wiederholt vollständig unter türkische Botmäßigkeit gebracht wurde, um im Wechsel der Ereignisse wieder seine Unabhängigkeit zu decretiren. Heute gilt Montenegro als souveräner Staat. Der Weg, der zu dieser Souveränität führt, ist ein sehr gewundener und wird darthun, daß es keine bloße Redensart ist, wenn man sagt, die reife Frucht falle Einem von selbst in den Schooß ...

Es wird allgemein angenommen, daß das Hochland von Montenegro, abgesehen von einer dünngesäeten einheimischen Bevölkerung, erst nach der Schlacht auf dem Amselfelde von flüchtenden Serben occupirt worden sei. Diese Annahme hat weder historisches noch ethnographisches Interesse, da die Montenegriner, sowohl die unserer Tage, als ihre Ahnen, kein eigenes, für sich abgeschlossenes Volk, wie etwa die Albanesen, ausmachen, sondern nur einen Stamm des serbischen Volkes. Erst durch die Jahrhunderte lange Abgeschlossenheit haben sich diese südslavischen Hochländer typisirt, Costüme und Sitten angenommen,

die einen kaum merkbaren Unterschied zwischen ihnen und ihren
nachbarlichen Stammesbrüdern hervorzurufen vermochten. Die
rauhen Berge Montenegros waren demnach nur der letzte Hort,
wo sich das Slaventhum nach dem Eindringen der Türken in
die Balkan-Halbinsel verkroch. Demgemäß beginnt die Geschichte
dieses Hochlandes erst mit jenem Tage, wo die osmanischen
Machthaber es versuchten, deren Bewohner unter ihre Botmäßigkeit
zu bringen vorher war Montenegro nichts weiter als ein Theil
des serbischen Reiches und zwar der obscurste ... Als die
Türken auch in Albanien erschienen, regierte ein gewisser
Zermovich in Zabliak. Er wird in der Tradition — eine
Geschichte Montenegros existirt nicht — Fürst von Zeta genannt
und zu seinem Reiche, dessen Residenz, wie wir sehen, außerhalb
des schwarzen Berges lag, gehörten auch diese. Damals soll
Zabliak, das heute nur mehr ein elendes Dorf an der Moratscha
unweit Scutaris ist, eine blühende Stadt gewesen sein, die
sich unter den Nachfolgern Zermovichs, Georg, Stephan und
Iwan Zermovich immer mehr emporhob. In dieser Zeit war
Mohammed II., der eigentliche Begründer der Türkenherrschaft in
Europa, mit 60,000 Mann vor den Mauern Scutaris, das der
Venetianer Antonio Lorendano vertheidigte, erschienen, aber
unverrichteter Sache wieder abgezogen, nachdem er einen großen
Theil seines Heeres durch Kämpfe und Epidemien eingebüßt
hatte. Nichtsdestoweniger sah sich die venetianische Republik
auf Grund anderer Schlappen gezwungen, durch Traktat vom
Jahre 1479 Albanien an den Padischah abzutreten. Das erste
was die neuen Herrscher in diesem Lande decretirten, war die
Aufrechterhaltung gewisser Privilegien der Bergvölker. Mit dem
Falle Scutaris ward auch Zabliak und das Besitzthum Zermovichs
dem Osmanenreiche einverleibt, ohne daß deshalb das eigentliche
Montenegro verloren gegangen wäre. Dort hatte sich bald eine
kleine Wandlung vollzogen. Der weltliche Fürst wich dem
geistlichen, dem Vladyka (Bischof), der seine Residenz in dem
heutigen Cetinje aufschlug und alles waffenfähige Volk der Berge
um sich schaarte. Der letzte Rest des serbischen Reiches sollte
nur mit dem Tode seiner Bewohner dem Eroberer ausgeliefert
werden. Man muß gestehen, daß in dieser patriotischen Kundgebung eine gewisse urwüchsige Kraft liegt, und nur ihr verdankt

das Hochland seine wiederholt erlangte Unabhängigkeit. Diese Kundgebung war aber gleichzeitig das Signal für die zahlreichen Mißvergnügten der slavischen, von den Türken unterjochten Provinzen, die in die Berge zogen und von Rache entflammt auf den Augenblick harrten, wo sie sich auf den Feind werfen sollten.

Von hier ab beginnen die Feindseligkeiten, die bis auf den heutigen Tag fortdauerten, der Vernichtungskrieg zweier Racen, zweier Völker verschiedener Religionen. Schon damals machten die Montenegriner die türkischen Provinzen, welche an das Hochland grenzten, unsicher, sie fielen über die Handelskarawanen her, brandschatzten die Ortschaften und tödteten die Bewohner, um deren abgeschnittene Köpfe daheim als Trophäe auf ihre Hütten zu pflanzen. Den Höhepunkt dieser Grausamkeiten brachte das Jahr 1687, in welchem sich endlich die türkische Regierung veranlaßt sah, energisch einzuschreiten. Suleiman Pascha drang mit einer bedeutenden Armee von Süden her ins Land, schlug allerorts das verzweifelt fechtende Bergvolk und errichtete schließlich in Cetinje, dessen Kirche er dem Erdboden gleich machen ließ, sein Hauptquartier. Montenegro war soviel wie unterworfen, die türkische Autorität wurde ihnen aufgezwungen und die Kopfsteuer für alle Bewohner des Landes ausgeschrieben. Da geschah das Unglaubliche. Nach vollendeter Pacification zog Suleiman Pascha wieder ab und ließ die Montenegriner nach ihrer Façon wirthschaften, statt im Lande eine Behörde einzusetzen. Die natürliche Folge hiervon war, daß die Unruhen bald wieder ausbrachen und dieselben Wirren um sich griffen, wie vor der Occupation. Es verstrich eine Reihe Jahre voll blutiger Ereignisse, bis um die Mitte des 18. Jahrhunderts ein Mann auftauchte, mit dessen Thaten eine neue Epoche für Albanien und Montenegro hereinbrach. Es war dies Mahmud Pascha, ein Albanese, Gouverneur von Scutari. Als Mann voll Energie und Ehrgeiz ging sein Trachten vorerst dahin, all die zahlreichen Herrchen, welche im Namen der türkischen Regierung einzelne kleine Provinzen aussogen, unschädlich zu machen. In seiner Person sollte sich die Souveränität der Pforte verkörpern und so bekriegte er die Paschas von Prisrend, Jakowa, Jpek, Tirana und Cavaja, zerstörte Pristina, das einen

Scutarier Kaufherrn insultirt hatte, und riß schließlich die Districte von Zabliak, Podgoritza und Spusch, die zum Gouvernement Bosnien gehörten, an sich. Es erscheint klar, daß die Pforte einem derartigen Treiben gegenüber nicht gleichgiltig verbleiben konnte. Bevor indeß noch die Regierung in dieser Angelegenheit einen Schritt that, trug sich Mahmud Pascha der Pforte an, Montenegro zu unterwerfen, wenn man ihn als den Verwalter der von ihm an sich gerissenen Bezirke anderer Gouvernements anerkennen wollte. Die Pforte war nichts weniger wie gewillt, eine derartige Concession dem hochgradig bedenklichen Ehrgeize Mahmuds zu machen und untersagte ihm jede weitere Action. Das traf den stolzen Mann etwas hart. Aber er konnte auf das Volk, dem er entsprossen, rechnen und er verständigte die albanesischen Gaue, daß sie sich bereit halten sollten, um die nöthigen Streitkräfte für eine bevorstehende Expedition gegen Montenegro ins Feld zu stellen. Ueberall, in Hoch= wie in Nieder=Albanien ward diese Botschaft mit Jubel aufgenommen. In der Ebene von Scutari sammelte sich das Heer Mahmuds und wenige Wochen später drang er siegreich ins Hochland ein, zersprengte die Bergstämme und nahm die Bergfesten von Wassowice und Niksic mit Sturm. Er war der erste osmanische General, der Montenegro von Süd nach Nord durchzog und so alle Gebiete unter seine Herrschaft brachte. Für die Bewohner des „Schwarzen Berges" war diese Niederlage noch empfindlicher, als wie jene, die sie vor mehreren Decennien unter Suleiman erlitten. Mahmud ließ mehrere Städte und Festen besetzen und war überhaupt gewillt, den Hochländern gleiche Rechte, wie den übrigen Unterthanen zukommen zu lassen. Sein reformatorisches und administratives Talent spornte ihn nicht weniger zu Thaten an, als wie seine Kampflust und seine militärische Begabung.

Es war im Jahre 1776 als Mahmud Pascha von Scutari auf der Höhe seiner Triumphe stand. Da traf von der hohen Pforte ein Ultimatum ein, welches dem widerspenstigen Gouverneur die Alternative stellte, entweder die abgetrennten Distrikte an ihre ursprünglichen Gouvernements abzutreten oder seinen Kopf zu verlieren. Statt einer Antwort — erstürmte Mahmud die Stadt Pekin unweit Durazzos. Da entsandte der Padischah ein starkes Corps unter den Befehlen Zekerias und Tschauschoglus, das der Rebell bis in die Ebene Scutaris vorrücken ließ. Die ersten Kämpfe waren für ihn ziemlich ungünstig und die Executions- truppen schickten sich an, die Stadt zu erstürmen. In einer Nacht wars, wo Mahmud gleichzeitig von mehreren Seiten einen Ausfall mit blinder Todesverachtung vollführte. Während er wie ein Löwe in die dichten Reihen des Feindes eindrang, fielen die albanesischen Bergstämme in die Flanke und nach mehr- stündigem Kampfe flohen Tschauschoglus Regimenter in vollster Auflösung gegen Prisrend.

Man sollte nun glauben, daß uns die Ereignisse einen momentanen Ruhepunkt schaffen könnten, aber jene wildbewegte, kriegerische Zeit kannte derlei Pausen nicht. Die Montenegriner hatten der Empörung Mahmuds gegen die Pforte nichtsweniger als gleichgültig zugesehen und es entsprach vollkommen ihrer Logik, daß sie sofort ähnlich handelten und ihrem Bedrücker den Gehorsam kündigten. Mahmud Pascha besaß in diesem kritischen Augenblicke die Stirne, von der Pforte Pardon einzuholen, um sich abermals auf Montenegro werfen zu können. Das Unglaubliche geschah und der Padischah verzieh dem Rebellen. Die Ver- muthung liegt sehr nahe, daß der Pforte weniger an der Bezwingung des „Schwarzen Berges" lag, als daß sie mit ihrem Pardon Mahmud Pascha zu gewinnen hoffte. Zu Stambul ging eben damals das Gerücht, Mahmud wolle ganz Albanien unter seine Herrschaft bringen und sich als unabhängigen Fürsten erklären. Obgleich in dieser Annahme viel Wahrscheinlichkeit liegt, so ist dennoch aus den albanesischen Traditionen Nichts bekannt geworden, das auf einen derartigen Staatsstreich hin- deuten könnte . . .

An dem Kampfe gegen Montenegro nahm diesmal die Elite der albanesischen Jugend theil. Tausend den besten Familien angehörende Scutarioten schwuren Mahmud den Eid der Treue und zwei Tausend Mirditen trugen sich, unter Führung Lech- Giokas, als Leibgarde an. Aus allen Gauen strömten Schaaren Freiwilliger, aber diese imposante Masse von Kämpfern war keine geschulte, disciplinirte Armee und ihr Führer Mahmud, der immer als Muster soldatischer Exactheit dagestanden, ließ die tollen Haufen regellos ins Land einbrechen. Die Katastrophe

war unvermeidlich. Nachdem eine Abtheilung nach der anderen
aufgerieben war, beschloß Mahmud mit 600 katholischen Albanesen,
die ihn eben umgaben, zu sterben. Im Engpasse von Bielopaulovich, diesen Thermopylen Montenegros, fiel dies letzte
Häuflein, und die siegreichen Hochländer brachten den Kopf des
gefürchteten Feindes nach Cetinje, um ihn als Trophäe aufzupflanzen . . .

Seit diesen blutigen Tagen war der Haß zwischen Albanesen
und Slaven zu seiner größten Intensität gelangt. Ein Unbe-
fangener, der diese ewigen blutigen Ereignisse nur aus der Ferne
erfährt, könnte leicht zu der Ueberzeugung gelangen, daß die
Wiederholung derselben um so unvernünftiger erscheine, als ja
auf keiner Seite greifbare Erfolge aus den steten Massacren zu
erwachsen vermögen. Das hat, so obenhin betrachtet, nun auch
seine Richtigkeit, aber der Erfolg spielt hier nur eine sehr unter-
geordnete Rolle. Die erste Triebfeder zu allen kriegerischen
Maßnahmen ist sowohl beim Montenegriner, wie beim Albanesen
— die Blutrache. Wechselt nun das Kriegsglück, so liegt es
immer an dem unterlegenen Theile, gelegentlich Vergeltung zu
üben. So wird ein dauernder Friede undenkbar und wie die
Thatsachen beweisen, stehen die beiden genannten Völker dort,
wo sie vor Jahrhunderten gestanden.

Es würde indeß auf die Dauer zu sehr ermüden, wollten
wir jede einzelne Episode, die auf das Verhältniß beider Völker
Bezug nimmt, hier anführen. Auch Bluthaten haben ihre
Schablone und da das Terrain dieser Kämpfe nur geringe Ausdehnung hat, so sind es sogar immer dieselben Objekte, die den
balgenden Stämmen zum Zankapfel dienen . . . Nach dem Tode
Mahmud Paschas trachtete dessen Neffe Ibrahim einem jeden
Conflikte mit dem Nachbarvolke zu entgehen. Er war überhaupt
nichts weniger als kriegerisch. Es nahm allgemein Wunder,
daß er auf seinem Zuge gegen die rebellirenden Feudalherrn
Rumeliens, ebenso viel Entschlossenheit wie Umsicht an den Tag
legte und der Pforte schon nach kurzer Campagne die Genug-
thuung verschaffen konnte, ihr die Köpfe mehrerer Chefs der
Rebellen zuzusenden. Im Allgemeinen war um diese Zeit die
Sympathie des Volkes für die Familie Buschatli, aus der sowohl
Mahmud wie Ibrahim hervorging, bereits ziemlich erkaltet.

Noch bedenklicher gestaltete sich dies Verhältniß, als Mustafa Pascha den Regierungssitz einnahm. Die Söhne Ibrahims waren minderjährig und so fiel an dessen Neffen die Regierungsgewalt. Der neue Gouverneur war ein selbstsüchtiger, mißtrauischer Mann, der sich zwar gleich hochfliegenden Plänen hingab wie sein, bei Bielopaulovich gefallener Großonkel, aber sein Ehrgeiz wurde durch keinerlei Fähigkeiten unterstützt, ebenso wie er mit seinem Thatendurste nicht die nothwendige Tapferkeit zu verbinden vermochte. Die größte Auflehnung rief eine Grausamkeit hervor, die er an seinen beiden Neffen ausführte. In der steten Furcht lebend, die Söhne Ibrahims könnten bei erlangter Großjährigkeit ihre Ansprüche auf den Regierungssitz geltend machen, ließ er sie (Tahir Pascha und Derwisch Bey) ermorden. Die Scutarioten veranstalteten Tumulte, während die Mirditen offen Partei gegen den Gouverneur ergriffen und nach Hoch-Albanien abzogen, wo eben Ali Tepelen, Pascha von Janina der türkischen Regierung zu schaffen machte. Als Mustafa so weit ging, mit Unabhängigkeitsbestrebungen die türkische Regierung zu behelligen, ward er von Sultan Mahmud II. 1831 als Rebell erklärt und ihm ein Corps unter Commando des Großvezirs Reschid Pascha entgegengesendet. In offener Feldschlacht konnte Mustafa keine Erfolge erringen und so schloß er sich mit einigen Abtheilungen ins Castell von Scutari ein, um schließlich zu capituliren und mit seinem Anhange über die Klinge zu springen.

Unterdessen nahmen die Reibereien zwischen Montenegrinern und Albanesen ungestört ihren Fortgang. Erst unter Hafiz Pascha, dem ersten Gouverneure Scutaris, der nicht aus einer einheimischen Familie stammte, fand einige Abwechslung statt. Hafiz Pascha, ein Tscherkesse, ward von dem Reformator Sultan Mahmud II. mit einer imposanten Militärmacht nach Albanien gesendet, um den „Tansimat", d. i. „die neue Ordnung", wie die Reformen genannt wurden, in dieser Provinz zu inauguriren. Bei der Mißstimmung, die gegen den Fremden schon an sich herrschte, bedurfte es nur der ersten kleinen Maßnahme, um die Albanesen zur Rebellion zu treiben. Und ein Anlaß hierzu ergab sich, als Hafiz die Entwaffnung der Bürger vornehmen und die neue Wehrordnung einführen wollte. Dieselben kampf=

süchtigen Bergsöhne, die mit den Türken gegen die Montenegriner, dann mit den scutariotischen Gouverneuren gegen die kaiserlichen Truppen kämpften, schlugen sich nun mit den Soldaten ihres eigenen Gouverneurs. Dieser Aufstand in Albanien hat viel Blut gekostet. Obgleich die Artillerie Hafiz Paschas ganze Gassen in die Reihen der Mirditen riß, kämpften sie dennoch verzweifelt und der Reform-Pascha mußte mit dem spärlichen Reste seiner Militärmacht kläglich abziehen ...

Jahre vergingen, aber die Kämpfe nahmen kein Ende. Es war dies Land ein Vulkan in ewiger Thätigkeit. Die größte Erbitterung indeß sollte erst kommen. Im Jahre 1847, also kurz vor Beginn der großen Umwälzungen in Europa, war der Vladyka von Montenegro gestorben. Sein Neffe, Danilo, der in Rußland seine Erziehung genossen hatte, nahm, gegen die seit Jahrhunderten bestandene Regierungsform, die Zügel der Herrschaft in die Hände, und nannte sich „Fürst von Montenegro und Brda" ... Wer unseren Schilderungen bisher gefolgt, der wird ohne Mühe die großen Züge, die hier von der Geschichte des Hochlandes gegeben wurden, überblicken können. Die ottomanische Regierung hatte durch alle Epochen die Montenegriner als Rebellen angesehen und sie, trotz ihrer wiederholt erlittenen Schlappen, als Unterthanen der Pforte erklärt. Da taucht über Nacht ein Fürst auf und der Schlupfwinkel eines freiheitslüsternen Bergvolkes wird zum souveränen Staate erhoben. Fürst Danilo aber ließ auch nicht lange auf eine Kriegsthat warten. Er wollte seinen Hochländern den Beweis liefern, daß die neue Aera die Traditionen hoch halte, und ehe sich die Türken versahen, fiel der junge Regent über die Feste Zabliak her und nahm sie mit Sturm. Diese Waffenthat war der Ausgangspunkt einer langen Reihe blutiger Händel, die sich fortan durch viele Jahre an den Grenzen Montenegros abspielten. Ja, im Jahre 1862 erhoben sich plötzlich die Slaven der Herzegowina unter ihrem Führer Luka Vukalovich, um mit den Montenegrinern gemeinsame Sache zu machen. Da erschien Omer Pascha, der Generalissimus der türkischen Armee, in Scutari, um ins Hochland einzumarschiren. Neben den regulären Truppen, über die der General verfügte, waren es wieder die Mirditen, welche unter ihrem Führer Bib-Doda hervorragend Antheil an dem

Kriege nahmen. Anfangs wollte es den Türken nur schwer gelingen, Herr der Situation zu werden, mit der bessern Jahres= zeit aber drang Omer Pascha siegreich von Ort zu Ort und als er bereits im Herzen des „Schwarzen Berges", im Defilé von Bielopaulovich stand, schien Land und Volk verloren. Da legte sich zum erstenmale die europäische Diplomatie ins Mittel und Oesterreich entsandte einen Delegirten, den Fürsten Leiningen, nach Stambul, um zu Gunsten des Fürsten von Montenegro zu interveniren. Hier stehen wir auf dem ent= scheidenden Punkte. Sobald die Türkei der fremden Intervention Gehör schenkte, gab sie gewissermaßen kund, daß sie in der Bekriegung Montenegros eine externe Angelegenheit erblicke. Die Pforte berief Omer Pascha ab und so erhielt Montenegro seine Souveränität, ohne daß sie je officiell anerkannt worden wäre.

Unter den Albanesen herrschte damals tiefe Erbitterung. Durch Jahrhunderte hatten sie an der Seite türkischer Truppen gegen die „Rebellen" im „Schwarzen Berge" gekämpft, um es zu verwehren, daß sie ihre Unabhängigkeit erlangten, jetzt besaßen sie sogar ihren „Fürsten" und die europäische Diplomatie inter= venirte zu ihren Gunsten. Albanien, d. h. das Gebiet der Mirditen ist aber nie von türkischen Soldaten betreten worden, während die Schaaren ottomanischer Generale dreimal im Herzen des „Schwarzen Berges" standen. Das wissen die katholischen Albanesen gar wohl und ihr alter Unabhängigkeitsdrang wird dadurch nichts weniger als — paralysirt.

Siebenter Abschnitt.

Küstenbilder vom Marmara-Meer. — Wanderungen ins Innere. — Die
Karawanserais. — Physiognomie des Landes. — Karahissar. —
Steppenreise bis Konja. — Die Heimath der Osmanen. — Von
Orchan bis Mohammed II. — Ein Blick ins Thal des Halys. —
Angora. — Die Hungerjahre 1874 und 75. — Die Aera der Eisenbahnen.

Wir sind mit unseren Wanderungen durch die europäische
Türkei zu Ende und setzen nunmehr unseren Fuß in jene Gebiete,
von denen aus das Osmanenthum einst dammbrechend ins Abendland eingedrungen war. Bisher fanden wir noch hin und wider
Gelegenheit, den Einfluß europäischer Cultur auf die halbbarbarischen Völker wahrzunehmen, denn der stete Contact derselben
mit dem Occidente konnte nicht ohne Spuren cultureller Attraction
vorübergehen. In Asien beginnt der Orient mit all seiner
romantischen Verworrenheit, seinen pittoresken Völker-Staffagen,
seinen uralten historischen Denkmälern und dem modernen Elend.
In Anbetracht, daß unsere Vorstellungen von jenen Gebieten
von weit mehr illusorischen Ausschmückungen durchwebt sind, als
die Territorien des Westens, und unsere Phantasie nur schwer
jene bunten Bilder der Geschichte aufgibt, wollen wir den Leser
vorerst als unbefangenen Touristen in den fremden Welttheil
einführen. Eine farbige Scenerie versöhnt uns momentan mit
den herrschenden Zuständen. Lange aber wird es nicht andauern
und das Stigma des Niederganges uns hier, wie jenseits des
Bospors, gleich unverkennbar entgegentreten.

Der bezauberndste Punkt am Marmarameere ist das an=
muthige, eine gute Wegstunde von Scutari gelegene Kadiköj
(Richterdorf). Hier dehnt sich an windgeschützter, kreisrunder
Bucht, deren Ränder nicht hoch genug sind, um die Aussicht zu
stören, eine ganze Straße von Sommerquartieren vornehmer
Peroten von Nord. nach Süd. Der Umstand, daß an derselben
Stelle, auf welcher heute zahlreiche zierliche Villen mit ihren
Gärten, Kiosken und schattigen Plätzen, einst das alte Chalcedon
stand, mag den Zauber der Ansiedlung wesentlich erhöhen. Wer
von Kadiköj den bestmöglichen Eindruck erhalten will, der lande
in Scutari, durchpilgere sodann den ungeheueren Begräbnißwald
der Mohammedaner mit seinen Millionen von Marmor=Obelisken,
Grabmonumenten und gestürzten Schrifttafeln, von Nord nach
Süd, bis er unweit der großen Gardekaserne an den Saum
dieses geheiligten Cypressenhaines gelangt. Beim ersten Blick
ins Freie tritt auch Kadiköj in die Perspektive. Weit hinter
der grasarmen Ebene Taghandschillar tauchen buschige Gruppen
aus dem tiefblauen Meere, das sich hier oben bereits sichtbar
zur Beckenform abrundet, weiße Häuserfronten leuchten mit ihren
Giebeln und Altanen darüber hinaus und in stets matteren
Nüancen schließen die Gebirgszüge des alten Bithynien ihre
weiten Cirkel um dies Kleinod des Marmara=Meeres.

In der Thaleinsenkung bei dem Dorfe Haidar Pascha wird
man durch den großen Bogen der Scutari=Ismit=Bahn nicht
wenig überrascht. Das moderne Dampfvehikel durchbraust bereits
auch dieses stille Gebiet des am weitesten gegen Nordwesten vor=
springenden Theiles Kleinasiens und es nimmt sich malerisch genug
aus, wenn die dunklen Rauchwolken der Locomotive in den
Cypressenwipfeln hängen bleiben, unter welchen seit Jahrhun=
derten die heimgegangenen Moslem schlummern. Zwischen
prächtigen Platanen, knapp am Meere, dessen Ufer neuester Zeit
regulirt wurde, um die Herstellung von Hafenbauten zu ermög=
lichen, liegt der Bahnhof von Kadiköj. Es ist ein einfaches, in dem
bekannten Style aufgeführtes Gebäude und bei dem geringen Verkehre
auf dieser kurzen asiatischen Flügelbahn finden die wenig gequälten
Beamten immerhin noch Zeit genug, um vor dem Perron auf
ihren niedern Hockstühlchen in aller Gemüthsruhe zu dem erwärmen=
den Mokka noch einige Pfeifen geschwärzten Brussaer Ju rauchen.

Das Innere Kadiköjs ist überaus malerisch. Die ganze
Stadt, vielleicht in den letzten zwanzig Jahren zu ihrer jetzigen
Lieblichkeit emporgewachsen, besteht eigentlich nur aus einer
unausgesetzten Reihe von Villen, verbunden durch wohlgeebnete,
reinliche Höfe, aus deren Bodenpflasterung hie und da ein
Marmorbassin mit krystallenem Wasserspiegel hervorschimmert,
oder es breiten sich in den vorhandenen Lücken üppige Laub=
kronen, die das Gefühl der Oede und Abgestorbenheit, das uns
bei orientalischen Niederlassungen so leicht beschleicht, nicht empor=
kommen lassen. Leider macht sich stellenweise auch das griechische
Geldprozenthum geltend. Die von geschmacklosem architektonischen
Schmuck überladenen Façaden einzelner Gebäude erinnern in
Nichts an die altberühmte hellenische Kunst. Auch mag es
Denjenigen, der den Boden Asiens mit einer gewissen heiligen
Scheu betritt, eingedenk der wildbewegten geschichtlichen Ereignisse,
die von hier ausgingen und dem Abendlande dreitausend Jahre
zu schaffen machten, peinlich berühren, daß er an keinem Punkte
dieser wie aus der Erde emporgetauchten europäischen Nieder=
lassung Reminiscenzen aus der Vergangenheit findet. Es ist
immer die gleiche steinere Symmetrie, die canelirten korinthischen
Pilaster mit ihren übermäßig ausladenden Capitälern, dieselben
Friese, Giebel und Marmortreppen, die man aus dem Abend=
lande bis zur Uebersättigung kennt. Greifbare Erinnerungen an
die uralte Niederlassung dieses Gestades findet der Fremde nicht
und er wird daher gut thun, sich in die betreffenden geschicht=
lichen Epochen zurückzuversetzen, um mit dem Genusse der Loca=
lität jenen des Studiums zu verbinden. Weit höher hinaus
in die Jahrhunderte vor Christo, als die Gründung Byzanz,
reicht jene Chalcedons. Unter den erwähnten Platanen am
Kadiköjer Bahnhofe befindet sich ein Brunnen, der ohne Zweifel
mit der antiken Quelle des Hermagoras identisch ist. Nicht
weit davon mögen die ersten Häuser der antiken Ansiedlung
gestanden sein, da hier das Meer am tiefsten ins Land ein=
schneidet und somit einen natürlichen Hafen bildet. In den
alten Traditionen heißt es, daß bei der Gründung Byzanziums
das Orakel behufs Feststellung des Platzes befragt, geantwortet
haben soll, man möge sich den „Blinden" gegenüber ansiedeln.
Es ist zweifellos, daß darunter die Chalcedonier gemeint waren,

die man also schon damals für kurzsichtig genug hielt, eine so
außerordentlich günstige Position, wie jene am „goldenen Horn",
übersehen zu haben. Andere legen obigen Ausspruch dem persischen Satrapen Magabyces in den Mund. Byzanz blühte auch
rasch empor und begann bereits eine Rolle in der Geschichte zu
spielen, als man über Chalcedon kaum mehr zu berichten wußte,
als daß es zum Zankapfel und Tummelplatz aller von Osten
und Süden hereingebrochenen Völker ward und durch den fort-
währenden Besitzwechsel ebenso sehr von den Persern, Römern
und Griechen, als später von den Gothen, Byzantinern und
Arabern heimgesucht wurde . . .

Wer durch die schöne von den modernsten Bauten ein-
geschlossene Hauptstraße nach ihrem südlichen Endpunkte wandert,
wird bei dem äußersten Vorgebirge plötzlich durch ein ganz neues
Bild überrascht. Die Häusermasse Kadiköjs liegt nun im Rücken,
während sich vor den Blicken eine geräumige Meeresbucht öffnet,
auf der gegenüberliegenden Seite von einer langen, bogenförmigen
Landzunge begrenzt. Letztere ist mit hohen Cypressen und anderen
Baumgruppen dicht besetzt. Es ist diese Bucht der antike Hafen
des Eutropius, gegenwärtig Kalamysch Körfes genannt. Unver-
gleichlich aber erscheint der Ausblick über das grüne Gestade
und das tiefklare Becken bis zur Landzunge. Wenn an hellen
Sommertagen die purpurn umschleierte Sonne niederlodert, so
leuchtets dortselbst wie von bunten Regenbogenlichtern auf und
farbige Schatten legen sich über die niederen Ufer. Regungslos
starren die prächtigen Cypressen und an der äußersten Spitze
der Landzunge blinkt der weiße, stattliche Rundbau eines Leuchtthurms.

Einst war es anders. Zwischen dem seinerzeit vermuthlich
noch üppigeren Vegetationsschmucke der Halbinsel stand der Landsitz
Belisars, der nach seiner Abberufung aus Italien und Ersetzung
durch Narses an diesem reizenden Punkte der kleinasiatischen
Küste seine letzten Lebenstage im ruhigen Genusse seiner Reichthümer verbrachte und nicht, wie die Tradition erwiesenermaßen
irrthümlich berichtet, als blinder Bettler in den Ländern Justinians umherziehen mußte. Es mag in der That damals auf
Fener Burun (so heißt die Landzunge heute) nicht übel gewesen
sein. Schattige Platanen in dichten Gruppen um das Marmor-

haus, deſſen Giebel und Säulen hie und da aus dem Blätter-
ſchmucke leuchteten; Bithyniens Blüthenwelt am Rande plätſchern-
der Fontänen und unter den ſtillen Cypreſſen lauſchige Plätzchen,
wo der abgeſetzte Feldherr ſich ſeinen verſchollenen Ruhmesträumen
ungehindert hingeben konnte. Die Natur mußte hier Sorge zu
tragen, daß der Byzantiner nicht an gebrochenem Herzen ſtarb.
Heute aber iſts ſtille in jenem abgelegenen Winkel des Marmara-
meeres. Einzelne Kaffeebuden ſtehen hin und wider unter den
Cypreſſen und am niedern Strande halten kleine Segelbarken.
Auch in Chalcedon beſaß Beliſar ein Landhaus, deſſen Säulen
Soliman nach Stambul hinüberſchleppen ließ, um ſeine Moſchee,
die herrliche „Suleimanjeh", damit auszuſchmücken. Die letzten
Spuren dieſes Landhauſes ſind erſt in der zweiten Hälfte des
vorigen Jahrhunderts verſchwunden und es war bis dahin eines
der älteſten byzantiniſchen Denkmäler am Marmarameere.

An den Geſtaden des windſtillen, lieblichen Hafens des
Eutropius vermag man auch allenthalben noch die Stellen zu
fixiren, an welchen ſich die verſchiedenen antiken Tempel befanden.
All die Vorgebirge, die heute meiſtentheils ungeſchmückt in die
blauen Fluthen des Meeres abtauchen, hatten auf ihren Scheiteln
jene zierlichen Marmorhallen, welche man auch an den Küſten
des Mutterlandes überall anzutreffen pflegte. Es mag für den
ſeefahrenden Griechen in der That ein erhebender Anblick geweſen
ſein, wenn er auf ſeinem Wege vom Helleſpont herüber plötzlich
der Küſte Bithyniens anſichtig wurde, deren leuchtende Tempel
weithin durch das farbige Gewölk ſchimmerten. Es muß der
Abend dämmerfarbig herabthauen, um zum Bewußtſein dieſes
eigenartigen Zaubers zu gelangen. Ein glühender Streif, gleich
flüſſigem Golde beſpült den Küſtenſaum Jener Buruns, wo einſt
der Marmortempel der Venus Marina ſtand; dahinter tauchen
einzelne der Prinzeninſeln aus dem vibrirenden Kryſtallbecken,
und tief im Hintergrunde, wo bereits die Gebirgscontouren in
violetten Dünſten verſchwimmen, leuchtets wie von einer blank-
polirten Silberkuppel in die farbigen Wolkenlager hinein. Es
iſt die Schneekuppe des bithyniſchen Olymp. Zwar bietet dieſer
Bergſockel im weſtlichen Kleinaſien nicht jenen impoſanten Anblick,
wie ſein theſſaliſcher Namensvetter, doch fanden ſeinerzeit die
aſiatiſchen Griechen in dem ſchneebewipfelten Berge einen will-

kommenen Anhaltspunkt, um für ihre götterseligen Reminiscenzen ein Objekt zu creiren, das ihnen das Götterheim im Mutterlande lebhafter in Erinnerung belassen konnte. Aber die Götter blieben ungerührt gegenüber dieser poetischen Analogie. Sie haben den bithynischen Olymp niemals officiell anerkannt und nur die Phantasie erkannte ihn gewissermaßen als deren Absteigequartier an, wenn die griechischen Völker an den Küsten Kleinasiens mit den Barbaren des Ostens im Streite lagen ...

Unweit Kadiköjs gibts noch eine zweite Localität, bei der wir, gleichsam zur Erquickung, gerne verweilen. Es sind die „Prinzen-Inseln", deren dunkle Profile aus dem Azurbecken des Meeres tauchen. Vom stillen Elemente umfluthet, muthen sie wie traute Asyle an, in die man sich zu beschaulichem Genusse verlieren möchte, vielleicht auch mit der süßen Hoffnung, für die dürstende Phantasie jene Objekte der Antike ausfindig zu machen, die stets wie ein lichter Traum auf uns einwirken. Da grüßt das schimmernde Prinkipo, und nebenan das grüne Kalki herüber, smaragdne Juwelen in türkisheller Fluth. Zwischen den Kronen leuchten die Fronten mehrerer Klöster und die zierlichen Villen zeichnen sich als helle Pünktchen auf der dunklen Tapete ab. In weiterer Nachbarschaft liegen Plata und Oxeia, nackte, öde Felsrücken, einst gefürchtete Exile, von denen aus die Verurtheilten wohl den Blick ins Paradies genossen, in ihrer Wüstenei aber an tantalischen Qualen dahinschmachteten. Da ist noch Prote mit seiner scharfen Silhouette, Antigone, mit seinen bleichen Felscaps; dann Pyti, Antirobidos und Nanidro ...

Im Oriente hat Clio keine Schäferstunden gefeiert. Ein Jahrtausend ums andere ist dort mit seinem bunten Chaos heraufgezogen und die meisten Völker des Ostens haben an jener Schwelle gerastet, wo sich nach den Worten des Dichters: „Asien von Europa riß" ... Auch die Prinzen-Inseln haben ihr historisches Denkmal. Das einzige griechische Kaisergrab, das der Nachwelt erhalten blieb, birgt ein einsames Kloster auf der schönsten der neun Inseln, auf Prinkipo. In früheren Jahrhunderten, als noch das Kreuz auf der Aja Sofia blinkte, haben Kaiser und Kaiserinnen dort die Einsamkeit gesucht und, indem sie ihre Blicke gleichzeitig nach den Gestaden zweier Welttheile schweifen ließen, mag, bei allem sonstigen Friedensgefühle, unbewußt der Glaube an ihre Macht heraufgeleuchtet haben. Prinkipo war aber auch Zeuge verloschenen Glanzes, denn das St. Georgskloster beherbergte die Kaiserin Irene, dieselbe, welche es gegründet hatte — als Gefangene. Als zu Anfang des zehnten Jahrhunderts die hochherzige Beherrscherin Constantinopels mit dem Plane umging, die Reiche des Orients und Occidents in eine einzige starke Hand zu legen, und zu diesem Ende bereits mit den Abgesandten abendländischer Mächte unterhandelte, drang der Reichskanzler Nikephorus unerwartet in den Palast, um von ihr vorerst das Geheimniß zu erpressen, wo sich die Kronschätze befänden. Die Kaiserin erkannte es als ein Gebot der Klugheit, dem Usurpator nachzugeben. Aber Nikephorus war mit dem Golde Asiens und Europas nicht zufrieden und verbannte Irene auf die Insel Prinkipo, in deren Kloster sie nach ihrem Ableben bestattet wurde... Bekanntlich haben die Kreuzfahrer und andere Eroberer des Abendlandes die byzantinischen Kaisergräber zerstört und die Asche der Heimgegangenen in alle Winde zerstreut. Die herrlichen Monumentalsarkophage der Paläologen fielen in Trümmer, aber bis Prinkipo reichte der Arm der Barbaren nicht und so blieb uns eine Ruhestätte der byzantinischen Machthaber erhalten...

Wir nehmen nun Abschied von diesen Bildern stillen Friedens und beginnen unsere anatolischen Wanderungen mit einer Eisenbahnfahrt längs des Marmarameeres. Der Schienenweg führt heute bis Jsmit und ist die erste kleine Theilstrecke jener großen Ueberlandlinie, die vom Bospor durch alle türkischen Provinzen Asiens, bis an den persischen Golf führen soll. Heute ist diese Lieblingsidee der Handelspolitiker im großen Style noch vollkommen in der Kindheit, aber in den letzten Jahren ist zur Verwirklichung derselben mancher Schritt gethan worden und wir werden nicht ermangeln, die diesbezüglichen Unternehmungen in dieser Schrift bekannt zu geben. Bei Jsmit verlassen wir die Küste und schlagen den Handelsweg ein, der in das Thal des Sakaria führt. Anfangs ists ein Hügelland, aus dessen weiten Mulden Feldergürtel grüßen, dann wird der Pfad immer beschwerlicher und durch steinige Defilés gehts längs des Flusses. Die Bevölkerung, meist Türken, ist ungemein dünn gesäet. Stellenweise trifft man auf türkische Wachthäuser, wo sich ein

kleines Piquet Gensdarmen auf viele Monate behaglich ein=
gerichtet hat, denn diese spärlichen Hüter der Ordnung werden
weder zeitgerecht abgelöst, noch verpflegt. Sie sind infolge dessen
bettelhaft und zudringlich und wer sie nicht freiwillig beschenkt,
der wird leicht die Erfahrung machen können, daß es den
Wächtern des Gesetzes gerade nicht darauf ankommt, einen
fremden Reisenden, statt zu schützen — kunstgerecht auszurauben.
Will es das Geschick, daß Einen die Nacht mitten in der Steppe
oder auf menschenleeren Höhen überrascht, so trifft sichs wohl,
daß man einen einsamen Karawanserai zur Unterkunft findet,
aber mit diesen ruinenhaften Gebäuden ist dem Reisenden selten
gedient. Es sind uralte Bauwerke, die entweder aus Landes=
mitteln oder von Stiftungen errichtet wurden. Viele Sultane
glaubten einem öffentlichen Bedürfnisse abzuhelfen, wenn sie
derlei Einkehrhäuser errichten ließen. Der betreffende Bau, der
immer den Namen des Gründers führte, erhob sich sodann an
wichtigen Stellen der Karawanenstraße, meistens in Einöden, wo
jede andere Unterkunft ermangelte. Noch heute sieht man diese
altersgrauen Bauwerke. Sie sind sehr oft einstöckig, im Vierecke
aufgeführt, mit Arcaden im Innern, Wohnzellen, Stallungen
und Brunnen. Ein solcher Chan oder Karawanserai mag
seinerzeit sogar widerstandskräftig genug gewesen sein, um einen
Ueberfall schlecht bewaffneter Steppenräuber abzuhalten; heute
sind sie nicht viel besser wie Ruinen. Weder Thüren, noch
Fenster sind zu erblicken und der einzige permanente Bewohner
des Gebäudes, der Chandschi, der auch die elende Verpflegung
besorgt, führt den Reisenden in die nächstbeste Zelle ... Ein
mageres Inventar für die beutelüsternen Steppenbewohner!
Leere, fahle Wände, eine Strohmatte auf dem geborstenen Estrich
und ein formloser Holzblock, der wohl einen Stuhl oder der=
gleichen ersetzen soll. Die Zelle hat weder Thür= noch Fenster=
Verwahrung. Der Sturm heult so mitten durch und auf dem
Estrich tummelt sich eine höchst bedenkliche Insectenwelt, in der
Scorpione und anderes giftiges Gewürm gerade nicht die
seltensten Exemplare sind.

So geht es tagelang fort an Ruinen vorüber, die der
ältesten Geschichte der Osmanen angehören. Vor Allem ists
Biledschik, dessen keck auf die Bergzacken gesetzten Trutzbauten

uns ins dreizehnte Jahrhundert zurückversetzen und Zeugniß ent=
schwundener Macht ablegen. Diese verfallenen Zinnen sind nur
mehr ein Markstein auf dem Wege, den das Türkenthum von
Osten gegen Westen einschlug. In dem wildromantischen Thale
regen sich heute tausend dienstbare Hände und die langen Fabrik=
schlote deuten wohl darauf hin, daß die Cultur auch in diesen
stillen Winkel einzudringen wußte. Ueber die dunklen Berges=
rücken nebenan breiten sich dichte Wälder und wenn man einige
Stunden westwärts ritte, würde in einem üppigen Thale vor
dem Reisenden plötzlich eine bunte Häusermasse auftauchen, über=
ragt von einer Anzahl grauer Kuppelbauten. Es ist Brussa,
die letzte Residenz der Osmanen, so lange sie nur asiatischen
Boden inne hatten. Wir aber setzen unsere Route ostwärts
fort, um mälig nach den Plateau=Landschaften emporzusteigen,
die sich vom Sakaria über Angora hinaus und im Süden bis
zu den taurischen Ketten entwickeln. Es ist dies das eigentliche
Stammland der Osmanen. Ein Theil ist Culturland, die größten
Strecken aber nimmt fetter Weideboden ein und in Centro=
Anatolien breitet sich eine, nahezu 200 Quadratmeilen große,
Salzsteppe aus. Das ganze weite Gebiet, namentlich zu beiden
Seiten des Kyzyl Yrmak, dem antiken Halys, ist baumlos, hin
und wider von mattgrünem Buschwerk überwuchert. Die Städte
und Ortschaften sind unansehnlich, die Communicationen be=
schränken sich auf jene, seit Jahrhunderten von den Karawanen
betretenen Pfaden. Allenthalben stößt man auf Ruinen, die
entweder bis ins griechische Zeitalter hinaufreichen, oder aus der
Zeit der Seldschukiden stammen. In der warmen Jahreszeit
treiben die türkischen und turkomanischen Hirten ihre prächtigen
Ziegenheerden, welche die unter dem Namen „Angora=Wolle"
bekannten Felle liefern, aus den Flußdistricten auf die Plateau=
Terrassen. Man begegnet dann tagelang nur einzelnen Zelten
und der Weg geht oft mitten durch die Lämmerrudel, die von
wilden kurdischen Hunden bewacht werden. Die meisten Gebirge,
die zu diesem Territorium gehören, sind unansehnliche Rücken.
Zeitweise blinkt auf ihren Kuppen ein thurmartiger Bau, die
Ruhestätte eines heimgegangenen Localheiligen und auf den
dürren Baumästen zunächst des Tempelchens modert ein bunter
Plunder alter Kleidungsstücke, die abergläubische Quacksalber

aufgespeichert, im Glauben, daß sie wunderthätig und heil-
kräftig würden.

Die große Karawanenstraße, welche Anatolien von Nordwest
nach Südost durchschneidet, berührt indeß dies Steppenland nicht.
Bei Eskischehr verläßt sie die Randketten des Sakaria und
zieht über das Ruinengebiet Dorylaeums gen Kutahia, einer
ansehnlichen Türkenstadt. Nach vier bis fünf kurzen Tagreisen
zwischen kahlen Gebirgen, taucht im Süden, wie ein ungeheuerer
Meilenweiser, mitten aus weiter Niederung, ein Basaltkegel hervor. Nur scharfe Augen vermögen aus der Ferne zu entnehmen,
daß dieser gigantische Sockel von weitläufigen Ruinen gekrönt
wird, einst wohl ein seldschukidisches Bollwerk, das Tausenden
von Feinden getrotzt. Im letzten Augenblicke erst stößt man
auf die Stadt Karahissar, die am Fuße dieses Kegels liegt.
Sie ist ganz aus Basalt erbaut, eine düstere Anhäufung steinerner
Behausungen mit engen winkeligen Gassen, in denen armselige
Bewohner herumschleichen. Wer sich dem dumpfen Gefängnisse
entringt und auf die weiten Ebenen tritt, die die „schwarze
Stadt" ringsum begrenzen, der wird indeß wahrnehmen, daß
sie keineswegs so unbedeutend ist, als man schlechtweg anzunehmen gewillt ist. Ueberall lagern Kameel- oder Pferdeheerden,
Zelte ziehen ihre unregelmäßigen Gassen kreuz und quer und
ein buntscheckiger Troß anatolischer Handelsbeflissener lärmt um
aufgespeicherte Waarenballen. Karahissar ist der größte Stapelplatz auf der großen Handelslinie, die aus dem Innern Anatoliens nach Smyrna zieht. Die Bevölkerung ist meist türkisch,
ein Theil der Kaufmannswelt rekrutirt sich nebstbei aus Griechen
und Armeniern.

In gleicher Einförmigkeit geht es von der Basaltstadt
weiter gegen Südosten, an Seen und Sümpfen vorüber, in
deren Bereiche unansehnliche Ortschaften der Turkomanen sich
erheben. Die Steppenreise findet erst ihr Ende mit dem Anlangen in Konja, der einstigen Residenz der Seldschukiden. Das
Türkenthum scheint indeß das Erbe schlecht zu conserviren. Die
heutige Stadt nimmt nur einen verschwindend kleinen Theil des
einstigen Emporiums ein, und auch sie ist verwahrlost, dem Verfalle preisgegeben und keine Hand rührt sich, um die Monumente
der Vergangenheit zu retten. Zwar besitzt Konja, das der Sitz

eines Gouverneurs ist, zwei osmanische Heiligthümer, den Grab=
dom Allaheddins und das Mausoleum Dschelaleddin Mewlewis,
dem Stifter des bekannten Derwischordens, aber die übrigen
selbschukidischen Riesenbauten liegen in Trümmern. Kaum, daß
man die Stätte des alten Palastes ausfindig zu machen ver=
mag, von den Stadtmauern und sonstigen Baulichkeiten nicht
zu reden. Der Heiligkeit des Ortes entsprechend, findet man
unter der Bevölkerung fast nur stumpfsinnige Zeloten, die mit
Schaaren zerlumpter Bettelderwische und trostbedürftiger Pilger
Dschelaleddins Ruhestätte umlagern und mit wüstem Fanatis=
mus ihren Heiligencult begehen. Was Samerkand den Tura=
nern in gewissem Sinne ist, das ist den Türken Anatoliens Konja.
Der Gouverneur hat keine absonderliche Macht, das Militär
besteht aus nur wenigen, kleinen Abtheilungen und läßt in
mancher Beziehung Einiges zu wünschen übrig... Man geht
nicht zu weit, wenn man in dem heutigen Konja nichts weiter
erblickt, als einen erbärmlichen Rest der ehmaligen Selbschuken=
residenz, der sich zwischen den Trümmern zu erhalten wußte.

Mit dem Betreten dieses, an historischen Ereignissen so
reichen Bodens, rückt nunmehr die Nothwendigkeit heran, der
ersten Osmaniden, welche aus diesem Lande hervorgegangen
sind, zu gedenken... Gegen Ende des dreizehnten Jahrhun=
derts tauchte im Innern von Kleinasien ein Hirtenvolk auf,
das sich durch seine kriegerischen Eigenschaften im hohen Grade
hervorthat. Sein Führer war Osman, genannt Ghazi, das ist
„der Siegreiche", ein Fürst, dem die Geschichte die besten Eigen=
schaften nachrühmt. Anfangs Vasall des Sultans Allaheddin,
wurde er ihm bald durch Länderbesitz und Heeresmacht eben=
bürtig, ohne ihn infolge dessen etwa zu bekriegen oder zu ver=
rathen. Die Osmanen kannten damals noch keinerlei Staats=
wesen, sie waren Nomaden im vollsten Sinne des Wortes,
deren Heerden ihr einziger Besitzthum blieb. Es war immer
nur das Genie ihres Führers, das trotz dieser primitiven Verhält=
nisse dem Volke neuen Besitz und neue Ländereien zu verschaffen
wußte. Die Byzantiner, welchen er Bithynien und Paphla=
gonien wegnahm, konnten ihm nicht den geringsten Widerstand
leisten, so überrascht waren sie durch das plötzliche Auftauchen
dieser neuen Race. Osman aber hielt bald in seinen Erobe=

rungen inne, da er es für nothwendig erachtete, seinem Reiche geregelte Zustände, Gesetze und womöglich auch eine Verwaltung zu geben. So hatte dieser sonderbare Mann, als Autodidakt reinsten Wassers binnen Kurzem ein Staatswesen gegründet indem er gleichzeitig in Biledjik seine Residenz aufschlug.

Wir übergehen die legendaren Ausschmückungen, mit denen die orientalischen Schriftsteller das Leben Osmans überreich versahen, so namentlich seine Heirath mit der Tochter des Scheiks Edebaly, Malhun-Chanun, und seinen wunderbaren Traum, der ihm dahin gedeutet wurde, daß er der Begründer einer Weltmacht sei. Wir liefern nur ein Bild, keine Geschichte. Osmans Nachfolger, Orchan, der gleich hervorragende Eigenschaften wie sein Vater besaß, gründete die spätere Elite-Truppe der Osmanen, die Janitscharen (Jeni Tscheri = neue Truppe). Es wurden zu diesem Ende Christenkinder im Alter von zehn bis fünfzehn Jahren ihren Eltern abgenommen und man ließ sie den Glauben ihrer Väter abschwören. Nach und nach fanatisirte man sie und erzog sich so eine Truppe, die ebenso tapfer wie grausam war und in den langen Jahrhunderten, wo die Osmanen das Abendland und den Orient mit Krieg überzogen, den Schrecken aller Feinde bildete. Ihr erster Befehlshaber war Hadji Bektasch, der zu ihrer Gründung den ersten Impuls gegeben hatte. Orchan zog bald siegreich in Brussa ein, wo er sich einen prächtigen Palast erbauen ließ. Auch Aidos, Pergamos und Nicaera, sowie Theile des in Auflösung begriffenen Seldschukenreiches fielen ihm zu.

Welche Riesenfortschritte das Osmanenreich bereits in seinem ersten Stadium machte, beweist die Thatsache, daß schon der dritte Sultan, Amurat, Orchans Nachfolger, europäischen Boden betrat, um bis ins Herz Thrakiens vorzudringen. Dort eroberte er Adrianopel, bestimmte es zu seiner Residenz und und ließ eine Moschee erbauen. Obgleich unter dem vierten Sultan, Bajezit I., genannt Jl Djerim, das ist: der Blitz, die Tataren unter Timur hereinbrachen und so die Osmanen nach Asien abzogen, um ihr Mutterland zu vertheidigen, so versuchte bereits wieder Mohammed I. sein Reich auf europäischem Boden zu vergrößern. Murad II. endlich sprengte das serbische Reich und Mohammed II. zog in Constantinopel ein.

Bedenkt man nun, daß zwischen Osman und Mohammed II. kaum 150 Jahre liegen, so kann man sich einen Begriff von der Zähigkeit, Tapferkeit und Tüchtigkeit der ersten Osmanen machen. Allerdings darf nicht vergessen werden, daß das griechische Kaiserthum kaum mehr als ein in Fäulniß übergehender Cadaver war, daß die Völker des Balkans durch Racenverschiedenheit einander entfremdet waren, und so auch nicht leicht gemeinsam gegen die andrängenden Asiaten handeln konnten. So harmlos nun ging es trotzdem keineswegs her. Selbst dann noch, als Mohammed II. das griechische Kaiserthum von der Karte gestrichen, war er noch immer nicht Herr der Bergvölker des Westens. Wir haben diese Zustände zur Genüge erörtert und auch erzählt, wie die Osmanen in unausgesetzte Kämpfe mit Montenegro oder Albanien, später auch mit Griechenland verwickelt wurden. Die Osmaniden haben selbst zur Zeit, als sie auf der Höhe ihrer Macht standen, niemals vermocht, die Unabhängigkeitsbestrebungen einzelner Völker ihres Gesammtreiches vollkommen zu unterdrücken. Wenn nun diese Thatsache schon für jene Zeit seine Richtigkeit hat, was will man von den heutigen Machthabern erwarten, und welche Gewaltmittel wollen sie anwenden, um die zahlreichen nichttürkischen Völker im Zaume zu halten? . . .

Wie wenig Pietät die modernen Gewalthaber des osmanischen Reiches für ihr Stammland haben, beweist dessen trauriger Zustand. Man sollte glauben, daß die Gründe, dasselbe zu festigen und emporzuheben sehr nahe lägen, denn früher oder später wird der Sturz des Türkenreiches in Europa doch erfolgen — abgesehen von allen internationalen Schwierigkeiten, die die Diplomatie zu erfinden wußte — und die Osmanen wären sodann gezwungen, dort ihr Heerlager aufzuschlagen, wo es vor einem halben Jahrtausend gestanden. Anatolien, zumal dessen centrale Zone, ist die einzige Provinz des Reiches, wo der türkische Stamm weitaus die Majorität der Bevölkerung bildet. Man erinnert sich nicht, daß dort je tumultuarische Ereignisse platzgegriffen hätten, Unruhen die Bewohner von ihren bürgerlichen Berufen weggerissen oder sonstige traurige Vorfälle den Landesfrieden gestört hätten. Das Räuberunwesen, das die Kurden, welche aus den Euphratländern herabkommen, so virtuos

betreiben, besaß nie die Bedeutung einer Invasion. Man ist
dergleichen anarchische Zustände im Oriente gewöhnt, und da
in den Provinzen nur geherrscht und nicht regiert wird,
vergilt man Schläge mit Schlägen und der Katzbalgereien ist
kein Ende.

Von Konja, der Vilahetsstadt, nimmt die Hochsteppe sowohl
gegen Süden, wie gegen Osten ihre weitere Ausdehnung.
Wir schneiden sie nun in der Richtung gegen Nordosten und gelangen so über einsame Karawanserais in das Thal des Kyzyl
Yrmak (Halys), um seinem Laufe gegen das Meer zu folgen.
Der Reisende wird momentan überrascht von den freundlichen
Oasen der Niederungen. Eine üppige Vegetation nimmt stellenweise den Ufersaum des Flusses ein, und aus dichten Laub-
dächern grüßen die weißen Häuschen friedliebender Bewohner.
Zu beiden Seiten aber ist das Plateau endlos öde und baumlos. Das Land behält diese Charakteristik auch dann noch,
wenn wir aus dem Flußthale westwärts wenden und im alt-
berühmten Angora unsern Einzug halten. Diese Stadt hat
heute nur mehr den Namen für sich. Als Timur Lenk sie,
nach blutiger Schlacht, die er dem Sultan Bajazid geliefert,
plünderte, war sie noch der Stolz osmanischer Satrapen. Seitdem wäre sie längst verschollen gegangen, wenn sich nicht ihr
Name auf ein Naturproduct übertragen hätte, nämlich auf die
bereits erwähnten seidenhaarigen Ziegen und fettschwänzigen
Schafe. Das Gebiet dieser ganz localen Zucht umfaßt die Umgebung Angoras, die Thäler des Sakaria und Pursak und die
benachbarten Gebirgsterrassen über Sivrihissar und Eskischehr
bis Kutahia. Vor einigen Jahren schätzte man den Besitzthum
dieser Districte auf mehr als eine Million Ziegen und 7—800,000
fettschwänzige Schafe. Aber auch dieser Reichthum ist verschwunden, vielleicht auf immer. Die letzten Winter, welche
mit einer niegekannten Strenge hereinbrachen, haben das mit
seiner Existenz ringende Hirtenvolk vollends ruinirt. Der Winter
1874 deckte das Land unter einer Schneeschicht, die sich weit
und breit auf vier bis sechs Fuß erhob. Die armseligen Dörfer
waren vollkommen begraben, jede Communication stockte und
die Thiere verhungerten zu Hunderten und Tausenden, da kein
Winterfutter vorhanden war. Dieser gräßliche Schlag traf

namentlich die Region am obern Sakaria, wo bald jedes Dorf auf die Hälfte seiner Einwohnerzahl herabfiel, oder noch tiefer. Monate vergingen, bevor sich die Behörden rührten, in Stambul blieb man gegenüber diesem Ereignisse vollkommen stille, und erst mit dem Eintritte der besseren Jahreszeit begab sich ein saumseliger Commissär in das hart betroffene Land. Von einer Hilfe war indeß keine Rede und man glaubte die Mission damit zu krönen, daß man die verheerten Districte in Augenschein nahm und langseitige Protokolle niedersetzte.

Leider sollte für die Bewohner im zweiten Winter die Prüfung noch bei weitem härter werden. Der Schnee fiel in solcher Menge, daß er ganze Ortschaften begrub und Niederlassungen, die nur wenige Viertelstunden von einander entfernt lagen, durch Monate außer jedem Verkehr standen. Da erreichte der Jammer seinen Höhepunkt. Die Mortalität stieg in manchen Dörfern bis auf 70 Procent, von 5—6000 Stück Vieh, blieben oft nur 100—200, wenn nicht weniger. Die Leichen wurden auf die Gassen geworfen, wo über sie eine hungrige Hundemeute herfiel, aus der man sich dann die genährtesten hervorsuchte, um sie zu verzehren. Keine Hilfe nahte durch Monate, obgleich man zu Stambul von diesen entsetzlichen Zuständen wußte, denn vor den Thoren der Stadt sah man halbnackte Weiber, Emigrantinnen, um Almosen flehen oder ihre erwachsenen Mädchen zum Kaufe anbieten. Am „goldnen Horn" wußte man damals besseres zu thun, als wie hungerndem Volke Brod zu geben. Essad Pascha feierte eben seine Vermählung mit einer Nichte des Sultans und in den Magazinen des Serais erhoben sich Hekatomben zusammengeschlachteten Viehs. Von den Ueberresten der großherrlichen Mahlzeiten hätten Tausende gespeist werden können, aber man warf sie in den Bospor. Die Vermählungsfeierlichkeiten Essads, die der Sultan bestritt, sollen über eine Million Gulden gekostet haben, und während namenlose Summen in Luftfeuerwerken verpufften, aßen in Anatolien die Mütter ihre eigenen Kinder auf und katzbalgten sich nackte Hirten mit wilden Hunden um die Aeser gefallenen Viehs ...

Da wurde den Vertretern fremder Mächte in Constantinopel die Geschichte denn doch zu arg. Sie constituirten

Hilfscomités und durch die Länder Europas liefen Tausende
von Sammelbögen, welche die Spenden enthielten, die die Mild=
thätigkeit dem armen fremden Volke nicht versagen konnte.
Auch die Regierung setzte sich in Bewegung, aber ehe nur die
geringsten Maßnahmen platzgriffen, durchreisten die fremden
Functionäre bereits das heimgesuchte Land und vertheilten Klei=
der, Nahrungsmittel und Brennmaterial. In Angora wurde
das Hauptdepot etablirt und dort sah man Tausende dieser
Jammergestalten. Nur die Feder eines Dante oder der Pinsel
eines Rubens wäre im Stande, die Bilder des Entsetzens zu
reproduciren, die sich da dem Beschauer aufbrängten. Viele
Leute waren vor Hunger wahnsinnig geworden und glotzten
stier in die Menge, ohne zu ahnen, daß man ihnen Hilfe
brachte. Ja, man erzählte mir, daß solche Unglückliche die
Flucht ergriffen, so bald man sich ihnen näherte, in der Mei=
nung lebend, man wolle sie tödten . . . Spät, vielleicht zu einer
Stunde, wo es kaum mehr nutz war, kamen die Regierungs=
functionäre. Sie hatten viel Protokolle niedergesetzt, aber wenig
Geld vertheilt, denn ein türkischer Beamte muß immer in
erster Linie auf sich denken. Es ist eine Schmach, erwähnen zu
müssen, daß ziemlich hohe Summen von diesen Biedermännern
unterschlagen wurden. Und so benahmen sich Brüder gegen
Brüder, Türken gegen Türken, in einer Zeit bittersten Elends . . .
Da wird jeder Commentar überflüssig! . . .

In den letzten Jahren hat die türkische Regierung, gedrängt
durch die Umstände, mehr noch aber, um sich auf dem europäi=
schen Geldmarkte creditfester zu machen, die Eisenbahn=Aera auch
in ihren asiatischen Provinzen inaugurirt. Es sind vorderhand
freilich nur Projecte, aber die hierbei vorgenommenen technischen
wie commerziellen Studien sind von derartigem Umfange, daß
sie mindestens zur genaueren Kenntniß des Landes das Zuverläß=
lichste beitrugen. Als im Jahre 1872 Edhem Pascha das Amt
eines Bautministers bekleidete, wußte er den Sultan für die
Idee, in Klein=Asien und überhaupt in der ganzen asiatischen
Türkei Vorstudien für ein großes Eisenbahnnetz zu vollführen,
zu gewinnen und er berief zu diesem Ende den Ingenieur Pressel,
dessen Tüchtigkeit bereits bei Projectirung der europäischen
Linien sich bewährt hatte, nach Constantinopel. Ohne auf das

langwierige Entwickelungsstadium dieser Frage des Nähern ein-
zugehen, wollen wir nur constatiren, daß die, auf diese Weise
durch eine Anzahl von Ingenieuren zu stande gebrachten Projecte nicht weniger als 5000 Kilometer betragen! Bei der Anlage des Netzes ging man von der gewiß äußerst gesunden Ansicht aus, vorerst Linien zu schaffen, die die Stapelplätze und
Handelscentren im Innern des Landes mit hervorragenden
Küstenpunkten zu verbinden hätten, um so den Bewohnern die
Gelegenheit zu verschaffen ihre Handelsbeziehungen zu entwickeln,
die Producte ihres Gewerbfleißes und ihrer agricolen Thätigkeit
rascher zu exportiren und überhaupt mehr mit der Außenwelt
in Contact zu treten. Dies war die Grundlage des Eisenbahn-
programmes für Anatolien. Bereits im Frühjahre 1872 begannen
die Vorarbeiten und bald schritt man zur technischen Feststellung
der einzelnen Linien.

Die Geschichte dieses Unternehmens nun ist so jung und
beansprucht so sehr unsere Interesse, daß es wohl der Mühe
werth erscheint, sie in das Gemälde, das wir vom ottomanischen
Reiche liefern, einzuflechten ... Die erste Linie, welche zustande
kam, ist jene, die von Scutari bis Ismit längs des Marmara-
Meeres zieht. Von hier wurde die Trace durch das Thal des
Sakaria über Lefke, Vezirchan und Sögud nach Eskischehr gezogen, um weiter über Sivrihissar bis Angora zu laufen und
so jenem Lande zu Nutze zu werden, indem sich wie erwähnt
die Viehzucht auf so bedeutender Stufe befindet. Es war somit eine größere Binnenstadt erreicht. Eine zweite Linie zweigt sich
dem Projecte nach bei Eskischehr ab und zieht mit dem inner-
anatolischen Karawanenwege über Kutachia und Karahissar bis
Konja, der Hauptstadt Karamaniens und dem eigentlichen Han-
delscentrum Anatoliens. Es handelte sich indeß von allen Anfange her darum, nicht gar zu ängstlich auf die Lage von
derlei inferioren Punkten Rücksicht zu 'nehmen, und wo möglich auch ein Hauptaugenmerk darauf zu legen, nach welcher
Richtung früher oder später die großen Ueberlandlinien als
Transitstraßen durch das ganze vorder-asiatische Gebiet ziehen
sollten. Mit der Stadt Angora erhielt diese Hauptcommunica-
tion eine entschieden östliche Direction. Man entwarf das weitere Project durch das obere Thal des Kyzyl-Yrmak (Halys)

um Kaisarjeh und Sivas zu gewinnen und schließlich Erzirum in Armenien zu erreichen. Von hier ist keine andere Fortsetzung denkbar, als jene über die hohe Wasserscheide des Palantüken-Gebirges um ins Arasthal überzugehen. Diese Linie zieht demnach auf eine direkte Verbindung mit Transkaukasien und Persien ab.

Weit zweckmäßiger für die Idee einer großen Ueberlandlinie ist die Führung des Projectes bis Konja. Da das Hochland von Malatie, der Anti-Taurus, und die wilden Defilés des obern Euphrat ohne immense Kosten niemals die Verwirklichung eines Schienenweges ermöglichen könnten, mußte man darauf bedacht sein, in dem großen Gebirgswall des Taurus-Systems eine Lücke ausfindig zu machen, die die Passage erlauben könnte. Und diese findet sich thatsächlich in südöstlicher Richtung Konjas, wo der Schienenweg ohne absonderliche technische Schwierigkeiten nach Nord-Syrien und von da durch ganz Mesopotamien und Kurdistan bis zum persischen Golfe zu führen ist... Wir werden gelegentlich unseres Besuches in jenen hochinteressanten Ländern auf diese letzteren Projecte noch zu sprechen kommen und verweilen nun noch bei jenen Anatoliens. Um die pontische Küste mit dem Innern in Contact zu bringen, erwählte man die alte Handelsstadt Samsun unweit von Sinope, und zog die Trace durch das Thal des Jeschil Yrmak (Jris) über Amasia und Tokat nach Sivas. Von hier ab ist sie über Egin und Erzingjan identisch mit der nord-anatolischen Linie Angora-Erzirum. Der hervorragendste Handelsort an der Küste des schwarzen Meeres ist eigentlich das altberühmte Trapezunt (Trebisonde), heute freilich eine elende Stadt, aber sie ist der Stapelplatz der gesammten armenisch-nordpersischen Transits. Man hat vorderhand auf diese Küstenstadt keine Rücksicht genommen, weil sich zwischen dem Gestade und der Binnenstadt Erzirum ein mächtiger Theil des armenischen Hochlandes vorlagert und sich bei Führung eines Schienenweges durch dasselbe technische Schwierigkeiten ergeben würden, gegenüber welchen selbst jene im Anti-Taurus und am obern Euphrat nur verschwindend sind.

Von anderen Linien ist noch die Schmalspur-Bahn Mudania-Brussa-Lefke zu erwähnen. Der Ausgangspunkt Mudania ist eine am Marmarameer gelegene aufblühende Handelsstadt, die durch einen regelmäßigen Dampfschifffahrtscours mit Constantinopel in Verbindung steht. Die Linie durchzieht die fruchtbaren Gebiete von Brussa und Ak-Su und ist bereits im Baue. Von äußerster Wichtigkeit für die commerziellen Interessen des Landes erscheint die Herstellung einer Schienenverbindung des größten Handelsplatzes Anatoliens, Smyrna mit dem Innern. Schon vor Jahren wurde mit dem Ausbau der kurzen Linien Smyrna-Aidin und Smyrna-Manissa (Magnesia)-Kassaba der Anfang hierzu gemacht und heute laufen nach der zweiten Richtung die Locomotiven über Sart (Sardes) bereits bis Alaschehr, halben Weges gegen Karahissar. Smyrna zählt heute über 100,000 Einwohner, unter denen die Griechen, Armenier und Europäer mehr als zwei Dritttheile ausmachen, und wird von den Dampfern aller schifffahrenden Staaten des Abendlandes angelaufen. Das Küstengebiet sowohl, wie die Thallandschaften der großen Flußläufe, welche die Terrassenketten des anatolischen Binnenlandes durchbrechen, sind Culturstrecken in der besten Bedeutung des Wortes, wahre Goldquellen, die wohl eine rationellere Ausbeutung verdienten, als es thatsächlich der Fall ist. Im Grunde hat die Türkei behufs Emporhebung Smyrnas auch blutwenig gethan. Alles Verdienst, die Seehandelsstadt zu ihrer jetzigen Bedeutung gebracht zu haben, gebührt den abendländischen Handelsmächten, denn sie würde auf den anatolischen Localverkehr beschränkt, kaum mehr bedeuten, wie die übrigen Stapelplätze... Sehr berücksichtigenswerth ist die Thatsache, daß das ägäische Küstenland Klein-Asiens ein ungemein entwickeltes Gestabegebiet besitzt, das Hunderte der besten natürlichen Häfen bildet. Man weiß, welche Cultur und welche Bedeutung diese Zone unter alt-griechischer Herrschaft vertrat. Wo sich heute unansehnliche Fischerdörfer, oder deroute Uferstädtchen befinden, standen einst die Emporien Alexandria-Troas, Pergamos, Ephesus, Milet und Halikarnaß...

Achter Abschnitt.

Syrien. — Das plastische Bild des Landes. — Drusen und Maroniten.
— Die Nasarier. — Lichtauslöschungsfeste. — Wanderungen durch
Nord-Syrien. — Homs. — Die Ruinenstätten am Orontes. —
Antiochia und Aleppo. — Im alten Edessa. — Blick auf Hoch-
Mesopotamien. — Die Karawanenstraße von Damascus nach Mekka.
Pilgerfest zu Mekka. — Nachfeier am Berge Arafat und im Thale
Mina.

Kein Land der Welt hat im Verlaufe der Jahrhunderte so
großartige geschichtliche Ereignisse, Umwandlungen seiner staatlichen Verhältnisse und Völkerbesuche erlebt, wie Syrien.
Von den ältesten Culturvölkern, die es inne hatten, den Phö-
niklern und Assyriern, bis auf unsere Tage, war es stets der
Schauplatz der tiefgreifendsten Neubildungen, die unmittelbar im
Gefolge der Völkerzüge platzgriffen. Perser, Griechen, Römer,
Araber und zuletzt die Türken haben es heimgesucht und durch
geraume Zeit beherrscht. So erscheint es denn auch selbstverständlich, daß mit den Epochen in dem Gestadeland die einzelnen Völker nicht ihre Individualität erhalten konnten und
sich Mischracen bildeten, die bis heute den schwerbedrängten
Boden behaupteten. Als türkische Provinz spielt es nur insofern
eine Rolle, daß es eben einen Regierungsbezirk bildet, aber die
Race der Machthaber selbst dürfte kaum mehr wie 80,000 Repräsentanten zählen, die entweder als Beamte, Soldaten oder
Fremde im Lande verweilen. Nur der nördliche Theil Syriens
hat ganze Städte und Ortschaften, wo das osmanische Element
vorwiegt, aber diese Niederlassungen sind unansehnlich und

zeichnen sich durch nichts aus, wodurch sie unser Interesse intensiver gefangen nehmen könnten. Den Stock der Bevölkerung bilden die Araber, die die sogenannte syrische Race ausmachen. Sie sind theils seßhaft, in welchem Falle sie sich mit anerkennenswerther Rührigkeit ihrer einheimischen Cultur hingeben, oder Nomaden (Beduinen), die bisher leider noch nicht für die Idee einer staatlichen Ordnung gewonnen werden konnten und somit auch nicht unmittelbare Unterthanen der Pforte sind. Je nachdem sie ihr Standlager wechseln, befinden sie sich entweder innerhalb der ottomanischen Reichsgrenzen oder weitab in den syrischen Steppen, in den euphratensischen und arabischen Hochwüsten. Die „Söhne Ismaels, des Verstoßenen" halten an dieser Lebensweise seit Jahrhunderten und es wird noch viel Wasser den Euphrat hinabströmen, ehe es anders werden dürfte.

Werfen wir nun einen Blick auf dies hochinteressante Land. Es erstreckt sich von Norden nach Süden in nahezu meridianaler Richtung und erhält seine plastische Gestalt der Hauptsache nach durch den alpinen Gebirgsstock des Libanon, der die centrale Zone des Landes einnimmt. Im Norden ist es der an 8000 Fuß messende Dschebel-Sanin, im Süden der 8800 Fuß hohe Dschebel-Machmel, welche die Längenausdehnung des orographischen Massivs markiren. Die immensen Plateaus haben einen vollkommen nordischen Charakter mit spärlicher Cultur, die tieferen Regionen, zumal die Küstengebiete und die Ebenen im Osten, aber sind weite Culturstrecken voll üppigster Vegetation und besitzen ein Klima, das jenem Egyptens nicht viel nachsteht. Oestlich dieser Gebirgsmasse baut sich ein gewaltiger Parallelzug auf, mit dem Dschebel-esch-Scheich (10,000 Fuß), der den Namen Anti-Libanon führt. Während nun die Terrassen dieser Kette ostwärts nach den syrischen Steppen abfallen und nur von Nomaden bevölkert werden, schließen die Westhänge mit den Abfällen des Libanon das üppige Tiefland von Coele-Syrien ein, das größte Längenthal des Landes. Um es von einer Seite zur andern zu durchstreifen benöthigt man nicht weniger als acht Tagreisen. Von Ruinen bedeckt, von denen jene von Baalbek zahllose Forscher angezogen haben und noch anziehen, mahnt es überall an seine einstige Bedeutung, an seine überaus hohe Cultur, die heute kaum nennenswerth ist. In dieser Plateau-Landschaft, von den Arabern Bekaa genannt, entspringt der größte Strom Syriens, der Assy (Orontes), welcher es von Süd gegen Nord, und zuletzt gegen Südwest über 100 Meilen lang durchströmt... Noch müssen wir der Gebirgsgruppe des Hauran gedenken, welche im Südosten von Damascus, nahezu ganz abgetrennt von den übrigen Plateau-landschaften, ihr Massiv bis zu 6000 Fuß erhebt und sodann in scharfen Terrassen in die Wüstengebiete abfällt. Von seiner Höhe sieht man westwärts über die Randgebirge des Jordan-thales, die gegen das Todte Meer hin immer tiefer herabsinken, um erst wieder auf der Halbinsel Sinai an Elevation zu gewinnen.

Es erscheint erklärlich, daß diese großartige Configuration, diese Anhäufung von Gebirgsmassen mit dazwischen liegenden Plateaus und Tiefebenen, eine Absonderung nationaler Elemente ebenso sehr zu protegiren vermag, als andererseits die so geschaffene Gliederung den mannigfaltigsten Wechsel von Culturstadien bedingt. Leider geschieht von der Regierung blutwenig, um den Verkehr im Lande emporzuheben. Der Umstand, daß sich die Araber gegenüber ihren Herren sehr zurückgezogen verhalten, tritt dem allgemeinen Aufschwunge viel weniger hemmend entgegen, als die ottomanische Wirthschaftspolitik, die ihrem Systeme gemäß, auch in Syrien nur ihre officielle Macht ausnützt, um das Landvolk auszusaugen, Steuern zu erpressen u. dgl., ohne daß sie sich zu einer Reciprocität fände. Unter diesem Drucke kann es nicht Wunder nehmen, daß auch hier der Rückschritt überall fühlbar ist... Wir müssen hier indeß noch eines anderen Umstandes gedenken. So vielfach gegliedert das Land seiner Boden-plastik nach ist, so kaleidoskopartig ist auch seine Bevölkerung. Man kennt die blutigen Ereignisse, welche im Jahre 1860 zum ersten Male das allgemeine Interesse des Abendlandes für sich in Anspruch nahmen. Durch die Machinationen der französischen Regierung, die in ihrem Vertreter zu Beirut ein williges Werk-zeug fand, und die Hetzereien fanatischer türkischer Landes-beamten, kam es zu dem erbitterten Kampfe zwischen Maro-niten und Drusen. Die Hochthäler des Libanon widerhallten vom Kriegsgelärme der entfesselten Bergstämme, die, mit dem Schlagworte des heiligen Krieges zwischen dem „weißen Kreuz"

und der „weißen Hand", sich durch Monden gegenseitig massacrirten.
Nach und nach entspann sich der Kampf auch in den Niederungen
und in Damascus zumal, wo Achmed Pascha einen müßigen
Zuschauer machte, wurden Tausende von Christen erbarmungslos
hingeschlachtet. Es ist bezeichnend, daß die Drusen damals
glaubten, durch ihren Vernichtungskampf, den sie den Maroniten
lieferten, sich den Engländern dienstbar zu erweisen. Die Franzosen aber, denen die Anzettelung der ganzen Massacre im hohen
Grade zur Last fällt, sahen sich zum Einschreiten genöthigt. Die
einmarschirenden Truppen fanden nur mehr Ruinen, rauchende
Dörfer und Hekatomben von Christenleichen... Was geschah
aber, um den Verrath der ottomanischen Machthaber zu sühnen,
sie, die statt einzuschreiten, die Drusen noch weiblich unterstützten?
Der damalige türkische Minister des Aeußern, Fuad, veranstaltete
nichts weiter, als ein theatralisches Nachspiel, indem er den zu
sich berufenen Gouverneur von Damascus in Ketten zurück-
schleppen und vor der Stadtmauer niederschießen ließ... Seitdem aber sind die Türken weder Herr der Maroniten noch der
Drusen. Wenn sie jene als Ungläubige verachten und verfolgen,
so sind ihnen diese, als Sectirer*), ein heller Gräuel, und sie
glauben schon damit einige Vortheile zu erzielen, wenn sie die
beiden Theile sich gegenseitig aufreiben lassen. Das ist zum
mindesten eine sehr verzweifelte Logik und beweist, daß den
ottomanischen Machthabern heute vollkommen die Fähigkeit ab-
geht, zu regieren. Bedenklicher noch dünkt uns der Umstand,
daß die Maroniten mindestens fünfmal stärker an Kopfzahl sind,
als sämmtliche im Lande weilenden Türken, und die Drusen
desgleichen. Wir müssen aber noch in Anschlag bringen, daß
im Lande an eine viertel Million Metawilehs, Jeziden, Ansarier
und Ismaelier wohnen, lauter fanatische Secten, die mit dem
Türken nichts gemein haben wollen und seit Jahrhunderten mit
der Behörde in offener Fehde leben. Diese Secten, die sich
meist in den nordsyrischen Bergen verbarricadirt haben und
halb unabhängig leben, verdienen indeß ein wenig unsere
Beachtung...

---

*) Die Drusen haben sehr confuse Glaubensartikel, deren Haupt-
punkt das Dogma der Göttlichkeit ihres Stifters El Hakem bildet.
A. d. B.

Nirgends gedeiht das Sectirerthum so üppig, wie im Oriente. Man sollte eher glauben, die stramme Disciplin des Mohammedanismus mache das Gedeihen einer Irrlehre, sei sie nun eine Abweichung von den Lehren des Koran, oder ein, für sich eigenartiges Glaubensdogma, undenkbar. Aber dem ist nicht so. Die meisten derartigen Religionssecten haben eine historische Bedeutung, da sie mitunter viel älter als der Islam sind. Bedenkt man, daß Syrien, wie erwähnt, durch Jahrtausende der Schauplatz staatlicher Umwälzungen und blutiger Glaubens= kriege war, so wird es leicht begreiflich, welch buntes Mosaik von Völker= und Glaubensresten in den wilden, unzugänglichen Hochländern haften geblieben ist. Seinen blutigsten Ausdruck erlangt das morgenländische Sectirerthum in den sogenannten „Assassinen", einer Bande von Meuchelmördern, die zur Zeit der Kreuzzüge in Syrien ihr Unwesen trieb. Sie stammten aus Persien und ihr Stifter, Ismael Jbn Hassan, genannt Scheich ul Djebal, d. i. „der Alte vom Berge", residirte in der festen Burg Alamut, wo er fanatische Jünglinge mittelst berückender Haschischvisionen zu seinen Mordwerkzeugen gewann. Der Dschingischanide Hulaku Khan hatte sie aus ihrem Stammsitze bei Teheran ver= trieben. Im blinden Fanatismus, der sich mit phantastischen Darstellungen von der paradiesischen Herrlichkeit des Jenseits paarte, füllten sie ihren Daseinszweck mit der Ermordung aller gefährlichen Feinde ihres Glaubens aus, unter denen selbstver= ständlich die orthodoxen Häupter der Lehre Mohammeds obenan standen, da sie ja zunächst die Macht besaßen, das Assassinenthum unschädlich zu machen.

In denselben Bergen, in denen diese Secte, die Jsmaelier, sich aufhält, wohnen ihre Todfeinde, die ebenso fanatischen, wie gewaltthätigen Nasarier (arab. Nusairji), gewöhnlich die „Licht= auslöscher" genannt. Man hat ihnen diesen Namen auf Grund ihrer eigenthümlichen Tempelfeierlichkeiten beigelegt, die in jenem verrufenen Culte „der Quelle allen Lebens" pointiren, welcher seinen sinnlichsten Ausdruck in der gegenseitigen Vermengung der Geschlechter bei Versammlungen in dunklen Räumen erhält ... Es ist dies wohl noch ein Ueberrest aus dem Astarte=Cult. Man hat vorher die Nasarier oder Ansarier sehr oft mit den Jsmaeliern verwechselt, wozu vorerst die beiderseitigen ähnlichen Religionsanschauungen Anlaß gegeben haben mochten, denn wie die Epigonen der Assassinen, weichen auch die Nasarier von den orthodoxen Moslems dahin ab, daß sie in Ali, dem vierten Chalifen die incarnirte Gottheit anerkennen und an die Seelenwanderung glauben. Man sieht in diesen Grunddogmen nicht ohne Schwierigkeiten eine konfuse Vermengung der islamitischen Lehre mit heidnischen Ueberresten, somit eine Art vermittelndes Glied von den heidnischen Arabern zu den Mohammedanern.

Die Nasarier verwerfen die Lehren des Korans als thörichte Fabeln, zumal jene vom Paradiese und der künftigen Glückseligkeit und sie halten sich nur an die greifbare Thatsache der Existenz, die zu versüßen ihnen Lebenszweck ist. Auch erklären sie die Mekka-Wallfahrten für eine Albernheit und wollen von den Geboten der Enthaltsamkeit nichts wissen. Die Nasarier ergeben sich infolge dessen ziemlich zwanglos dem Weingenusse, wie sie überhaupt zu Excessen hinneigen, zumal geschlechtlichen. Gleich den Schiiten verfluchen sie die drei ersten Chalifen Abubekr, Othman und Omar und erkennen in Ali die incarnirte Gottheit, ohne ihn in Gebeten zu verehren. Im Großen und Ganzen ist zwischen den Nasariern und Ismaeliern kein wesentlicher Unterschied in Bezug auf die spärlichen Daten, die uns von ihrem religiösen Vorstellungskreis bekannt sind, und es unterliegt keinem Zweifel daß beide Secten aus der uralten der Karmaten hervorgegangen sein dürften. Im allgemeinen sagt man, daß die Nasarier den Christen viel zugethaner sind, wie den Mohammedanern, doch ist es geradezu unmöglich, aus ihnen etwas über ihre Religion herauszubekommen, wie sie überhaupt sehr mißtrauisch und scheuer Natur sind und nur in ihren Bergen, wo sie frei schalten können, sich wohl fühlen. Bis jetzt ist es auch nur einigen wenigen Missionären gelungen, in ihre Schlupfwinkel einzudringen, die sie im Falle einer bewaffneten Invasion mit heroischem Widerstande zu vertheidigen wissen. Der Tod hat für sie nichts Schreckliches. Es heißt nicht umsonst unter ihnen: Wenn du unter dem Schwerte oder der Tortur stehst, so lächle und stirb, denn dann wirst du selig!... Wenn sie in den türkischen Städten von den Moslems erkannt werden, benutzen es diese, von ihnen Geld und Waaren zu erpressen. Bei Bestrafungen ihrer Verbrechen werden sie von den Türken stets zum Hängen verurtheilt, da nach dem Glauben der Nasarier die Seele in diesem Falle nicht durch den Mund, sondern durch den After entweichen muß, was sie zunächst veranlaßt, sich von dieser ihnen entsetzlichen Todesart loszukaufen und die ihnen weit willkommenere des — Pfählens vorzuziehen.

Im allgemeinen ist es den Türken bisher nur sporadisch gelungen, der Nasarier Herr zu werden, während der größte Theil in seinen unwirthlichen Bergen eine seltene Energie des Charakters und eine gewisse ritterliche Freiheitsliebe sich ungeschmälert zu erhalten wußte. Sie entrichten regelmäßig ihren Tribut an die Pforte, lassen aber Niemanden in ihre Berge, geschweige in ihre unentdeckbaren Felsennester. Auch haben sie ein geistliches Oberhaupt, das unfehlbar ist und die weitgehendsten Privilegien hat. Die Würde ist in der Familie erblich. Früh schon wird der Knabe, der zur Nachfolge bestimmt ist, in die Glaubenslehren eingeweiht und man stellt ihm den Tod und das Martyrium als das höchste Glück hin, denn der Nasarier muß alle Torturen ertragen, ohne das Geheimniß seines Glaubens zu verrathen. Indeß erfährt das Volk selten den, den Dogmen imputirten mystischen Sinn, und nur eine Klasse von „Auserwählten" darf an den geheimen Festen theilnehmen. — Man sieht, die Secte hat sich gewaltig umpanzert, um ihre Existenz in einem möglichst mystischen Zwielichte erscheinen zu lassen.

Die Nasarier huldigen der Polygamie mit dem verschärften Ausdruck, daß die Ehe untrennbar ist. Das Weib, das früh altert und herabkommt, wird dementsprechend kaum besser behandelt, als das liebe Vieh und ist weit schlimmer daran, als die Mohammedanerin, die denn doch bis zu einem gewissen Grade Hausrecht übt und selbst Pantoffelschläge austheilt. Wie alle Geheimbündler haben auch sie bestimmte Zeichen, durch die sie sich gegenseitig erkennen. Was ihren Glauben an die Seelenwanderung anbelangt, so nehmen sie an, daß die Seelen Derjenigen, welche sich eines rechtschaffenen Lebenswandels befleißigt haben, zu Sternen werden, während alle Jene, die ihren irdischen Pflichten nicht nach der Strenge der Satzungen nachgekommen sind, dazu verurtheilt sind — ein neues Erdenleben zu beginnen. Sehr drollig klingt es, zu vernehmen, daß die Seelen böser Nasarier zu — Juden, Christen und Türken werden. Wer schließlich vollends glaubenslos starb, den trifft der Fluch als — Nutzthier seine weitere Erdenexistenz zu fristen. Im Allgemeinen ist man der Ansicht, daß die confusen Satzungen des Korans viel Schuld an dem Glaubensunsinn der Nasarier tragen, und daß der Fanatismus ihrer Verfolger sie selbst erst zu fanatischen Anhängern ihrer mystischen Ketzereien gemacht hat.

Die gröbsten und sinnlichsten Mysterien feiern sie bei ihren berüchtigten „Lichtauslöschungsfesten"... An einem geheimen Versammlungsorte, womöglich in Grottentempeln vereinigen sich die „Auserwählten". Es ist ein dämmerdunkler Raum von fahlem Kuppellicht durchflimmert, und durch das Zwielicht leuchten die rothen Schnure und Trobbeln der Spitzampeln. Die gläubige Gemeinde kniet vor einem Postamente, auf dem ein vollkommen entblößtes schönes Weib idolenstarr kauert. Die Ceremonie ist seltsam. Einer nach dem andern passirt diesen fleischlichen Abgott, indem er eine bestimmte Stelle des entblößten Körpers mit seinen Lippen berührt. Unterdessen füllt sich der Raum mit verschleierten Frauen und Mädchen, das Gedränge wird immer wilder und ungestümer, endlich verlöschen wie auf Zauberwort alle Ampeln und nächtliches Dunkel umfaßt die „Gläubigen", die sich nun ohne Zwang der geschlechtlichen Vermengung hingeben.

Das Land, welches diese eigenthümliche Secte inne hat, ist der Bergdistrict nördlich des Flusses Nahr el Kebir, an dem der Libanon seine nördlichste Grenze findet. Im Norden und Osten ist es vom Orontes besäumt, im Westen vom Mittelmeere. Im Innern existiren nur kleine Ortschaften, am Gestade liegt die Stadt Latakiah, berühmt durch die vorzüglichen Tabaksorten welche in ihrem Bereiche gezogen werden. Die Bewohner der Küste sind arm und obliegen hauptsächlich der Schwammfischerei. Im Großen und Ganzen hält dieser Theil Syriens, weder im Hinblick auf landschaftliche Großartigkeit, noch in cultureller Richtung mit dem Libanongebiete einen Vergleich aus. Der Handel ist nur auf einen sehr kleinen Localverkehr beschränkt, denn die Producte des Hinterlandes nehmen ihren Weg entweder nach Aleppo, oder südwärts über Hamah, Homs nach Tripolis einerseits, nach Damascus andererseits. Im Süden des Nasarier-Gebirges findet sich eine schwache türkische Zwingburg, Kalaat

el Hössin, dessen Portal das Wappen der Grafen von Toulouse
schmückt, somit ein Denkmal aus den Kreuzzügen ist...

Blicken wir nun nach den Küstenstädten, um zu sehen,
welchen Fortschritt dieselben unter dem stets wachsenden Einfluß
der abendländischen Cultur gemacht. Es sind kaum zwei Decennien,
daß das syrische Gestadeland in den mediterraneischen Dampf-
schifffahrtsverkehr einbezogen wurde, und heute ist eine ziemliche
Zahl von Küstenpunkten nahezu unausgesetzt von fremden See-
fahrzeugen besucht. Oesterreichische, italienische, russische, französische und englische Dampfer laufen die Häfen von Caifa,
Jaffa, Acre, Beirut, Tripolis, Lattakiah und Alexandrette an,
im Dienste der friedlichen Invasion der Cultur. Leider sind die
Land-Communicationen nicht ganz darnach, die Handelsintensität
auch nach dem Innern zu heben und die hauptsächlichen Karawanenwege, welche den Gütertausch über Land vermitteln, sind
die gleichen, wie vor Jahrhunderten. Die einzige Fahrstraße
welche in Syrien besteht und Beirut mit Damascus verbindet,
gehört einer französischen Actiengesellschaft. Sonst führen über
den Libanon nur unwegsame Pfade und durch die weglosen
Niederungen ziehen die Karawanen, wie es ihnen beliebt. Einst
war die Karawanenstraße, die von Damascus aus ostwärts
durch die syrisch-euphratensische Wüste bis Bagdad geleitet, ein sehr
frequentirter Handelsweg, aber die Unsicherheit, welche seit
geraumer Zeit in dieser Region herrscht, hat zunächst veranlaßt,
daß im Jahre höchstens fünf bis sechs Karawanen den Waaren-
tausch zwischen dem Westen und Osten besorgen. Auch sie haben
von den Beduinen, die sich als Herren des Landes betrachten,
viel auszustehen und müssen sich den freien Durchzug oft durch
hohe Tribute erkaufen. Eine andere Karawanenstraße zieht von
Damascus über die Ruinenstätte Palmyras ins Euphratthal
und weiter stromabwärts bis zur alten Chalifenstadt. Von
Tripolis nimmt ein Handelsweg seine Richtung durch das Thal
des Nahr el Kebir, am Südende des Nasarier-Gebietes, um über
Homs bei Rakka den Euphrat zu schneiden und Mesopotamien
zu durchziehen. Sein Endpunkt ist die Türkenstadt Mosul am
Tigris.

Was die Karawanenwege Nordsyriens betrifft, so fordern
sie von uns schon deshalb ein höheres Interesse, als die meisten

daselbst projectirten Schienenwege mit ihnen identisch sind. Wir
gehen von Damascus ab, um vorerst Coelesyrien zu durchwandern. Unser Weg führt von Ruine zu Ruine, bis Baalbek,
dem herrlichen Städtedenkmal der Antike, dann steigen wir den
Orontes hinab, der als reißender Bergstrom nordwärts abfließt.
Zwei Riesenwällen gleichen die Züge des Libanon und Anti-Libanon.
Nach acht- bis neuntägiger Reise betreten wir eine weite Ebene und
aus einem üppigen Garten erhebt sich eine weitläufige Stadt. Es
ist Homs, das alte Emesa, der letzte Posten der Cultur, denn
schon im Weichbilde der Stadt erheben sich die nackten Hügel der
syrischen Wüste und weiter dahinter dehnt sich endlos, wie ein
Meer, die Salzsteppe von Karetain ... Homs ist durchweg
arabisch, die Türken sind nur durch das Militär und die Behörden
vertreten. Die Stadt bietet ein sehr klägliches Bild, denn sie
ist hochgradig verwahrlost, mit engen, krummen Gassen und einer
wüsten Nebeneinanderhäufung baufälliger Baracken. Ein uralter
Ruinenhügel ist noch phönikischen Ursprungs. Man hat ihn
seines Schmuckes allenthalben beraubt und auf den meisten
Gräbern außerhalb der Stadt sieht man die altehrwürdigen
Porphyrsäulen, die einst die Akropolis geziert. Von Homs sind
drei Tagemärsche nach der Trümmerstätte von Palmyra und
ebenfalls soviel nach dem Küstenpunkte Tarabulus (Tripolis).
Wir aber setzen unsere Route nordwärts fort und folgen so dem
Laufe der Orontes bis Hama, einer sehr heruntergekommenen
Stadt, und setzen dann auf die Aleppiner Ebene über und zwar
auf denselben Pfaden, die in der Regel von den Karawanen
eingeschlagen werden. In diesem Gebiete Syriens wird es
Einem erst klar, was seit den langen Jahrhunderten aus dem
Lande geworden ist. Man rechnet heute auf das Territorium
östlich des Orontes soviele Einwohner, als sich dortselbst —
Ruinenstätten befinden! ... Ruinen schließen an Ruinen,
Palasttrümmer wechseln mit Fragmenten von Kunststraßen, forti-
ficatorische Werke mit verfallenen Tempelhallen. Dies Bild
versunkener Größe entschwindet erst unseren Blicken, wenn wir
wieder in das Orontesthal zurückkehren und uns Antiochia, dem
heutigen Antakieh nähern. Man sieht diesem Thale noch heute
seine Ueppigkeit, die es einstens besessen, an, aber die Cultur ist
auch hier tief gesunken. Die letzte Blüthe-Epoche, die über dies

Gebiet heraufzog, war jene unter der Herrschaft Ibrahim Paschas
von Egypten, der bekanntlich Syrien den Türken wegnahm.
Damals schien Alles plötzlich wie auf Zauberwort umgestaltet,
durch die Culturen zogen Wasserleitungen, in den Sümpfen
arbeiteten Entwässerungsmaschinen und der Landmann, vom
langen, schweren Drucke wieder erwacht, bestellte den ergiebigen
Boden wie nie vorher. Diese Zeit war, wie eben angedeutet,
nur eine vorübergehende. Als die Türken wieder als Sieger
in das Land einzogen, waren sie barbarisch genug, all die
Schöpfungen, die ja nur dem Lande zu gute kommen konnten,
wieder zu zerstören und das alte Elend platzgreifen zu lassen.
Inmitten eines noch vernachlässigten Culturbodens thront das
moderne Antakieh mit seiner türkischen Bewohnerschaft, die als
die fanatischste Syriens bezeichnet wird. Die Stadt hat seit
jeher sehr viel von Erdbeben zu leiden gehabt und so ist es
zum Theil erklärlich, wie Wohnstätten und Ruinen so nahe
nebeneinander zu liegen kommen. Der unansehnliche Häuser=
complex breitet sich längs des linken Flußufers, während die
Höhen ringsum noch allenthalben die Fragmente aufweisen, die
seinerzeit den colossalen fortificatorischen Werken angehörten,
vor denen die Schaaren der Kreuzfahrer unter Tancred, Bochemund
und Raimund von Toulouse, viele Monden im vergeblichen
Kampfe lagen. Es ist bekannt, daß die Tradition kundgibt,
Antiochia sei durch Verrath eines türkischen Commandanten
gefallen. Diese Ansicht hat selbstverständlicherweise nirgends
tiefer Wurzel gefaßt, als unter der fanatischen Einwohnerschaft
des modernen Antakieh und so glauben sie ihre Empfindungen
offen an den Tag legen zu müssen, um den traditionellen Haß
gegen das Christenthum unumwunden zu documentiren. Den
beschränkten Christenhassern scheint ihre Leidenschaft sehr übel zu
bekommen. Sie kennen keine Cultur, die abendländischen Kaufleute
weichen dem Wespenneste auf großen Umwegen aus und selbst
die Karawanen berühren es selten, es wäre denn, daß ein
absonderlicher Zufall sie dahin führte … An der Mündung des
Orontes befindet sich überdies nichts, was einem Hafen gliche
und den Strom selbst verlegt eine Barre, so daß nicht einmal
die kleinsten Seefahrzeuge in das Innere des Landes zu gelangen
vermögen. Einst sah der Orontes ganze Flotten. Die Seleukiden

gründeten an diesem Gestade ein makedonisches Emporium, welches so spurlos verschwunden ist, daß heute kaum ein Dutzend elenden Fischerbaracken denselben Platz inne hat, auf dem sich einst die schönsten Paläste erhoben. Nördlich von Antiochia aber nimmt ein weites Sumpfland seine Ausdehnung, bewohnt von elenden Parias, die ebenso sehr mit ihrer materiellen Existenz, wie mit den epidemischen Krankheiten, die jährlich dortselbst auftauchen, zu kämpfen haben.

Die Aleppiner Karawanen, welche von der Seehafenstadt Alexandrette kommen, indem sie gleichzeitig den wilden Beilan-Paß passiren, müssen dieses Fieberland kreuzen. Schon im Beilauer Gebirge harrt ihrer mitunter schwere Prüfung, denn es ist ein Lieblingsaufenthalt verlaufenen Kurdenpöbels, der das Räuberhandwerk mit berüchtigter Virtuosität betreibt... In der Niederung El Amk angelangt gehts viele Stunden zwischen Sumpfflächen und Röhricht, aus dem hin und wider Büffelheerden hervortauchen gegen Osten. Die ärmlichen Niederlassungen liegen alle auf nackten Basaltkegeln. Grauer Dunst brütet über dem See Antiochiens und penetrante Miasmen verfolgen den Reisenden, bis er in die aleppiner Niederung eintritt. Der Contrast ist fühlbar genug. Die Oede und Abgestorbenheit weicht einer üppigen Fruchtbarkeit und soweit das Auge nordwärts reicht, blickt es über die schönsten Culturen, Oelhaine und Maulbeerplantagen. Ganz im Norden dieses, plateauartig ansteigenden Landes liegt das freundliche Städtchen Kilis, mit seinen gewerbthätigen arabischen Bewohnern, seinen Lorbeerhainen und Blüthengärten.

Wir aber betreten Aleppo den Hauptstapelplatz Nord-Syriens. Man darf sich von diesem einstigen islamitischen Emporium keine zu übertriebenen Vorstellungen machen. Auch für diese Stadt, dessen Gewerbfleiß einst Weltruf besaß, ist die gute Zeit vorüber. Die weitberühmten Seidenfabricate, die auf 30—40,000 Webestühlen erzeugt wurden, sind durch europäische Waaren verdrängt worden, man liefert keine Mousseline und prächtige Teppiche mehr, denn die modernen Motoren haben die abendländische Handelswelt in die Lage versetzt, jede, noch so kostbare Handarbeit aus dem Felde zu schlagen. Einst zogen die großen asiatischen Handelskarawanen mit den Schätzen

Indiens und Persiens in die Karawanserais Aleppos ein. Indier,
Afghanen, Perser, Chiwesen und Araber bevölkerten die großen
Bazare und Jedermann konnte für die mitgebrachten Reich=
thümer jene Syriens heimführen. Nicht ein Schatten von all
dem ist heute in Aleppo wahrzunehmen. Als Vilayetsstadt beher=
bergt es einen Gouverneur, der mit seinen derouten Bataillonen
die officielle Macht repräsentirt, ohne indeß seine Autorität den
Arabern zu sehr zum Bewußtsein zu bringen. Indeß haben
hier die ruhebedürftigten und noch mehr ruheliebenden Reichs=
verweser weniger als anderswo in Syrien etwas zu befürchten. Die
Nomadenstämme, welche das gartenähnliche Territorium zwischen
Aleppo und dem Euphrat inne haben, sind fleißige Viehzüchter
und bringen die Erzeugnisse ihrer Steppen=Cultur alljährlich
mehrere Male auf den aleppiner Markt. Neue Waffen, seidene
Maschlahs und goldburchwirkte Keffiehs (Kopftücher) sind sodann
der Luxus, den sie sich von dem erworbenen Gelde gestatten, und so
geschmückt kehren sie wieder in die fruchtbaren Prairien zurück. Dies
Land reicht über die Ruinen von Hierapolis bis Biredjik und verliert
sich mälig im Süden, wo es in die syrische Hochwüste übergeht...
Mit dem Anlangen am Euphrat bei Biredjik stehen wir
eigentlich an der natürlichen Grenze Syriens und haben jenseits
des Stromes das anfänglich ziemlich wüste Gebiet Hoch=Mesopo=
tamiens vor uns. Nur im nächsten Bereiche ist noch einige Kultur,
dann geht es durch öde Kesselthäler in gerader Richtung nach
Osten, bis nach mehrtägiger Reise eine weiße Häusermasse am
Saume der Wüste auftaucht. Es ist Urfa, das Edessa der
Kreuzfahrer, eine freundliche, wohlgepflegte Araberstadt, die ein
weitberühmtes Heiligthum, die Moschee Abrahams, und den
„heiligen Fischteich" besitzt. Wie die meisten Städte des Orients
ist auch sie von Mauern und Thürmen umgeben, aber der
Zustand dieser Fortificationen ist ein derart kläglicher, daß sie
den Vertheidiger eventuellen Falls mehr bedrohen, als schützen
würden. Wahrhaft pittoresk gestaltet sich der Anblick von Norden
her, wobei die Stadt aus ihrem üppigen Grün wie aus einem
weitläufigen Garten emporzutauchen scheint, umspannt von einem
Ring anmuthiger Landhäuschen, die die fremden Missionsanstalten
innehaben... Von Süden her tritt die Steppe hart bis an
die Stadtmauern, ein Bild von eigenthümlich grandioser Ein=

tönigkeit, ohne Rahmen und ohne Pfad. Auch die Karawanenstraße, die oftwärts zieht, durchschneidet nur Steppenland, aus
dem sich die Fragmente uralter Ruinen erheben. Hier hausen
bereits allenthalben die räuberischen Nomaden des mesopotamischen Binnenlandes, die während der besseren Jahreszeit bis zu
den kurdischen Randgebirgen ausschwärmen. Der Weg ist demnach ein ziemlich gefahrvoller und mit Sehnsucht erwartet die
Karawane den Moment, wo im Osten auf steilem Kegel die
Stadt Mardin auftaucht. Dies eigenthümliche Bollwerk liegt
über 3000 Fuß hoch auf einem, in die Wüste ausspringenden
Gebirgsriegel. Am Fuße dieses letztern angelangt, benöthigt
man noch volle drei Stunden um das Reiseziel zu erreichen.
Von Mardin ab betritt jedoch der Reisende ein üppiges Tiefland, besäet mit den Ortschaften der christlichen Chaldäer und
der Jeziden, eine wahre Kornkammer Mesopotamiens. Es ist
die einzige Zone, der der sprichwörtliche Segen dieses Landes
geblieben ist. Die von den Hängen des Tur-Abdin herab-
strömenden Gebirgswässer befruchten die weite Niederung, aus
der auch manch altehrwürdiges Bauwerk emportaucht, wie die
Reste der Römerfestung Dara, oder die uralten Fragmente
der Perserstadt Nisibis. Bis hierher bringen die arabischen
Nomaden selten vor und der Wohlstand gedeiht allenthalben,
denn selbst die Steuerexecutoren imponiren den Bewohnern
wenig, und sie werden, sobald sie übertriebene Anforderungen
stellen, in der Regel braun und blau geprügelt.

Wir kehren indeß nach Syrien zurück und folgen der
großen Karawanenstraße, die der Pilgerzug jährlich zur Wall-
fahrt nach Mekka und Medina einschlägt. Wir haben bereits
in einem vorangegangenen Abschnitte die Auszugsfeierlichkeiten
beschrieben, wie sie in Constantinopel stattzufinden pflegen. Der
Auszug von Damascus findet unter Führung des Sarra Emini
statt und sodann geht es in dreißig langen, beschwerlichen Tagmärschen über Muzeril, Belka, Maan, Nudawra, Tabuk,
Akbar u. s. w. zu erst zum Prophetengrabe in Medina und dann
nach Mekka.

Wenn nach diesen Tagen unausgesetzter Mühsal am Horizonte
plötzlich das von grauen Nebeln umschleierte Stadtbild auftaucht,
bemächtigt sich der Pilger ein unbeschreiblicher Enthusiasmus

und sie stürzen aufs Angesicht, um den heiligen Boden zu küssen. Der Ruf: „Mekka!" durchzittert die Luft, ähnlich jenem Freudensignale, das die Matrosen anstimmen, wenn sie nach mondenlanger Irrfahrt zum erstenmale wieder Land in Sicht bekommen. Der Einzug in die Stadt, die in einem ziemlich öden Thale gelegen ist, erfolgt unter neuen Freudenausbrüchen, und mit dem Rufe: „Es ist kein Gott außer Gott!" drängen die Schaaren in den Moscheehof, der mit seinen Säulenhallen das Heiligthum der Islamiten, die Kaaba, von vier Seiten einschließt. Den Thurm, den sie vorstellt, ist über vierzig Fuß hoch und ragt mit seinem flachen Dache über die Arkaden des Vorhofes hinaus. Sieben Minarete flankiren die langen Säulenhallen und vor der Gebetstunde strömen durch die letzteren die Tausende von Rechtgläubigen, oft einander fremd durch Sprache und Sitten, jedoch an einander gekettet durch die Macht des Glaubens, der hier immer wieder mit neuer Intensität ersteht. Die größte Anziehungskraft übt der „schwarze Stein" aus, über dessen Bedeutung sich freilich selbst die aufgeklärtesten Mohammedaner keine stichhaltige Auskunft zu geben vermögen. Es wird allgemein angenommen, daß der Prophet, der den Götzendienst in Arabien bekanntlich bis zur Wurzel ausrottete, den mirakulösen Stein als einziges Cultussymbol beibehielt, um mit den renitenteren und schwerer zu überzeugenden Heiden in Fühlung zu verbleiben. Der Mysticismus der indeß hierüber brütet, kann wahrlich nicht verfehlen, den Glaubensfanatismus der Masse noch mehr zu entfesseln. Dies beweist schon der wilde Tumult jener Tausende, die sich durch den Moscheehof nach dem Heiligthume drängen, bloßköpfig und die Schultern entkleidet; alle Sublimität des Ortes ist mit einem Schlage vergessen und, von wahnwitzigem Verehrungstriebe erfaßt, drängt Jeder, nach Maßstab seiner Kraft, durch die Schaaren, um zum Steine zu gelangen. Dies Götzenbild war bereits wiederholt in Händen haßerfüllter Widersacher des Prophetencultus, wie beispielsweise in jenen der Wahabiten, und hat infolge dessen auch partielle Zertrümmerung erfahren. Ein Goldband hält nunmehr die einzelnen Theile zusammen. Die Oberfläche des Steines ist wie polirt von den Millionen Händeberührungen, denn es gehört zu den hervorragendsten Pflichten des Pilgers denselben zu küssen und zu betasten. Während nun die Glücklichen, welche bis zum heiligen Steine vorgedrungen sind, daselbst in stumpfer Extase verweilen und nur durch Anwendung von Püffen und Faustschlägen wegzudrängen sind, umziehen die Andern die Kaaba und verrichten die vorgeschriebenen Gebete. In das Innere der Kaaba selbst kann, infolge des hochliegenden Einganges nur der eindringen, welcher sich von den Wächtern emporziehen läßt.

Von dem flachen Dache dieses Heiligthums hängt der heilige Schleier mit seinen Goldborbüren herab. Geschieht es, daß während der Predigt des Imams diese schwarze Hülle Wellen schlägt, so werfen sich die anwesenden Pilger, vor Aufregung zitternd, zur Erde nieder und murmeln tonlose Gebete. Es geht nämlich der Glaube, daß die Kaaba immerdar von Tausenden von Engeln bewacht werde, um sie am Tage des Weltunterganges ins Paradies zu entführen. Die Bewegung der Schleierhülle nun schreiben die Gläubigen der Anwesenheit jener unsterblichen Wächter zu, und es mag begreiflich erscheinen, daß der auf diese Weise so innig hergestellte Rapport mit der Ewigkeit, eben nicht so bedeutunglos für das überschwängliche Gemüth des Islamiten zu sein vermag.

So begeistert nun der Cult ausgeübt wird, so leer sind seine moralischen Hebel. Wenn man von aller Glaubenstreue absieht, die hier immerhin mit unglaublicher Intensität zum Ausdrucke gelangt, so pointirt eigentlich das religiöse Fest in der Verehrung eines Götzenbildes, wie es roher schier nicht mehr gedacht werden kann. Auch die übrigen Feierlichkeiten entbehren aller Sublimität und es muß nachgerade Wunder nehmen, daß der blinde Zelotismus, der Jahr für Jahr Hunderttausende beherrscht, es seinerzeit möglich machte, das Culturvolk der Araber bis zu seiner bekannten Höhe gedeihen zu lassen ... Mit der Berührung des heiligen Steines ist indeß nur ein Act der Pilgerpflicht erfüllt. Wenn mit demselben geschlossen ist, ziehen die Schaaren nach dem heiligen Berge Arafat, der am östlichen Ende des Thales Mina gelegen ist. Die Sohle ist schmal und die zahllosen Schaaren dringen nur mühsam vorwärts. Am Fuße des Berges selbst aber haben die speculativen Mekkaner ihre Kaffee- und Bazarbuden errichtet und bald nach Ankunft der Karawane

schließen an sie die weiten Zeltlager der Pilger. Der zweite
Tag ist keinerlei religiösen Feierlichkeit gewidmet, von Früh bis
Abends durchwandern die Tausende die wüste Umgebung, oder
sie verbleiben in ihren improvisirten Standquartieren; mit dem
Einbruche des Abends aber verwandelt sich die turbulente Stätte
in ein feenhaftes Lichtmeer, hervorgerufen durch die zahllosen
Lichter und Lampions, die in der Lagerstadt angezündet werden.
Nach den Dämmerstunden beginnt überdies ein ziemlich bedenklich
weltliches Treiben. Wilde Musik ertönt, in den Kaffeebuden
sprechen Schlangenbeschwörer, Feueresser und anderes Wunder
vermögendes Gelichter vor, während die wohlhabenderen Pilger
Tänzerinnen zu sich laden und so die lange Zeit angenehm
verkürzen.

Mit der Morgendämmerung des auf dies Bacchanal folgenden
Tages beginnt die religiöse Feier. Die herbeiströmenden Schaaren
umlagern den nackten Hügel, auf dessen Höhe sich eine Kapelle
und die Gebetkanzel des Imam befindet, und harren der
Ankunft des Letzteren. Absonderlich interessant erscheint dieser
solenne Act nicht, denn er beschränkt sich lediglich auf langwierige
und ermüdende Interpretirungen des Korans und in Recitirung
von Gebeten, von deren Stattfinden die entfernter situirten
Pilgerschaaren nur dadurch benachrichtigt werden, daß sie den
Imam die Hände gegen den Himmel erheben sehen. Dieser
geringe Anlaß genügt, um die Gläubigen abermals in Exstase
zu versetzen, und in wüster Unordnung verlassen sie die Abhänge
des Hügels, sobald der Prediger seine Kanzel verläßt. Der
Tumult steigert sich im Lager selbst bis zu unglaublicher Höhe.
Im wilden Durcheinander werden die Kleineren und Schwächeren
niedergetreten, im Zeltlager katzbalgt man sich um Requisiten
und Transportthiere, und so schließt dieser heilige Tag der Pilger=
feierlichkeiten in der Regel mit großer Ernüchterung für die
Betheiligten, die oft braun und blau geprügelt heimkehren.
Eine Wiederholung dieser Scenen findet im Thale Mina halbwegs
gegen Mekka bei der Moschee Nimweh statt, wo man abermals
durch viele Stunden, oft dem empfindlichsten Sonnenbrande
ausgesetzt, der nichsagenden Predigt des Imam lauscht.

Im Thale Mina finden, zum Andenken an die Heimsuchung
Abrahams durch den Satan und an dessen Schlachtopfer, zwei

an Symbolisirung das Großmöglichste leistende religiöse Acte statt, deren wir füglich gedenken müssen. Nach islamitischer Tradition versuchte es der Böse den Patriarchen zu verführen und er trat ihm zu diesem Ende im Thale Mina in den Weg. Abraham aber ergriff eine Anzahl Steine und verwundete durch deren Wurf auf den Satan denselben derart, als hätte er glühende Kohlen auf ihn geschleudert. In Erinnerung hieran lesen die Pilger dreimal sieben Steine vom Boden und schleudern sie gegen einen Felsblock, dem die, für einen Stein gewiß seltsame Rolle zufällt, den Bösen darzustellen. Das Gedränge bei diesem Anlasse ist nicht minder sinnverwirrend, wie bei den anderen geschilderten Anlässen und der Cult erscheint uns ebenso leer, wie die Verehrung des Götzenbildes in der Kaaba. Warum indeß dieser Act im Thale Mina dreimal ausgeübt wird, und zwar jedesmal durch Schleudern von sieben Steinen, will nicht recht einleuchten. Indeß scheint die Symbolisirung des traditionellen Geschehnisses bei Weitem nicht so haarsträubend als die Feier, welche zur Erinnerung an das Opfer Abrahams begangen wird. Sie findet bei dem Dorfe Mina statt, wo Tausende und Tausende von Hammel als Schlachtopfer bereit stehen, denn jeder Pilger ist verpflichtet, um sich den Titel eines solchen zu erwerben, mindestens ein Thier zu opfern. Die phantastisch geschmückten Schlachtopfer werden von den Gläubigen oft um hohe Summen erstanden, und, nachdem der Kadi von Mekka das Signal gegeben, beginnt die Schlächterei. Jeder wendet sein Opfer mit dem Kopfe gegen die Prophetenstadt und schneidet ihm sodann die Kehle durch. Dieser wahnsinnige Cult, der zahllosen Thieren das Leben kostet, und an sich vollkommen zwecklos ist, dürfte zunächst Veranlassung zu den Epidemien sein, die immer wieder in Mekka ausbrechen. Nur der geringste Theil der gefallenen Thiere vermag aufgezehrt zu werden, der Rest verwest auf dem steinigen Boden und mit jedem Luftzuge treiben die pestilenten Dünste thalabwärts gegen Mekka. Als noch die glanzvollen Khalifen von Bagdad hierherzogen, errichteten sie ganze Hekatomben von Schlachtopfern. Man begnügte sich nicht blos mit Lämmern, auch Pferde und Kameele wurden en masse sinnlos hingeschlachtet.

Mit diesem letzten Acte sind die Feierlichkeiten beschlossen, und unter den gleichen Mühsalen findet die Rückreise in vielen langen

Tagemärschen durch die Wüste nach Damaskus statt. Die Greise und Schwächlinge, welche etwa in Mekka während ihres Aufenthaltes ihr Leben ausgehaucht, werden vor der Stadt ohne alle Ceremonie verscharrt und die Mekkaner machen ihre Kassenbilanz, die schwerlich zu ihren Ungunsten ausfällt. Früher war diese Pilgerkarawane auch eine Handelskarawane und reich beladen kehrte sie aus der Prophetenstadt wieder heim. Seitdem die Dampfschifffahrt durch den Suezkanal geht, zieht es selbst der orthodoxeste Pilger vor in kurzer Seefahrt die Küste Arabiens zu erreichen, anstatt sich allen Gefahren und Schrecken einer langwierigen Wüstenreise auszusetzen.

Neunter Abschnitt.

Mosul mit Ninive. — Kurdische Landschaften. — Die Völker Central-
Kurdistans. — Teufelsanbeter und Rothköpfe. — Das Alpenland der
Nestorianer. — Im äußersten Osten des ottomanischen Reiches. —
Erster Eindruck von Bagdad. — Die Türken im arabischen Irak. —
Beduinen=Fehden. — Blick ins Euphratthal. — Palmyra.

An jenem politisch, wie strategisch bedeutsamen Punkte, wo
der Tigrisstrom seine südlichen gebirgigen Einfassungen durch-
bricht und gewissermaßen eine natürliche Grenze zwischen Kurdistan
und Hoch=Mesopotamien bildet, liegt die Türkenstadt Mosul.
Seitdem der Napoleon Irans, Nadir Schach, der Eroberer
Delhis und Bagdads, in das uralte Stadtgemäuer Breschen
schlug, sind die hochziehenden Umfassungen mehr und mehr ver-
fallen und am nördlichen Stadtende breiten sich wüste Schutthaufen, unterbrochen von Friedhofsanlagen und den weißgetünchten
Mausoleen verschiedener Localheiliger. Dort ruhen die moslemischen Rechtgläubigen Imam Abu Kerim, Schech Manzur, Schech
Ibrahim, Abdurrahman, Imam el Bahr und Schech Fathej in
einem nichts weniger als reizenden Erdenparadiese. Wer aber die
interessanten Territorien um Mosul überblicken will, der ist wohl
gezwungen, über das bleiche Marmorgerümpel gestürzter Grab-
obelisken zu klettern, um von baumloser Höhe eine der stimmungs-
vollsten Fernsichten Kurdistans zu genießen ... Im mühevollen
Anstiege über die verschiedenen Terrassen der Stadt erreicht man
die öde Hügelkrone. Eine weiße Häusermasse liegt sodann zu
unseren Füßen, umklammert vom schmutzig=gelben Bande des

Tigris; etwas südlicher wogt eine bunte Menschenmenge zwischen
den schneeweißen, aus gypsigem Marmor aufgeführten Karawanserais, Repräsentanten aller Völkerstämme Vorder-Asiens: vom
Steppensohne aus dem Quelllande des Chabur bis zum miß-
trauischen Jeziden, der von den Kessellandschaften Dohuks oder
Grefenhams herabwandert, vom Mosuler Detailhändler bis zum
protzigen Perser aus Tabris und dem reichen Sumachhändler
aus dem hoch-kurdischen Suleimanjeh. Westwärts übersieht das
Auge, einen niedern, weit in die mesopotamische Steppe ausspringenden kahlen Gebirgszug, der in blassen Nebelschleiern ver-
dämmert. Es ist das Sindjargebirge, einst ein kaum zugänglicher
Schlupfwinkel der Jeziden oder „Teufelsanbeter", einer mystischen
Secte Kurdistans, die in Scheytan (Teufel) einen gefallenen Gott
anerkennt, der früher oder später wieder zu Ehren gelangen wird
und somit eine mildere Behandlung gar wohl verdient, als
dem personificirten bösen Principe von Andersgläubigen in der
Regel zu Theil wird. Heute ist das Sindjargebirge nach langwierigen Kriegen, an denen sich in den Dreißiger-Jahren unter
dem Commando Hafiz Paschas auch der jetzige Marschall Graf
Moltke als Officier en Suite betheiligte, pacificirt und nur den
kriegerischen Streifzügen der Araber vom Stamme Taï ausgesetzt.

Wenden wir nun den Blick nach Norden. Das Panorama
sucht in diesen Landen wohl seines Gleichen, denn hier sind alle
Zonen, von der nordischen Gebirgswelt bis zu den farbensatten
Detailbildern des Orients vertreten, oft so unvermittelt, daß man
geneigt wäre, die entlegeneren Landschaften für Luftspiegelungen
phantastischer Art gelten zu lassen. Weit hinter den letzten weichen
Formen der Mittelregion blinken die Schneegipfel des kurdischen
Alpenlandes, den natürlichen Wächtern, die das wildromantische
und kaum zugängliche Gebirgsland der nestorianischen Christen
umklammern. Näher her entwickeln sich die weicheren Formen
Amadias mit seinem berühmten Thale des heiligen Schech Abe,
dessen weißgetünchtes Mausoleum unter uralten Nußbäumen
schimmert. Hier wohnen die Jeziden am compactesten. Zur
Feier ihres Nationalpatrons wandern die blondhaarigen Kurden
aus den umliegenden Berglandschaften in das fruchtbare schöne
Thal, um sich mit beginnender Nacht leidenschaftlich wilden
Tänzen hinzugeben und in Freuden zu schwelgen. Rings in

den Bergen ists ruhig, in der Tiefe aber würde der nächtliche
Wanderer in der düstern Gluth der Freudenfeuer abenteuerliche
Gestalten einen wilden Reigen execotiren sehen, unter Tam-Tam-
und Paukenschlägen ... Blickt man von der Höhe Mosuls
bei Tag über jene Gelände, so scheinen ihre Formen in schweren
Dünsten zu verdämmern, über die hinaus sodann Djulemarks
Eiszinnen wie feenhafte Märchenschlösser sich aufbauen.

Deutlicher wird das Bild unmittelbar am Strome. Man
gewahrt da einen trapezartig geformten, gewaltigen Complex,
von Riesenwällen markirt, die sehr merklich ringsum aus der
Niederung emportauchen. Zwei kleine Hügel, noch innerhalb der
Wallzüge, zeigen unverkennbar, daß sie von Menschenhand aufgeführt sind und der kleinere von ihnen trägt eine Grabmoschee
mit anstoßenden kleinen Karawanserais, die sich in einem Teiche
spiegeln und von Gemüsegärten umgeben sind. Zur Zeit des
Frühjahres ist dieser Complex ein wahrer Blüthenteppich. Auf
den Wällen wuchert eine südliche Blumenwelt, in den Vertiefungen unabsehbare Aehrenfelder, von Feldhühnern durchflattert
und überwölbt von einem ewig blauen Himmel. Dieser so üppige
Complex, wo tausendfaches Leben aus jeder Ritze sprießt, die
Natur ihren holdesten Frieden ausgegossen zu haben scheint und
unversiegbare Kräfte sich immerdar regen, ist — Ninive.

Es handelt sich hier keineswegs um weitläufige historische
Abrisse, noch um das Geheimniß der Keilschrifttexte, die Smith
und andere gewaltige Geister der auf ewig stummen Assyrier-
Metropole entrissen haben, wir wollen diesmal nur die Thatsache
constatiren, daß auch auf dieser Stätte, welche seit Jahrhunderten
für das Abendland so viel als wie verschollen war, vor drei
Jahren — Eisenbahntechniker die Tracestudien für die große
kurdisch-mesopotamische Ueberlandlinie anstellten. Ninive war
immerdar, wie die meisten Culturstätten, welche im Laufe der
Zeit spurlos vom Erdboden verschwunden sind, ein Magnet für
die Wissenschaft und — Phantasie, und im letzteren Sinne hat
gar mancher Geschichtsbeflissene neben seinen ernsten Betrach-
tungen mit dem Zauberschmucke getändelt, den poetische Reflexionen
in der Regel spenden. Die Assyrische Sphynx aber wurde ent-
räthselt und die ganze versunkene Welt von Ninus bis Sarda-
napal entstieg aus ihrer modrigen Behausung, um sich uns

lebenswarmer einzuprägen ... Auf derselben Trümmerstätte
nun, wo bisher nur historische Schatten walteten, einzelne ver=
flogene Gelehrte mit Sehergabe das unlösbare Dunkel zu durch=
dringen meinten, und die in Marmor gemeißelten putzigen
assyrischen Könige und Großpriester wie Zauberwesen anmutheten,
auf derselben Stätte sind die Nivellir=Instrumente des Technikers
gestanden und wurde der Raum bestimmt für so und so viele
Geleise, Weichen, Drehscheiben, Magazine und Remisen!... In
der That, die Antithese könnte nicht drastischer ersonnen werden!

Aber weit entfernt zu enttäuschen, liegt in dieser Thatsache
vielleicht ebenso viel Poesie, wie in den umdämmerten Reminis=
cenzen der fabelhaften Residenz des Ninus. Mag vor Jahr=
tausenden in diesen Gebieten immerhin eine Cultur geblüht haben,
die uns noch heute bedeutsam erscheint und unsern Geist durch
gewisse Emanationen dieses Culturlebens fesselt, seitdem ist alles
spurlos verschollen gegangen, die Paläste vom Erdboden ver=
schwunden und auf dem Grabe der einstigen Königspracht wurde
selbst die einsame Blume von den vorbeirasenden Barbaren
zertreten ... Nach einem langen, langen Schlafe könnte es
vielleicht wieder hell werden. Der Repräsentant der abend=
ländischen, modernen Cultur, das Dampfroß, das bereits die
Urwälder Amerikas durchbraust, an den Pagoden und Götzen=
bildern Delhis und Lahores vorüberpoltert und durch die
Palmenwipfel Egyptens feine Rauchwolken pustet, soll nun auch
seinen Weg durch das Gebiet der verschollenen semitischen
Culturwelt finden und das jahrtausendlange Elend vergessen
machen. Auch hierin liegt Poesie. Wenn es die türkische In=
dolenz nicht beim bloßen Projecte bewenden läßt und ehemöglichst
an die thatsächliche Herstellung des Schienenweges schreitet, wie
überrascht wird der Reisende sich fühlen, wenn er in seinem
bequemen Coupé über die vermoderten Gebeine der Niniviten
dahinrollt!

Genug denn der Reflexion und werfen wir einen Blick
nach Osten. Ein weites Culturland bietet sich uns dar. Im
Norden von steilen Wänden eines unförmlichen Kalkgebirges
begrenzt, verläuft es südwärts unabsehbar bis gegen die Ufer
des Tigris, der dortselbst auf der rechten Seite bereits von der
mesopotamischen Steppe besäumt wird. Nur geringe Terrain=

wellen unterbrechen das kleine Plateau, und auf den Kuppen
erblickt man zahlreiche Dörfer, zumeist an Tumulis, jenen räthsel=
haften künstlichen Hügeln gelehnt, die man nicht nur in Vorder=
asien, sondern auch in der europäischen Türkei, im südlichen
Rußland, ja sogar in den pommerschen und mecklenburgischen
Marschen antrifft. In Kurdistan und Mesopotamien mögen
diese Hügel wohl alt=assyrische Ortslagen markiren. Es gibt
daselbst Districte, wo sie nach Tausenden zählen und die
größeren von ihnen tragen ganze Ortschaften, ja sogar Städte,
wie beispielsweise Erbil, das auf einem an seiner Mantelfläche
gepflasterten künstlichen Hügel situirt ist. Dieses Territorium
nun, das wir ostwärts von Mosul betreten, ist die Ebene von
Kermelis, das Schlachtfeld von Gaugamela. Was indeß das
antike Arbela, das heutige Erbil anbelangt, so ist es eine der
am malerischsten situirten Städte des südlichen Kurdistan. Auf
ungeheuerem Kegel, einem kolossalen Meilenweiser gleich, hebt
sich das dunkle Profil dieser Kurden=Ansiedlung vom hellfarbigen
Hintergrunde ab, viel Meilen früher, als sie erreicht wird. In
der Nähe angelangt, sieht man, infolge der hochziehenden Um=
wallungen, von der Stadt nur die oberen Theile der Minarets
mit ihren rostenden Blechhauben und Glaubenssymbolen,
während ein uralter Graben, der neben der Stadt einen Flächen=
raum von vier Quadrat=Kilometer einschließt, unzweifelhaft auf
die einstige Ausdehnung und Lage Arbelas hindeutet, auf dessen
gigantischem Hügel vielleicht eine Art Akropolis gestanden haben
mag. Architektonische Ueberbleibsel oder andere Anhaltspunkte,
die uns mit der Antike in nähere Relation zu bringen ver=
möchten, existiren nicht . . . Im Oriente, wo der „Kampf ums
Dasein" der Völker einen so barbarischen Umfang annimmt, daß
in den langen Jahrhunderten nicht nur zahllose Geschlechter der
completten Ausrottung anheimfallen, sondern auch die betreffenden
Territorien und historischen Schauplätze die abenteuerlichsten
Umwandlungen erleben mußten, kann es Niemanden befremden,
wenn Culturzonen sammt ihrem Denkmälerschmucke gleichsam
unter einer Schichte der Stoffablagerung im großartigen Völker=
processe zu ruhen kommen, wie etwa eine geologische Formation
unter die andere. So erblickt man beispielsweise in Ninive durch
die tiefen Spalten des Hügels Kujundjik Ueberreste Ninivitischer

Architektur zu unterst, dann taucht ab und zu aus dem Chaos irgend ein Fragment, ein Säulenstumpf oder Architrav aus den byzantinischen Zeitepochen hervor, während aus der obersten Schuttschichte geborstene mohammedanische Grab-Obelisken hervorlugen. In übereinanderliegenden Zonen, zehn Meter hoch, ruhen die baulichen Fragmente dreier Jahrtausende! . . .

Das Plateau von Erbil ist heute ein kleines Culturland. Neben den zahllosen Tumulis erheben sich ebenso viele Dörfer ackerbauender Kurden; weißgetünchte Heiligengräber schmücken hin und wider die unabsehbaren grünen Flächen bis gegen den Tigris hin, wo die Tiefebene beginnt und mit ihr das arabische Bevölkerungs-Element. Kein Stamm der mesopotamischen Nomaden hat es je versucht, die Steppe zu verlassen, um in die gebirgigen Vorlagen Kurdistans einzudringen. In allen Gebieten der Stromländer jenseits des Taurus erblickt man die schwarzen Kegelzelte der Araber erst dann, wenn die letzte flache Gebirgsabdachung überschritten ist und die unabsehbare Steppe mit ihren glitzernden Silicat-Niederschlägen den Reisenden aufnimmt. Indeß ist es auch mit der Cultur des südlichen Kurdistans nicht absonderlich bestellt. Das Land steigt gegen Norden und Osten terrassenartig an, die Thäler werden immer einsamer, wilder und pittoresker und wo die Gebirgsgegend den alpinen Charakter annimmt, haben wir es nur mehr mit unbändigen Bergstämmen zu thun, die sich um die Autorität der Regierung wenig kümmern. Hohe Gebirgsringe umklammern diese Kurden-Clane. Sie haben ihre eingeborenen Häupter, denen sie gehorchen, hin und wider auch eine officielle Behörde, aber die Steuer wird nur entrichtet, wenn es eben der Beutel jedes Einzelnen erlaubt, und der Conscription sind sie derart abhold, daß jeder schwache Versuch, Recruten auszuheben, zu den blutigsten Schlägereien führt. Es gibt eine kurdische Schriftsprache, die seinerzeit sogar in einer nationalen Literatur Pflege fand, aber heute sprechen die meisten Stämme türkisch. Neben dem Hauptstocke, der mohammedanisch ist, gibt es noch Jeziden oder „Teufelsanbeter" und Kyzilbasch d. i. „Rothköpfe", eine Secte, die innig mit den Nasariern und Ismaeliern in Syrien verwandt ist. Letztere haben sich, infolge der langwierigen Verfolgungen, die sie erdulden mußten, in die obere Euphratgegend zurückgezogen, wo sie die unzugänglichen

-Hochländer und Defilés bevölkern. Weder Fremde noch Ein-
heimische, am allerwenigſten das Militär und die Behörden,
wagen es, in ihre unwirthlichen Stammſitze einzudringen, denn
die Kyzilbaſchs ſind womöglich noch wilder, wie ihre Glaubens=
brüder am ſyriſchen Geſtade... Die Jeziden ſind da weitaus
zugänglicher, ja harmlos, zumal in den Niederungen, wo ſie im
Verkehr mit Andersgläubigen und fremden Völkern oft die
Maske des Mohammedanismus anlegen und ſo in ziemlich
friedlicher Eintracht mit ihren Mitbewohnern leben. Das ändert
ſich aber, wie geſagt, ganz gewaltig, wenn man einen Blick in
die inferioreren Gebiete wirft. In den dreißiger Jahren ſtand
ganz Kurdiſtan in Flammen. Starke türkiſche Truppenabtheilungen
rückten in die großen Thäler ein, aber die Rebellen ſtaken in
ihren Felſenneſtern, von wo aus ſie ſich den emporklimmenden
Abtheilungen entgegenwarfen, oder ſie abſchnitten und vernichteten.
Die Türken vermochten weder ſtarke Corps, noch Geſchütze oder
Lagergeräthe auf die Höhen zu ſchaffen, da keine gebahnten
Wege vorhanden waren. Hafiz Paſcha, der damals die Operationen
leitete, verſuchte infolge deſſen das zugängliche, wenig in ſich
abgeſchloſſene Sindjargebirge im meſopotamiſchen Tieflande aus=
zufegen, was ihm auch vollkommen glückte. In Kurdiſtan ſelbſt
aber kam es zu ſehr ſpärlichen Reſultaten. Man occupirte die
großen Ebenen, zumal das weitläufige Strombecken unterhalb
des Tigris=Defilés von Djezireh, ſchnitt den Rebellen alle Zufuhren
ab und begann das gewohnte Zerſtörungswerk in den zugänglichen
Kurden=Niederlaſſungen. Es gab damals noch eine bedeutende
Zahl feſter Burgen, welche unabhängige Kurdenfürſten inne
hatten. Sie wurden dem Erdboden gleich gemacht und über die
Duodez=Herrſcher der Bann verhängt, eine Maßregel, die die
renitenten Stämme beſtimmte, bis auf den letzten Mann zu
fallen. Soweit kam es nun nicht. Die Türken begnügten ſich,
das Tiefland beſetzt zu halten, und nachdem das Land — officiell
als „pacificirt‟ erklärt wurde, zogen die meiſten Truppen wieder
ab. Es ſieht nun wahrhaftig drollig aus, wenn man der That=
ſache gedenkt, daß die ſogenannten unabhängigen Kurdengaue
von der — Landkarte geſtrichen wurden, ohne daß ſie ſich in
welch immer annehmbaren Form thatſächlich in Händen der
Türken befunden hätten. Aber mit den Bergländern beſteht

noch heute kein officieller Verkehr, es existiren keine Garnisonen, und die Macht der Behörden, die ihren Sitz in den Thälern haben, reicht nur auf den nächsten Bereich. Es gibt dort weder Conscription noch Steuerleistung und die undisciplinirten Gensdarmerie=Abtheilungen sehen wohl ein, daß ein gutes Ein= vernehmen mit den benachbarten Bergvölkern ihre Behaglichkeit gewiß weniger beeinträchtige, wie eine stete Fehde. Man muß eben wissen, daß diese Hüter des Gesetzes und der öffentlichen Ordnung Monate, wenn nicht Jahre, keinen Sold erhalten und somit auf die Landbevölkerung ausschließlich angewiesen sind. Diese sonderbaren Träger und Repräsentanten der ottomanischen Autorität absentiren sich oft wochenlang in die entlegene Nachbar= schaft, wo sie sich von der Bewohnerschaft der Dörfer frei halten lassen. Auch Executionen pflegen stets mit brüderlichen Eß= und Trinkgelagen zu enden... In der That sehr heitere Zustände!...

Aehnlich verhält es sich mit der christlichen Secte der Nestorianer. Von Nestorius im dritten Jahrhunderte u. Z. gegründet, reichte ihr Territorium noch unter den Seldschukiden ziemlich weit gegen Süden; (die Klöster und Bischofssitze Neharda, Wasith, Acbara, Carcha u. s. w. lagen im arabischen Jrak)*) später scheinen sie durch die kriegerischen Ereignisse immer mehr in die Gebirge abgedrängt worden zu sein und heute bestehen sie bereits vollkommen isolirt in einem der großartigsten Theile Central=Kurdistans. Zwischen den Seen von Wan und Urumia breitet sich in der Quellregion des großen Zarb ein imposantes Alpengebirge mit üppigem Waldwuchse und gartenähnlicher Cultur in den Thälern aus. Es führt gemeinhin den Namen Djulemark, von dem gleichnamigen Bergriesen, der mit seiner Schneehaube die benachbarten Hochlandswipfel weit überragt. Nur schmale Thalfurchen führen ins Innere, begrenzt von steilen Uferwänden, so daß diese Passagen Riesenthoren nicht unähnlich sind. Die Nestorianer sind am besten mit den Mirditen, den christlichen Albanesen, zu vergleichen, mit dem einen wesentlichen Unterschiede, daß sie niemals mit den Türken gemeinsame Sache machten und stets sich selbst überlassen blieben. Was ihren Charakter anbelangt, so sind Energie und Unabhängigkeitssinn ihre hervorragenden

---

*) Nach Stülpnagels historischer Karte.

Eigenschaften, leider aber hat im Laufe der Zeit eine hochgradige
Verwilderung platzgegriffen, die sich namentlich in den Kämpfen
gegen die benachbarten Kurden zu wiederholten Malen dargethan
hat. Die Nestorianer sind nichts weniger als friedlicher Natur,
doch ergreifen sie selten die Offensive. Alle blutigen Händel,
welche sich bereits in Kurdistan abspielten und vermuthlich noch
abspielen werden, haben ihren Grund in den unausgesetzten
Hetzereien der Provinz=Behörden. Da sie ihre Ohnmacht, all
diese unbändigen Völkerglieder mit eiserner Faust zu beherrschen,
gar wohl fühlen, trachten sie die Gefahr, die ihnen von dieser
Seite droht, dadurch abzuschwächen, daß sie jene in steter Fehde
untereinander erhalten. Eine Taktik, die uns bereits aus dem
Libanon bekannt ist. Es hat des öftern sehr blutige Kämpfe
zwischen den Kurden und Nestorianern abgesetzt. Man hat indeß
auch die mohammedanischen Kurden gegen die jezidischen Stammes=
brüder gehetzt, die Nestorianer gegen die chaldäischen Christen,
die Turkomanen gegen die Kurden, die Araber gegen die Kurden
und Turkomanen, und so fort mit Grazie ... Sehr berüchtigt
sind die Kurdenstämme um Suleimanjeh, dem letzten Districte,
der officiell, ohne thatsächliche Berechtigung, dem Gesammtreiche
einverleibt wurde. Das Gebiet grenzt unmittelbar an Persien
und diese bequeme Lage gestattet dem gesetzlosen Pöbel, sich nach
Laune auf fremdes Gebiet zu ziehen und so eventuell ihren
türkischen Verfolgern zu entwischen. Die Berge um Suleimanjeh
sind der Sammelort aller Art mißvergnügter ottomanischer
Unterthanen der Ostmarken und es repräsentirt dies verrufene
Territorium eine Räubercolonie im großartigsten Maßstabe.
Nach und nach hat sich dieser Auswurf der kurdischen Bevöl=
kerung typisirt und es besteht nun thatsächlich eine Art Race,
die sich Hammavand nennt. Westlich von ihnen, wo die Grenz=
ketten terrassenartig abfallen, finden sich, bis gegen das mesopo=
tamische Tiefland hin, einzelne Turkomanen=Ansiedlungen, während
die großen Längenthäler bereits Araberstämme inne haben, wie
die Djubbur=Tribus, die Karaa u. a. m.

Wenn man den letzten Gebirgsriegel, den Djebel Hamrin,
überschritten hat, fällt der erste Blick auf ein gartenähnliches
Land, das zu unseren Füßen liegt. Im Osten besäumt es ein
blaues Wasserband, der Diala, im Westen, dem Auge nicht mehr

fichtbar, der Tigris. Zahllofe Canäle durchädern die Niederung,
deren Palmenhaine grüne Inseln in einem weiten Aderlande
bilden. Weißgetünchte Mausoleen arabischer Marabuts schimmern
herüber und von den Ruinenhügeln, die sich zwischen die Dörfer
breiten, glitern in allen Farben zahllose Terracotten=Scherben...
Wir sind hier in der Niederung Bagdads, das zwei schwache
Tagereisen entfernt, am Gestade des Tigris gelegen ist. So
überraschend frisch sich nun das Panorama von der Höhe genießen
läßt, so wenig reizend ist die Wanderung durch die Tiefebene
selbst. Die glühendste Hitze brütet über den ausgetrockneten
Canälen und die Tragthiere oder Pferde versinken in den Löchern,
welche von Rohr und Riedgras überwuchert erscheinen. Die
Luft ist dick und beklemmend, sie wogt mit ihren grauen Dünsten
wie eine See hin und wider und selbst die Palmenhaine ver=
schwinden. Dann ragen nur mehr die Kronen über die Dunst=
masse und die Sonne leuchtet düster aus ihrem Schleierhofe.
So geht es fort, bis ein baufälliges Gemäuer vor uns auf=
taucht, das einen Festungswall der ehemaligen Chalifenstadt vor=
stellen soll. Traurig und tief herabstimmend ist der erste Anblick
dieser einstens glanzreichsten Stadt des Islam. Zwischen engen,
krummen Gassen geht es vorwärts, an schmutzigen Bazarläden
vorüber oder an ruinenhaften Lehmhäusern, die vielleicht die
letzte Hochfluth des Tigris unterwaschen hatte. Wer indeß vom
Nordthore in Bagdad einzieht, der bekommt immerhin noch dessen
respectableren Theil zu Gesichte. Der Reisende, der sich etwa
der persischen Karawane, die von Mendeli herabzieht, angeschlossen
hat, betritt die Stadt durch das Thor des Schech Omer. Der
Thorbogen ist längst gestürzt und mit Mühe klettern die weich=
hufigen Kameele über die Breschen, welche die zusammengebrochenen
Bastionen mit der Zeit gebildet haben. Im nächsten Bereiche
trifft man nur auf Trümmerhügel, stagnirende Sumpflachen und
Cloaken und ein Rudel wilder Hunde taumelt erschreckt vor dem
schrillen Rufe des Karawanenführers auseinander. Ueber der
Stadt kreist der Wüstengeier und vor den Thoren machen sich
Rabenschaaren bei den Aesern gütlich.

Jn Bagdad residirt ein Gouverneur, der wohl über die
größte ottomanische Provinz gebietet. Das Vilayet reicht im
Süden bis zum persischen Golf, im Osten bis an die Grenze

Irans, im Norden bis zu den kurdischen Randgebirgen und eudet im Westen wenige Meilen von dem Ruinenfelde Palmyras. Diese Provinz ist größer, als das ganze vereinigte Königreich Italien, und halb so groß wie Frankreich. Einst waren die Gouverneure von Bagdad gefürchtete ottomanische Satrapen und nicht selten geschah es, daß einzelne, nach Unabhängigkeit lüsterne Beherrscher des „arabischen Irak", dem Padischah den Gehorsam verweigerten und sich zu absoluten Herren des Landes machten. Damals hatte auch die Stadt, wenngleich sie sich nicht mehr mit der Chalifenresidenz messen durfte, noch etwas monumentales. Dann ging es aber bald herab, Ueberschwemmungen rissen ganze Stadttheile mit sich fort, Pest und Epidemien rafften Tausende hinweg und mehr als einmal sah Bagdad den dritten Theil seiner Einwohner binnen wenigen Wochen in ein besseres Jenseits eingehen.

Man ergibt sich demnach ganz falschen Vorstellungen, wenu man dem heutigen Bagdad irgendwelche hervorragende Bedeutung zumuthet. Nur in commercieller Beziehung besitzt es einen gewissen Werth, welche Einrichtungen müßten aber erst geschaffen werden, um hier einen Stapelplatz des Welthandels ins Leben zu rufen! Die Romantik des Beduinenlebens am Schatt-el-Arab ist vorderhand so leicht nicht zu brechen, denn die Natur des Nomaden excludirt jede Möglichkeit, ihn für geordnete, gesetzliche Zustände zu gewinnen, und mit der Vertreibung der Beduinen-Stämme wäre der Sache blutwenig genützt. Ueberdies wäre gerade die ottomanische Regierung die allerletzte, die die Macht und die Fähigkeit besäße, eine annehmbare Cultur im arabischen Irak zu inauguriren. Seit Decennien von den großen Wanderstämmen des Tieflandes, wie die Anezi, Schamara, Montefik und Beni-Lam, bedrängt, mußten die Gouverneure bisher schlechterdings einzig darauf bedacht sein, die Stabilität der Verhältnisse zu wahren. So ist auch hier die Geschichte der letzten Jahrzehnte nichts weiter, als eine ewige Fehde, aus der die Feinde des Türkenregiments wiederholt als Sieger hervorgegangen sind. Wären die Araberstämme der mesopotamischen Niederung unter sich einig, die Regierung hätte wahrlich kein leichtes Spiel mit den gewaltigen Horden, die oft zehn- bis zwanzigtausend kampffähige Reiter ins Feld führen. So aber bekriegen sich die Söhne Ismaels untereinander und den Machthabern am Tigris fällt es eben nicht schwer, diese Situation auszunützen und daraus Vortheile zu ziehen... Es ist noch nicht lange her, daß die ottomanische Regierung mit einem sehr energischen Feinde jahrelang im Kampfe lag. Die Hochländer vom Nedjb, die Wahabiten, welche den Puritanismus des Islam geschaffen haben, verließen ihre Stammsitze in Hoch-Arabien, um das Schattgebiet mit Krieg zu überziehen. Jede staatliche Ordnung schwand, aller Handel auf den Zwillingsströmen stockte und der Gouverneur von Bagdad war kaum in seinem Regierungssitze sicher. Damals verdankten die Türken ihre wesentlichen Erfolge den Arabern vom Stamme Montefik, welche als Rechtgläubige die Sectirer des Hochlandes verabscheuen, und so entspann sich ein blutiger Bürgerkrieg unter den Arabern, der der schwachen Regierung gewiß sehr gelegen sein mußte... Ruhe trat wieder ein, aber es ist eine Ruhe, ähnlich jener, welche über der Wüste brütet. Am Schatt herrscht nur eine Schein-regierung, eine Behörde, die gewissermaßen nur geduldet ist, und wenn sich heute den Stämmen ein plausibler Grund finden sollte, sich gegen das Regiment aufzulehnen, so könnten sie vielleicht ihren alten Bruderhaß vergessen und dann stände es schlimm mit der Türkenherrschaft im Irak.

Wer die ungeheueren Territorien zunächst der Zwillings-ströme durchreist, der bekommt indeß erst den richtigen Begriff von der ottomanischen „Macht". Ueber eine baufällige Schiff-brücke verlassen wir die Chalifenstadt und betreten den Boden Inner-Mesopotamiens. Linker Hand mahnt ein kleines Mo-nument an die Vergangenheit, das Grabmal Zobeïdens, der Gattin Haruns, dann nimmt uns der weite Steppenboden auf mit seinen Canalruinen und uralten babylonischen Bau-Frag-menten. Ein Thurm der Chaldäer ist seit Jahrhunderten den hier vorbeiziehenden Wanderstämmen der Wegweiser. Nicht lange dauerts und in einem öden Flachlande, bebuscht von kümmer-lichen Tamarisken, taucht ein breites Stromband auf. Es ist der Euphrat der „Strom der Verheißung", wie ihn die Araber nennen. Man gewahrt da keine Niederlassungen, nur verfallene Lehmhütten und ab und zu die Zeltlager der Nomaden, deren Pferde- und Kameelheerden in der üppigen Stromgegend weiden... Die erste größere Stadt ist Hit, ein enges, düsteres Nest in einer von Naphta- und Bitumendämpfen verpesteten Gegend. Die heißen Quellen fließen unbenutzt und die Pferde scheuen, den Reiter durch dieselben hindurchzutragen. Einige Gensdarmen sind die Repräsentanten der Behörde, der Vertreter der Regierung ist ein — Araber und er läßt sich seinen Posten schwer bezahlen. In Mesopotamien ist die Erscheinung überhaupt nicht selten, daß berüchtigte Steppenräuber in den Staatsdienst aufgenommen werden, um vor ihnen sicher zu sein. Auch in Anah, der zweiten Stadt im Euphratthale stromaufwärts hat man neuester Zeit ein übelbeleumundetes Individuum auf den Posten eines Provinzverwalters gesetzt und so scheint die ganze ungeheure Grenzlinie im Süden der asiatischen Provinzen so ziemlich in Feindeshand ... Die meisten Karten verlegen diese Grenze noch weiter gegen Süden, in die syrisch-arabische Hochwüste, aber dortselbst herrschen thatsächlich nur unstäte Nomadenstämme, die von den Handelskarawanen Tribut abfordern und Niemanden durch ihr Gebiet ziehen lassen. Indeß erschiene es als eine äußerst zwecklose Aufgabe, von jenem Territorium officiell Besitz zu ergreifen, denn es ist ausgesprochene Wüste. Weit gegen Süden steigen die öden Tafelländer an, bis zum Gebirgsknoten Dschof, der vom Mutterstocke des arabischen Hochlands nordwärts ausspringt. Nach dieser Richtung hat weder der Türke, noch sonst irgend ein europäischer Reisende je seinen Fuß gesetzt.

Im Euphratthale selbst fühlt man die Anwesenheit türkischer Behörden nicht absonderlich. Nach tagelangen Märschen stößt man wohl hin und wider auf einen Wachtposten, der sich in einem kleinen Blockhause einnistet und Monate in trostloser Einsamkeit und Beschäftigungslosigkeit zubringt. Nur wenn die großen Karawanen (vier bis fünf im Jahre) anlangen, gibts einige Zerstreuung. Die Exilirten senden Grüße und Briefe in die Heimath, nach Damascus oder Antakieh, lassen sich aber im Uebrigen das Geleite auf die nächste Wegstrecke möglichst theuer bezahlen, und sind die ersten, welche bei einem Angriffe der Nomaden das Weite suchen. Die Karawane, welche das Euphratthal heraufzieht, verläßt bei dem Blockhause El Kayem den Strom und schwenkt westwärts in die syrische Wüste ab, um nach beschwerlichem Marsche zwischen gypsigen Hügeln in das Weichbild Tedmurs, der Stätte Palmyras zu gelangen.

13*

In matten Farbennüancen schwimmt der noch stehende Säulenwald und aus den gedämpften Schlagschatten tauchen die abenteuerlichen Profile zusammengestürzter Portale. Ueber die Knäufe zieht ein eigenthümliches Tönen und der heiße Athem, der über die Trümmer streicht, macht den Marmor knistern. Ein einziges antikes Bauwerk, der sogenannte Sonnentempel, hat hingereicht, ein ganzes Araberdorf aufzunehmen, und die elenden Lehmhütten nehmen ihre Ausdehnung zwischen den gewaltigen, marmornen Riesenarcaden. Dieses Dorf, Tedmur mit Namen, besitzt auch eine kleine türkische Garnison, die die Beduinenstämme der Umgebung im Zaume halten soll, aber es ist diese Thatsache nicht sehr ernst zu nehmen. Weit in der Wüste draußen stehen noch die uralten Stadtthürme und dahinter erheben sich die Terrassen der kahlen Mergel- und Gypsgebirge, die im weiten Ringe die Palmyrener Oase umklammern. Ganz Tedmur verdankt indeß nur einer einzigen Quelle seine Existenz. Es ist der Herzschlag der Oase, wenn er einmal verstummt, so fallen auch die elenden Erdhütten der Araber zusammen und auf den Ruinen erstehen Ruinen. Neben Tamarisken erblickt man hier einen kleinen Palmenhain, der im Süden des Dorfes seine Ausdehnung nimmt, dann hin und wider kleine Fleckchen Culturboden, so groß wie ein Hühnerhof, sonst gedeihen, wo es der Boden überhaupt noch zuläßt, nur Wüstenpflanzen. Die Karawanen trachten demnach bald fortzukommen. Sie nehmen ihren Weg nach Südwesten in die Region des Anti-Libanon. Nach drei bis vier Tagmärschen taucht, zwischen mächtigen Gebirgsstufen ein weiß schimmerndes Häusermeer, inmitten einer üppigen, tropischen Vegetation, auf, ein wahres Paradieses-Labsal für den Blick, der auf vielwöchentlicher Wüstentour nur in grabesöde Fernen tauchte ... Es ist Damascus, das heißersehnte Ziel der Bagdader Karawanen ...

Anhang.

Die größere Hälfte des Manuscriptes vorliegender Schrift befand sich bereits in den Händen des Verlegers, als der Aufstand in der West=Türkei ausbrach. Der Verfasser war auf den Schauplatz der Ereignisse geeilt und sein Verweilen dortselbst durch mehrere Monate, sowie die turbulenten Ereignisse im Oriente überhaupt, welche auf die Fortsetzung des Werkes unmittelbaren Einfluß nehmen mußten, verzögerten die Herstellung desselben um nahezu ein halbes Jahr. Wie aber die Dinge im ottomanischen Osten stehen, so scheint aus ihnen kein Heil zu erblühen und die dar= gelegten Zustände gehen demnach weit über das Tagesinteresse hinaus. Es handelt sich ja eben, wie bereits im Vorworte bemerkt wurde, nicht blos um eine Regelung der Verhältnisse auf der Balkanhalbinsel, um die menschenwürdige Stellung der „Rajah" und um Inaugurirung von Reformen, welche auch den Nachbarmächten ein Bedürfniß sind, da sie ja im steten Contacte mit der Türkei stehen. Weit wichtiger und in ihren Consequenzen gar nicht zu übersehen ist die Thatsache, daß es nahezu an allen Punkten des 40,000 Quadratmeilen innehabenden ottomanischen Reiches Zustände gibt, die auf die Dauer unhaltbar sind. Die Ereignisse in der Herzegowina sind nur ein Funke zu dem Riesenbrande, der eventuellen Falls von der Save bis zum persischen Golfe auszubrechen vermöchte, wenn in den nicht= türkischen Völkern des Scepters Osman das Bewußtsein ihrer Macht über die Turaner erwachen sollte. Es ist demnach eine sehr kurzsichtige Politik, wenn man sich bestrebt, der rauflustigen Bewohnerschaft der West=Türkei einen großen Theil der Schuld beizumessen, daß in jenem Gebiete keinerlei Cultur platzgreifen

köune und daß der Regierung die Hände gebunden feien, um
erfolgreich zu operiren... Der Turcophilismus, der sich hin
und wider sogar in der öffentlichen Meinung ausprägte, hat sich
daran gewöhnt, die Balkanhalbinsel als den Centralplatz der
schwebenden Differenzen anzusehen. Der Gesichtskreis ist aber
hier ein nur sehr enger und man muß es lediglich der Unkenntniß der Zustände in den asiatischen Territorien zu-
schreiben, daß man wiederholt geneigt war anzunehmen, die
Slaven des „illyrischen Dreieckes" feien das enfant terrible
des ottomanischen Staates, ohne zu bedenken, wie blutig und
constant die Fehden feien, welche sich Jahr und Tag im Osten
des Reiches abspielen. Nicht nur die Slaven bestreben, den
langverhaßten Druck abzuschütteln, wir haben gesehen, daß die
Drusen, Nasarier, Maroniten, Kurden, Nestorianer und Araber
nicht minder bestrebt sind, sich von der Race, die sie vergewaltigt,
loszureißen. In dieser schweren Zeit ist die Diplomatie wieder
mit aller Macht in Action getreten. An dem Krankenbette des
ottomanischen Staates stehen die Homöopathen der Politik und
ihre Recepte sind Reformen, mit denen sie das Lebensende
desselben hinauszuschieben wähnen, ohne zu bedenken, daß an
einem vollkommen zerstörten Organismus jede Heilkunst scheitert.
Das Eingreifen der europäischen Mächte in die Situation im
Oriente hat zwar seine Berechtigung, aber das Chaos wird es
nimmer lösen, denn man vermag kein Verhängniß zu bannen,
das die Irrthümer von Jahrhunderten heraufbeschworen. Es
sind mächtigere Staaten von der Karte verschwunden, wie die
Türkei, und die Wissenschaft sieht in der Auflösung eines Staats-
organismus nichts so — Entsetzliches ...

Was nun speciell den Aufstand in der Herzegowina anbelangt, so gehört derselbe zu sehr der Tagesgeschichte an, um
all die bunten Ereignisse, die im Oriente nichts Neues sind, hier
zu recapituliren. Nothwendig erscheint es allerdings, auf die
Ursachen seines Ausbruches, auf den allgemeinen Verlauf und
auf die Maßnahmen der Regierung zurückzukommen, um jene
Schlußfolgerungen hieraus zu ziehen, die so ziemlich alles
bestätigen, was wir über das Türkenthum mitgetheilt. Schon
im Frühjahre 1875 regte sich in den Hochbergen von Nevesinje
und Gacko in der centralen Herzegowina. Die Steuerexecutoren

schritten an ihr gewohntes Werk und da sie, wie nach den vorangegangenen Mißernten zu erwarten stand, ihre Absichten nicht erreichen konnten, ergriffen sie jene Maßregeln, welche nur dem bekannt sind, der je mit dem hartbedrückten Volke verkehrt hat. Es wurden uns diesbezüglich Mittheilungen gemacht, die niederzuschreiben sich die Feder sträubt. Man gab den saum-seligen Zahlern Bastonaden, bis das Fleisch von den Knochen fiel, anderen drückte man — glühende Hufeisen auf die Sohlen (!) und dergleichen mehr, wie es nun einmal Brauch ist in dem schönen Osmanenreiche. Einpferchung in Schweineställe durch zwei, drei Tage, Schändung der Frauen und Töchter der christ-lichen Unterthanen und grundlose Einkerkerung sind Gräuel, die im Lande kaum noch von sich reden machen, so sehr hat man sich an sie gewöhnt... Den Nevesinjern wurde indeß die Sache zu toll und, nachdem sie die Steuerexecutoren mit ihrer Assistenz vertrieben, floh ein großer Theil von ihnen nach Montenegro. Das kam den Behörden ungelegen, denn eine Provinz ohne steuerzahlende Rajah ist eine schlimme Sache. Durch Versprechungen angelockt, kehrten wohl einige dieser Emigranten zurück, die Erfahrungen aber, die sie hiebei machten, waren keineswegs geeignet, ihr Vertrauen zur Behörde zu stärken, und im Hochsommer endlich, als von Seite der Autorität neuerdings Grausamkeiten begangen wurden, brach der eigentliche Aufstand in der centralen Herzegowina aus.

Bis hieher hatte die Bewegung einen rein agrarischen Charakter; der slavische Landmann in der Türkei treibt wenig Politik, da er hiezu kaum den nothwendigen geistigen Blick, geschweige die geistige Reife besitzt. Die politische Seite der Bewegung trat erst in den Vordergrund, als die thatsächliche und intellectuelle Unterstützung derselben von Seite tonangebender südslavischer Persönlichkeiten und Parteien erfolgte, als sich die Nachbargebiete erhoben, für die vielleicht im Augenblicke kein zwingender Grund zur Erhebung vorlag, und als schließlich omladinistische Faiseure sich an die Spitze der Aufständischen stellten. So entspann sich der blutige Kampf, der immer mehr an Territorium gewann, bald im Norden des Landes, bald im Süden aufflackerte. Die militärischen Erfolge wechselten zwischen den türkischen Truppen und den Insurgenten, als deren Chef

im Spätsommer Ljubobratich auftrat; entscheidende Haupt=
schläge fielen nicht vor. Von allem Anfange her war die
türkische Regierung gewillt, der Bewegung keine absonderliche
Bedeutung zuzumuthen, wie das schon so ihre Gewohnheit ist,
später aber warf sie einige Bataillone, als Verstärkung der
Localtruppen, in die insurgirten Provinzen und begann ihre
Operationen. Sie fielen im Anfange ziemlich unglücklich aus
und so sah man sich im Stambuler Kriegsministerium gezwungen,
größere Truppenmassen nach der Herzegowina zu dirigiren.
Bemerkenswerth erscheint es, daß das Gouvernement Bosna, zu
dem das Mutesariflik Herzegowina gehört, über ebenso wenig
Militär, wie Kriegsvorräthe verfügte. Hätte man die Wehr=
Ordnung Omer Paschas durch die langen Jahre ihrer Giltig=
keit befolgt, so würde der Gouverneur der Provinz über circa
25,000 Mann reguläre Truppen und über 7000 Mann Redifs
(Reserven) verfügt haben, es ist aber eine Thatsache, daß mit
vieler Mühe 12 bis 15,000 Streitbare aufgebracht wurden,
wovon ein großer Theil mangelhaft equipirt und noch mangel=
hafter bewaffnet war. In den Augmentations=Magazinen Sera=
jewos befanden sich Kriegsvorräthe, die kaum für einige Hundert
Mann gereicht hätten, geschweige für zwei Armee=Divisionen.
Das Kriegsministerium, das vermuthlich von den heillosen Zu=
ständen in dem genannten Gouvernement nichts wußte, veranlaßte
demnach, daß Abtheilungen des 4. und 5. Armeecorps (Anatolien
und Syrien) nach dem Schauplatze des Aufstandes abgeschickt
wurden und so traf es sich, daß Bataillone, die nur an das milde
Klima von Beirut, Damascus und Smyrna gewöhnt waren, in
die sterilen Hochberge der unwirthlichen Herzegowina einrückten,
wo sie bald kriegsuntüchtig wurden. Auch mit den Oberbefehls=
habern sprang man wie mit Schachfiguren um. Am längsten
hielt sich Rauf Pascha, der sich in den Kriegen in Affyr (West=
Arabien) einen Namen gemacht hatte.

Trotz einer Legion von Gefechten und Treffen kamen die
türkischen Truppen in ihren Erfolgen um keinen nennenswerthen
Schritt vorwärts. Während in den Hochbergen der Guerilla=
krieg mit all seinen Schrecken und mit der in diesem Lande
notorischen Grausamkeit seinen Verlauf nahm, war die europäische
Diplomatie nicht müßig. Was indeß die Cabinets=Politik für

rathsam befand, in die Oeffentlichkeit bringen zu lassen, hat zur Klärung der Beziehungen blutwenig beigetragen und der Schwerpunkt der Intervention lag eben, wie schon erwähnt, in Reformvorschlägen, die man der Pforte anrieth, um einen Umschwung der jämmerlichen Verhältnisse herbeizuführen ... Kaum wurde im Lager der Aufständischen diese Intervention bekannt, so erließ der Central-Ausschuß folgende Proclamation: „Wer die türkische Barbarei nicht selbst von Angesicht kennen gelernt hat, wer nicht die Drangsale und Qualen der christlichen Bevölkerung mit eigenen Augen gesehen hat, der kann sich auch keine Vorstellung von dem Fluche machen, der auf der Rajah lastet. Während sich eine Zahl der slavischen Brudervölker entwickelt und gedeiht, ruht auf einem Theile des serbischen Volkes ein furchtbar schweres Verhängniß. Auf sich selbst angewiesen hat die Rajah beschlossen, für ihre Befreiung bis auf den letzten Mann einzustehen und bis auf den letzten Mann zu fallen. Demgemäß erlassen die Führer des kämpfenden Volkes den Aufruf an alle unsere Brüder in den türkischen Landen, die gleich uns in unerträglicher Sclaverei schmachten, daß sie sich erheben und zu uns gesellen. Für jeden von uns ist es fürwahr besser zu sterben, als so weiter zu leben, als wir bisher leben mußten! u. s. w."

Von den Verhältnissen gedrängt, hat nun der Sultan einen Reform-Ferman proclamirt, der mit einem Schlage die Neugeburt des Reiches herbeiführen soll. Leider ist es nur zu bekannt, daß derlei souveräne Kundgebungen der hohen Pforte vollkommen bedeutungslos sind, da sie nur zur Publication gelangen, niemals aber factisch realisirt werden. Wie gering sind nicht die Erfolge des Hatti Scherif und Hatt Humajum, die bereits seit Decennien in Kraft stehen! Ein Menschenalter müßte vorübergehen, ehe man nur das allgemeine Verständniß der Völker für administrative Einrichtungen im modernen Sinne gewinnen würde. Das scheinen die Herzegowiner gar wohl gefühlt zu haben, denn ihre Führer erklärten die Reformvorschläge für unzulänglich, für leere Versprechungen, an die sich die türkischen Behörden niemals gehalten haben und niemals halten würden. Sie setzten den Kampf mit gleicher Erbitterung fort und der neue Reform-Act wird zweifellos so hübsch auf dem Papiere bleiben, wie seine zahlreichen Vorläufer ...

Der „Reform=Ferman" lautet:

Mein erlauchter Vezier Mahmud Nedlim Pascha!

Die civilisirten Staaten müssen ihre Anstrengungen darauf richten, die öffentlichen Rechte zu verbürgen. Alle Mittel, welche zum Schutze und zur Erhaltung dieses Grundsatzes beitragen, können nur durch völlig gleiche Anwendung der Gesetze auf alle Unterthanen und durch eine regelmäßige Organisation der Verwaltung erreicht werden. Die Interessen des Einzelnen werden nur durch die Ordnung und das Gedeihen des Landes versichert, indem die Privat=Interessen innig mit den allgemeinen verknüpft sind.

Seitdem wir den Thron bestiegen, haben unsere kaiserlichen Absichten und Gefühle, die allen bekannt sind, kein anderes Ziel mit Gottes Hilfe verfolgt, als die Größe und den Ruhm unseres Reiches, die Ruhe und das Glück unserer Unterthanen und die Entwickelung des Fortschrittes zum Nutzen des Wohlstandes und Gedeihens unserer Staaten. Um diese Absichten noch vollkommener zu verwirklichen, haben wir uns entschlossen, allen unsern Unterthanen Reformen und Freiheiten zu gewähren, die geeignet sein dürften, das öffentliche Vertrauen zu stärken. Wir verfügen kraft dieses gegenwärtigen kaiserlichen Jrades im Namen des allmächtigen Gottes folgende Maßregeln:

Die Bürgschaft des öffentlichen Rechtes beruht auf der Fernhaltung jeglicher Ingerenz der Executiv=Gewalt in der Ausübung der richterlichen Gewalt, so zwar, daß der Schutz des Gesetzes gegen jeden Mißbrauch sichert. Es genügt nicht Tribunale einzusetzen, welche das allgemeine Vertrauen genießen; auch die Mitglieder dieser Tribunale müssen sich durch ihre Verdienste, durch die Reinheit ihrer Sitten und ihre Unbescholtenheit nicht minder, als durch Handlungen, welche mit dem Gerechtigkeitsgefühle im Einklange stehen, hervorthun. Unser hoher Gerichtshof ist nur begründet worden, um in sich alle diese Bedingungen und Eigenschaften zu vereinigen. Außerdem erscheint es nothwendig, auf diese Grundlagen seine Zusammensetzung zu stützen und ernste Verbesserungen in den verschiedenen Zweigen seiner Functionen herbeizuführen. Ebenso wie die Unabhängigkeit der Tribunale durch den Rapport mit der Administrativ=Gewalt allein deren Untheilbarkeit sichern kann, ebenso vermag die Unabsetzbarkeit der Richter, unbeschadet des gesetzlichen Apells, allein dem Richterstand das allgemeine Vertrauen zuzuführen. Die Wahl dieser Mitglieder muß also derart bewirkt werden, daß Niemand an einzelnen derselben Anstoß nimmt. Die Attribute des Präsidiums des Cassationshofes, welcher die obere Instanz aller Nizamieh=Gerichte (Civil=, Corrections= und Criminalgerichte) bildet, sind getrennt von denen unseres Justizministeriums. Die beiden Sectionen des Cassationshofes werden einen ersten Präsidenten und einen Vice=Präsidenten haben. Gleichzeitig werden das Apellgericht und die Handelsgerichte mit unserem Justizministerium vereinigt werden — eine Neuerung, die dem Handels=ministerium gestatten wird, sich nunmehr einzig nur mit der Entwickelung seiner Ressortfragen zu beschäftigen. Demgemäß wird der Apellhof, verbunden mit unserem hohen Gerichtshofe, die Attribute des Handels=Apellhofes mit denen des Criminal=Tribunals in sich vereinigen. Er wird demnach drei Abtheilungen umfassen, entsprechend den correctionellen, den bürgerlichen und den Handels=Angelegenheiten.

Auf dieselbe Weise sollen die Civil=Tribunale und die erste Instanz reformirt und organisirt werden. Jedes der Mitglieder dieser Gerichtshöfe und Tribunale, welche mit der größten Sorgfalt gewählt werden müssen, erhält einen kaiserlichen Berat, welcher vor jeder Absetzung ohne gesetzlichen Grund schützen soll, und in einem auszuarbeitenden Reglement werden die Rechte für diejenigen festgestellt werden, welche aus dem Dienste treten. Bei der Reorganisation, welche wir an unserem hohen Gerichtshofe vornehmen und welche eine regelmäßige Durchführung aller Streitsachen zum Zwecke hat, wollen wir, daß alle Nizamieh=Tribunale nach gleichen Normen entscheiden, da sie die Aufgabe haben, für unsere Unterthanen Recht zu sprechen und überall die Gesetze der Billigkeit walten zu lassen. Um jede Ursache des Mißtrauens zu beseitigen, welche bezüglich der Errichtung und Zusammenstellung dieser Tribunale im Volke vorwalten könnte, und um sie vor dem Einflusse der Staatsgewalt sicher zu stellen, verfügen wir ausdrücklich Folgendes: Alle unsere Unterthanen sind befugt, sich an der Wahl der muselmanischen und nicht=muselmanischen Mitglieder der genannten Tribunale und Administrativräthe der Provinzen zu betheiligen. Um diese Tribunale und Räthe einzusetzen und um ihre Zusammenstellung in der oben festgesetzten Weise zu veranlassen, werden in alle Provinzen des Reiches genaue Instructionen geschickt werden. Die Naïbs, welche sich in den Hauptorten der Vilayets befinden, werden den Posten des Präsidenten der Apellhöfe dieser Hauptorte besetzen. Die Präsidenten der Civil- und Criminal-Tribunale in den Hauptorten der Sandjaks und Kazas werden aus den hiezu befähigsten Personen gewählt werden. Die Prüfung der Urtheile durch die Tribunale des Cheri der Sandjaks und Kazas fällt gleichfalls den Naïbs der Vilayets-Hauptorte anheim. Da die neue Gerichtsverfassung zum Zwecke haben soll, die Garantien für die Rechtssicherheit aller Personen zu centralisiren, werden die Processe unserer moslemischen Unterthanen mit unseren christlichen Unterthanen und anderen Nicht-Muselmanen, sowie die Processe der letzteren untereinander den Nizamieh-Tribunalen übertragen, wobei eine neue Gerichtsordnung und darauf Bezug nehmende Gesetze durch eine zu erfolgende kaiserliche Verordnung in Kraft treten sollen. Die genaue Befolgung des Gesetzes ist der Schutz gegen Willkür und muß daher der Gegenstand oberster Pflicht von Seite der Gerichte sein. Das Gesetz muß nach dem jeweilig vorliegenden Vergehen oder Verbrechen mit größerer oder geringerer Schärfe in Anwendung treten. Ohne Urtheil darf Niemandem die Freiheitsstrafe auferlegt werden . . .

Einer der wichtigsten Punkte jenes Fundamentalprincipes, welches die Garantie für die Rechte unserer Unterthanen bildet, ist die gerechte Vertheilung der Steuern und Staatsabgaben aller Art. Bisher wurden die allgemeinen Staatseinnahmen nach dem Erforderniß für die Reichs-Administration in das Militär bemessen und im Interesse der natürlichen Entwickelung des Reiches allerlei Mittel angewendet, diese Einkünfte zu vermehren. Aber man muß eben — und dahin geht unser kaiserliche Wille — zeitweise auf Einnahmsquellen verzichten, deren Effectuirung der Bevölkerung nur Leiden und dem Staatsschatze keinen erheblichen Nutzen bereitet. Die Verschiedenheit der inneren Abgaben, welchen unsere Unterthanen unterworfen sind, haben Unregelmäßigkeiten bei der Vertheilung und bei der Einhebung der Steuern verursacht. Wir befehlen daher, daß ein Modus der Unification der Steuer gefunden und sofort in Kraft gesetzt werde, um durch denselben den Völkern des Reiches eine Erleichterung zu schaffen. Durch die Einführung einer gerechten Steuervertheilung, ohne hierbei die Interessen des Staatsschatzes zu alteriren, unabhängig von der Abschaffung des „Viertelzuschlages" zum Zehent, welcher erst jüngst decretirt wurde, sollen überdies die weitgehendsten Maßregeln ergriffen werden, um bei der Einholung der Steuern jeder Willkür der Pächter vorzubeugen. Da die Einholung der directen Steuern in den Provinzen durch die Zaptiés (Gensdarmen) zu zahlreichen Mißbräuchen führte, so befehlen wir, daß die Polizei sich bei der Eintreibung der Steuern in keinerleiweise einmischen darf. Zu diesem Acte sind nur die, von der moslemischen und nichtmoslemischen Bevölkerung gewählten, Steuereinnehmer berechtigt. Eine Instruction hierüber wird noch herausgegeben werden.

Das ist in dieser Richtung unser fester Wille, und wir wünschen, daß diese Maßregel, welche dazu bestimmt ist, die Rechte des Fiscus und eine billige Einhebungsweise der Steuern zu garantiren, ohne Verzug ins Leben treten soll. Unter den Fragen, welche die Interessen unserer Unterthanen berühren, ist auch die Reform der Besitztitel des unbeweglichen Eigenthums. Die Ablösung des Grundeigenthums und der Mangel an Besitzrechten überhäufen die Gerichte mit Arbeit, verursachen zahlreiche Processe und entwerthen das Grundeigenthum. Um diesen Uebelständen abzuhelfen, sollen die Besitztitel alles unbeweglichen Eigenthums ausschließlich durch die Archiv-Direction geprüft werden. Es wird in dieser Richtung, um das Eigenthumsrecht unserer Unterthanen zu präcisiren, ein specielles Programm ausgearbeitet werden.

Gemäß unserem steten Wunsche müssen das Leben, der Besitz und die Ehre unserer Unterthanen geschützt sein und dieses Ziel muß vorzugsweise mittelst der Polizei erreicht werden. Demgemäß dürfen die Zaptiés nur aus jenen Personen hervorgehen, welche das Vertrauen der Bewohner jedes Bezirkes genießen. Die Maßregeln bezüglich ihrer Competenz werden unverzüglich in Ausführung gesetzt.

Da der civilisatorische Fortschritt in unserem Reiche den Gegenstand all' unseres Trachtens bildet und da anderseits der Reichthum des Volkes sich nur durch die Wohlfahrt entwickeln kann, ist es Pflicht der Autorität, unseren Unterthanen jeden

Zwang und alle Mißbräuche zu ersparen, deren drückendster der Frohndienst ist. Er wurde verlangt zum Straßenbaue und zu anderen gemeinnützigen Arbeiten, für welche die Bevölkerung stets soviel Eifer und Patriotismus an den Tag legte. Man muß jedoch vermeiden, aus einer freiwilligen Leistung unserer Unterthanen für die öffentlichen Arbeiten eine Ursache der Bedrückung und Schädigung sowohl für die Personen, als wie für ihre Interessen herzuleiten. Demgemäß wird das in Kraft stehende System reformirt und die neuen Maßregeln mit größeren Garantien ausgestattet werden. Es werden sofort bestimmte und kategorische Instructionen an die Verwaltungsbeamten hinaus= gegeben werden, damit in dieser Richtung kein unserem kaiser= lichen Willen zuwiderlaufender Act begangen werde.

In Erwägung, daß es dringend geboten erscheint, die zur Entwickelung des Ackerbaues, der Industrie und des Handels unseres Reiches und zur Hebung des Wohlstandes unserer Unterthanen nothwendigen Maßregeln anzunehmen; in weiterer Erwägung, daß die wesentlichen Competenzen des Handels= ministeriums darin bestehen müssen, unsere diesbezüglichen In= tentionen zu realisiren, befehlen wir, daß man hierüber die fähigsten und competentesten Männer zu Rathe ziehe und daß man ihre diesbezügliche Entscheidung unserer kaiserlichen Sanction unterbreite.

Alle Unterthanen, die im Schatten unseres kaiserlichen Schutzes leben, befinden sich vor unseren Augen und vor unserem gerechten Gefühle auf der Basis vollkommener Gleichheit. Darum bestätigen wir die Vollmachten, mit denen die Patriarchen und die anderen geistlichen Oberhäupter für die Angelegenheiten ihrer betreffenden Gemeinden, wie auch für die freie Ausübung ihres Cultus, ausgestattet sind, conform mit den bestehenden Privilegien und Immunitäten jener Gemeinden. Alle Angelegenheiten, sowohl in Verbindung mit dem Ansehen der erwähnten geistlichen Ober= häupter, wie auch mit ihren Bedürfnissen und mit der Competenz ihrer Special=Berathungen, werden nach wie vor innerhalb der für sie gezogenen Grenzen von Rechten und Autorisationen, Gegenstand meiner Protection sein, und es werden alle Erleich= terungen für die Gründung und den Bau ihrer Kirchen, Schulen und anderer Nationalgebäude zugestanden werden.

Da allen Classen unserer Unterthanen immer alle Grade und öffentlichen Aemter nach ihren Verdiensten und Fähigkeiten offen stehen, decretiren wir nun auch die Zulassung nicht-moslemischer Unterthanen, deren Unbescholtenheit und Tüchtigkeit anerkannt ist, zu den Staatsämtern.*)

Die Exonerations-Steuer vom Militärstande, der alle nicht-moslemischen Unterthanen unseres Reiches unterworfen sind, ist als Compensation für den factischen Militärdienst, dem sich alle unsere moslemischen Unterthanen zu unterziehen haben, eingeführt worden; da aber die Gleichheit der Rechte die Gleichheit der Pflichten bedingt, da man ferner in unrichtiger Proportion auf das Alter und auf den Stand des Contribuenten Rücksicht genommen hat und schließlich die Einhebung und Vertheilung dieser Steuer im Schooße der Gemeinde keiner geregelten Controle unterworfen waren, befehlen wir, um unserer Gerechtigkeit neuen Ausdruck zu geben, daß die Repartition der erwähnten Steuer so vorgenommen werde, daß alle Nicht-Muselmanen, die das zwanzigste Jahr noch nicht erreicht, oder das vierzigste überschritten haben, ferner die zum Militärdienst Untauglichen von dieser Steuer befreit werden. Ferner wird die bisherige Steuer von hundert Pfund per Kopf für jene Muselmanen, die sich vom Militärdienste loskaufen wollen, auf fünfzig Pfund reducirt.

In gewissen Theilen unseres Reiches können unsere nicht-moslemischen Unterthanen nicht Grundeigenthümer werden und sind blos Beamte in ihren Pachtgütern. Dieser Zustand widerstrebt unserem Gerechtigkeitsgefühle und es wird in Zukunft unter unseren Unterthanen kein Unterschied, weder in Bezug auf das Eigenthum der im Wege des gerichtlichen Zuschlages verkauften herrenlosen Güter, noch für das Eigenthum an Gütern und sonstiger Habe bestehen, die von Privaten verkauft werden. Infolge dessen wird man denselben, auf Grund vollständiger Gleichheit, den Genuß der Vorschriften des Gesetzes über das Grundeigenthum zusichern.

Die testamentarischen Verfügungen unserer nicht-moslemischen Unterthanen in den Provinzen, müssen von nun an respectirt werden. Es wird nicht gestattet, sich in die Geschäftsgebahrung

---

*) Spät hat man dem Rathe Fuads Gehör geschenkt! A. d. V.

der Vormünder rücksichtlich des Vermögens ihrer Pupillen ein=
zumischen. Nur wenn im Falle schlechter Geschäftsgebahrung
gegen Vormünder und Testaments = Executoren Klage erhoben
werden sollte, haben die Behörden zu interveniren und das
Vermögen der Pupillen unter ihre Obhut zu nehmen. Alle
diese Vorschriften, welche unserem kaiserlichen Willen entspringen,
haben den Zweck, das Wohl der unter unserer Souveränität
befindlichen Völkerschaften zu fördern. Die Größe, der Ruhm
und die Sicherheit der Staaten können sich nur behaupten durch
die Unparteilichkeit und Gerechtigkeit der Executiv-Behörden,
durch den Gehorsam Aller gegen die bestehenden Gesetze und
durch die gewissenhafte Wahrung der Rechte eines Jeden seitens
der Mächtigen und Geringen. Alle diejenigen, welche sich in
unseren Staaten nach diesen Principien benehmen werden, sollen
Gegenstand unserer kaiserlichen Huld sein, während die Zuwider=
handelnden die schärfste Bestrafung treffen soll. Wir befehlen
demnach ferner, daß man einen Modus festfelle, nach welchem
uns ein jedes Zuwiderhandeln gegen unsere souveränen Befehle
zur Kenntniß gelangen soll. Wir verfügen gleichzeitig, daß man,
unberührt von den vorstehenden Verfügungen, Vorschriften aus=
arbeite, die die Befugnisse aller administrativen und politischen
Functionäre präcis klar zu legen haben.

Du, der Du unser erhabener Großvezier bist, wirst dieses
souveräne Rescript in der üblichen Form sowohl in unserer
Hauptstadt, als wie in den Provinzen des Reiches veröffentlichen
lassen und darüber wachen, daß alle nothwendigen Maßregeln,
welche dasselbe enthält, sofort in Angriff genommen werden, um
ihnen einen dauernden Werth zu verleihen. —

Gegeben den 13. Zulcadêh 1292.   (12. Decemb. 1875.)

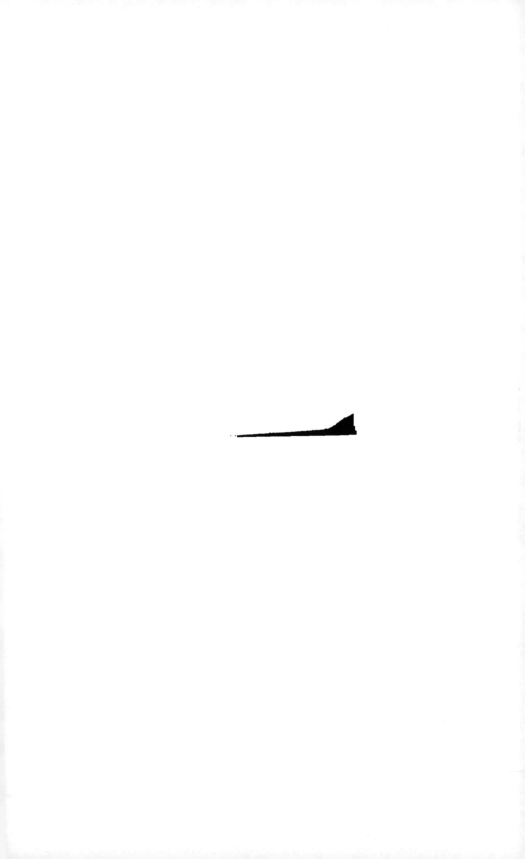

Druck von Bonde & Dietrich in Altenburg.

Lightning Source UK Ltd.
Milton Keynes UK
UKHW020806270219
338009UK00008B/1498/P